S0-AIV-401

OTROS MUNDOS / GONZALO AGUILAR

GONZALO AGUILAR

OTROS MUNDOS

Un ensayo sobre el nuevo cine argentino

2ª Edición Actualizada

Aguilar, Gonzalo
 Otros mundos: un ensayo sobre el nuevo cine argentino -
2a ed. - Buenos Aires: Santiago Arcos editor, 2010.
 272 p. ; 23x15 cm. (Biblioteca Km 111; 2)

 ISBN 978-987-1240-52-4

 1. Cinematografía. 2. Ensayo. I. Título
 CDD 778.5

Santiago Arcos editor

Biblioteca Km 111

Dirigida por Emilio Bernini y Domin Choi

Diseño:
Cubierta: Ana Armendariz
Interiores: Gustavo Bize (gustavo.bize@gmail.com)

1ª edición, 2006
2ª edición, 2010

A Jorge Ruffinelli, cinéfilo y amigo

*A Tuchi, mi padre,
que me llevó a ver la de Buster Keaton*

Introducción

¿Qué pasa cuando los mundos se esfuman, se enfrían o sencillamente desaparecen? ¿Cómo reconocer los otros mundos que comienzan a anunciarse, no menos intensos pero sin duda de contornos no tan precisos? Sin tener formas muy definidas y sin saber con exactitud a qué tipo de experiencias se referían, estos interrogantes se me presentaron en sucesivas formulaciones a lo largo de los años noventa. Era cada vez más evidente que se estaban viviendo una serie de transformaciones para las que no existía todavía un arsenal conceptual suficiente o apropiado. Al profundo viraje en la historia de nuestras vidas que significó el gobierno peronista de esos años (y que fundó la actual hegemonía de la que goza el partido justicialista) se le sumaban una serie de transformaciones globales (políticas, económicas, tecnológicas) que afectaban el mundo del trabajo, la esfera pública y también la vida íntima y privada. Estos cambios no eran abstractos, sino que llegaban a conmover los pilares de las costumbres y de la vida cotidiana: surgimiento de inéditas ocupaciones laborales, nuevos recorridos por la ciudad, conexión casi permanente a las redes informáticas, intensificación del consumo como modo de identidad individual o grupal, omnipresencia de los medios audiovisuales, mutaciones en la manifestación de la sexualidad, incorporación de la exclusión económica como algo familiar e irrevocable en el imaginario social y alteración de las prácticas políticas tradicionales son algunos de los hechos verificables de los cambios epocales a los que hemos asistido en los últimos años.

La intuición de que con las películas del nuevo cine argentino podía arriesgar algunas reflexiones acerca de estas transformaciones estuvo en el origen de este libro. En esos devaneos, ni exageradamente teóricos ni ramplonamente prácticos, la categoría de *mundo* comenzó a redefinirse: el mundo como lugar real o imaginario que proporciona a sus integrantes códigos y afectos, ciertas herramientas materiales y conceptuales y un tiempo y un espacio determinados. Lo que aquí denomino "mundo" puede estar dado por algún grupo o comunidad, un *hobby* o, como lo fue básicamente en la modernidad, un trabajo.[1] En *Mundo grúa* (1999), de Pablo Trapero, el mundo del trabajo conecta con el de la narración y juntos configuran una evocación de los tiempos idos, mientras que en *La ciénaga* (2001), de Lucrecia Martel, el mundo que se desintegra es el de la familia. En *Los guantes mágicos* (2004), de Martín Rejtman, mundos transitorios sostenidos por un *hobby* o un trabajo chocan entre sí y encuentran vínculos disparatados: la gimnasia, la pornografía, la remisería, las pastillas

---

[1] Según Judith Shklar, "la sociedad occidental hubo de esperar el advenimiento del capitalismo moderno para que la idea de dignidad del trabajo se transformase en un valor universal" (citada en Sennett, 2003: 68).

7

contra la depresión, el oficio de pasear perros, el negocio de la importación. Cada una de estas prácticas ofrece mundos en los que los distintos personajes tratan de hacerse un lugar. "Servicios para la clase media", como dice uno de los personaje de *Silvia Prieto* (1999), también de Rejtman; o como propongo aquí, nuevas formas del trabajo. Si algo une a estas películas es que esos mundos apenas pueden sostenerse en el tiempo y sobrevivir a las sucesivas contingencias. Como en *Los muertos* (2004), de Lisandro Alonso, los ritos, esos actos llenos de sentido que conectan lo material y lo simbólico, están vaciados, y la naturaleza misma se presenta como ruina. Pero a la vez que estas películas entregan un diagnóstico taciturno o desencantado, también dejan vislumbrar una vitalidad y una promesa. Con una apertura de la que carecen otras artes del período, el cine se transformó, en los últimos años, en el lugar en el que se plasmaron las huellas del presente y es por eso que puede recurrirse a las películas para responder a la pregunta sobre por qué, pese a que los mundos se están evaporando, algo persevera.

Esta huella del presente, sin embargo, nunca se exhibe de un modo puro y evidente. Una de las tareas de la crítica es construir su propio objeto a través de las películas con el fin de dar cuenta de la relación entre film y sociedad. Para elaborar esta relación, le presté una especial atención —en el análisis de los films— a la *puesta en escena*. Por puesta en escena entiendo la combinación entre lo que sucede *con* el plano y lo que pasa *en* el plano o, en términos más estrictos, la combinación compleja entre los encadenamientos del plano y sus componentes. Y aunque haya una presuposición recíproca que hace que no puedan darse separados absolutamente (lo que sucede *con* el plano y lo que pasa *en* el plano) son a la vez irreductibles el uno al otro y admiten desarrollos independientes para que se comprendan mejor los alcances de la puesta en escena de un film. Esto hace que la crítica deba transitar en el intersticio entre la planificación y lo que la imagen registra, pero también que deba poder desarrollar con relativa autonomía la naturaleza de los encadenamientos por un lado y de los componentes por el otro. Si sólo nos quedáramos en una reflexión sobre la planificación, bajo la presunta presión modernista de la evolución de la forma, se perderían, en esta supuesta autonomía del plano, los componentes que conectan a las películas con otras prácticas que no son específicamente cinematográficas. En efecto, pocas críticas de arte son tan resistentes a la lectura contextual y sociológica como la de cine. Sin embargo, si nos atuviésemos a una descripción contenidista caeríamos en una crítica temática que elimina el carácter significativo y específico de los procedimientos cinematográficos. Habría que tratar, entonces, de no reducir la forma a los procedimientos ni lo contextual a los componentes: más bien, construir la articulación crítica que potencie la dimensión cultural, social y cinematográfica del film en su conjunto.

Por supuesto, no se me escapan los riesgos de una crítica en la que lo temático tenga un papel tan preponderante. Con esta perspectiva, no es difícil que lo singular de cada obra se suprima en función de una unidad que sólo existe en las reducciones del método antes que en los mismos objetos. O, peor, que las películas sean convocadas como documentos o alegorías que se atraviesan

8

rápidamente para llegar al estado de las sociedades. Es un riesgo que preferí correr ya que en compensación, frente a una crítica que siempre tiende a pensar en autores, entiendo que una mirada más sociológica ayuda a construir *corpus* mayores (no siempre armados a partir de ejes específicamente cinematográficos), a salir del análisis restringido de autores o películas y a pensar el estatuto de la imagen (y de la narración por imágenes) en la sociedad.

Desde un principio, mi idea no fue pensar *contra* las películas ni *sobre* ellas, sino *con* ellas. Mi posición está tan lejos de la hermenéutica como del juicio valorativo: me interesa, antes que nada, acercarme a las transformaciones de los últimos años ayudado por *las astucias* de la forma cinematográfica.[2] En diálogo y en polémica con otras posiciones críticas, he tratado de desarrollar en este libro una lectura del nuevo cine argentino que es, a la vez, una interpretación de las transformaciones de los años noventa. No me refiero con esto al hecho de si el nuevo cine hizo o no la crítica del menemismo, ni siquiera si elaboró un conjunto de imágenes que permitirían explicar sus mecanismos; digo, más bien, que podemos utilizar el cine –sus películas pero también la institución, los festivales, su vínculo con el poder y con el dinero– para pensar los cambios que se sucedieron en la década de los noventa. Tratando de combinar saberes del cine con saberes que lo exceden, me pregunté qué es lo que hicieron estos films con el tiempo que les tocó vivir.

El libro está dividido en tres partes tituladas "Sobre la existencia del nuevo cine argentino", "Cine, la narración de un mundo" y "Un mundo sin narración (la indagación política)". En la primera parte, expongo y analizo las diversas transformaciones culturales y cinematográficas que contribuyeron para que se produjera el fenómeno de un nuevo cine en nuestro país. En "Cine, la narración de un mundo", propongo diversos tópicos (la organización de los espacios y de los agrupamientos, el retorno de lo real, la omnipresencia de la mercancía, el tratamiento del sonido y el uso de los géneros) con el fin de revisar algunas poéticas (Rejtman, Martel, Alonso) o algunas obras (*Pizza, birra, faso* de Caetano y Stagnaro, *El bonaerense* de Pablo Trapero, *Tan de repente* de Diego Lerman y *Sábado* de Juan Villegas). Finalmente, la tercera parte –"Un mundo sin narración (La indagación política)"– tiene como tema central las nuevas formas que asumieron el pueblo y la política durante los años noventa y el modo en el que las películas reaccionaron al tratamiento que el cine argentino anterior le había dado a estas cuestiones. Hago en este tramo una interpretación de diversas películas producidas en los últimos años, aunque pongo un énfasis particular en *Mundo grúa* de Trapero, *Bolivia* de Adrián Caetano y *Los rubios* de Albertina Carri.

---

[2] "Las astucias de la estética: la forma cinematográfica y la experiencia del presente" fue el título que tuvo el seminario de posgrado que dicté en la maestría de Cultura de la Facultad de Ciencia Sociales y en la maestría de Análisis del discurso de la Facultad de Filosofía y letras en la UBA. La discusión con los estudiantes y los trabajos que presentaron fueron muy importantes para el desarrollo de este libro. En los capítulos que siguen, cito sus monografías inéditas por el nombre del autor y el título del seminario.

9

El libro se cierra con tres anexos que se refieren, respectivamente, a las transformaciones que se produjeron en la última década en la exhibición de películas, a las modificaciones que introdujo el nuevo cine argentino en los modos de hacer *casting* y a consignar todos los estrenos entre 1997, año de la presentación de *Pizza, birra, faso* en el Festival de Mar del Plata, y mediados de 2005, es decir, el momento en el que este libro entró en imprenta.

Otros mundos (Un ensayo sobre el nuevo cine argentino) es una interpretación que abarca muchas de las películas producidas en nuestro país entre 1997 y 2005, sobre todo aquellas *operas primas* u obras de directores jóvenes que contribuyeron al fenómeno del nuevo cine. En estos siete años, sin embargo, la producción ha sido tan abundante que, a menudo, debí excluir varias películas que, pese a considerarlas valiosas, estaban fuera de los objetivos que me había propuesto (es decir, indagar las huellas del presente). Y si esto se aplica a algunos films (como *Garage Olimpo* de Marco Bechis), se hace más evidente en el género documental que adquirió tanta relevancia en la producción de los últimos años.[3] No me guié por un criterio de exhaustividad ni quise hacer una historia del cine argentino reciente. Antes que eso, encaré las películas como si fueran objetos en los que encontrar claves y cifras para comprender el presente.

Mayo de 2005

---

[3] La importancia del documental ha crecido tanto en los últimos años que en la séptima edición del BAFICI no sólo ha podido participar en la competencia oficial sino que fue un documental el que se alzó con el premio a la mejor película (*El cielo gira* de Mercedes Álvarez). También creció el interés de la crítica por este género. De los textos producidos sobre las producciones locales, puede leerse "El documental y yo" de Andrés DI TELLA (2002) y el número 5 de la revista *Kilómetro 111 (Ensayos sobre cine)* (2004) que incluye "Un estado (contemporáneo) del documental. Sobre algunos films argentinos recientes" de Emilio BERNINI, y las reseña de Mauricio ALONSO sobre *Yo no sé qué me han hecho tus ojos* de Sergio Wolf y Lorena Muñoz. Además, se encuentra en prensa el libro *Documental político argentino* compilado por Josefina Sartora y Silvina Rival en el que participan prestigiosos críticos de cine como Mariano Mestman, Eduardo Russo, Ricardo Parodi, Gustavo Castagna, Raúl Beceyro, Jorge Ruffinelli y el mismo Emilio Bernini.

10

I. Sobre la existencia del nuevo cine argentino

Cada vez que se habla de nuevo cine argentino, los realizadores, los críticos o el público creen necesario anteponer un "el llamado" o alguna otra palabra que marque cierta distancia e incredulidad respecto del fenómeno. Sin embargo, uno de los grandes logros de la generación de nuevos cineastas fue imponer la idea de que, en los años noventa, se produjo un corte y una renovación. Es decir, que *existe* un nuevo cine argentino, lo que no supone aceptar que este fenómeno se haya provocado deliberadamente o como parte de un programa estético común.[1] La pertinencia de esta denominación se hizo indudable, básicamente, por la continuidad en la producción de películas (muchos de los realizadores del nuevo cine llegaron a hacer dos o más films, aun en tiempos de devastadoras crisis económicas) y por el éxito que tuvo este mote en el exterior.[2]

Es posible que la reticencia frente a la etiqueta "nuevo cine argentino" aparezca cuando se la considera en términos estrictamente estéticos. Desde este punto de vista, resulta evidente que Lucrecia Martel, Pablo Trapero, Martín Rejtman o Adrián Caetano pertenecen a universos tan diferentes que sólo alguien muy despistado puede creer que representan algo semejante. Pero quien quiere imponer esta perspectiva estética olvida que en el arte, y más aún en el cine, estos criterios no son los únicos válidos. Los aspectos estéticos

---

[1] El crítico Horacio Bernardes, en sus escritos para *Página/12*, no sólo ha recurrido al sintagma "nuevo cine argentino" sino que ha propuesto la sigla NCA, revelando con justeza cómo, en realidad, esa denominación tiene el carácter de una marca de identificación útil en ese sentido.

[2] Como coronación de su recorrido por festivales a lo largo de todo el mundo puede leerse el artículo "Floating Below Politics" de Larry ROHTER, publicado en el *New York Times* en el 2005, que comienza con esta contundente afirmación: "Irán had its moment, Finland and Korea too. But at film festivals around the world these days, much of the talk is focused on Argentina and the emerging crop of young directors who have been winning prizes and praise from Berlin and Rotterdam to Toronto and Miami". Aunque el corpus de Rohter está construido desde una visión demasiado exterior y hasta superficial (menciona como exponentes a *Nueve reinas*, *La niña santa* y *El abrazo partido*), después concluye: "They do not share an aesthetic, the way the French New Wave or Brazilian Cinema Novo did, and some of them did not even know one another until they met at film festivals in Europe or North America. 'To call us a movement or something like that would be excessive, because it isn't that yet and I don't know if it ever will be', Ms. Martel, 38, said during a recent interview at a bookstore and cafe near her home in the suburbs here. 'We've been nurtured by the same crisis, but that's about it', she added, referring to the recurring political and economic turmoil that has characterized Argentine life for decades".

del cine no necesariamente son más importantes que las cuestiones de producción o de orden cultural. El *cine* no está hecho sólo de imágenes, sino que forman parte de él organismos institucionales y fundaciones, productores y trabajadores, escuelas de cine y festivales, críticos y espectadores. Ninguno de estos hechos es exterior al film como fenómeno artístico, cultural o industrial. La *producción* de un film, por ejemplo, se introduce en cada uno de los diferentes pasos de la realización de una película (idea original, escritura de guión, rodaje, post-producción, distribución), y entre las virtudes de la nueva generación de cineastas está el haber comprendido que sin una transformación en la industria del cine no hay posibilidad alguna de sostener un proyecto personal.[3] Por eso, si bien es cierto que hay profundas diferencias de poéticas en el nuevo cine, desde otras perspectivas es absolutamente justificado señalar que, con las películas de los últimos años, se constituyó un *nuevo régimen creativo* que puede denominarse, sin vacilaciones, *nuevo cine argentino.*

Así como los integrantes de las nuevas generaciones lograron imponer la idea de un nuevo cine (divisa que tiene circulación nacional e internacional), suele haber también consenso en relación a los acontecimientos que marcarían el inicio de este ciclo. Con el antecedente de Martín Rejtman, y en menor medida de Alejandro Agresti y Esteban Sapir, a quienes les valdría el papel de "precursores", y de *Historias breves I* de 1995, donde participarían varios de los que después serían los realizadores más reconocidos,[4] el nuevo cine tiene su acta de bautismo con el Premio Especial del Jurado otorgado a *Pizza, birra, faso* de Adrián Caetano y Bruno Stagnaro en el Festival Internacional de Cine de Mar del Plata de 1997 y su consagración definitiva en 1999, con los premios a mejor director y mejor actor dados a *Mundo grúa* de Pablo Trapero en el BAFICI. A partir de entonces la producción de films ha sido tan copiosa que Alejandra Portela y Raúl Manrupe consignan, en *Un diccionario de films argentinos (1990-2002)*, más de cuatrocientas películas realizadas durante ese período. Y aunque frente a semejante cantidad de películas parece difícil establecer un mapa homogéneo y ordenado, propongo a continuación tres rubros amplios para ver las características de este nuevo régimen creativo: producción, producción artística y propuesta estética.

---

[3] Buena parte de esto se vio cuando los estudiantes que después serían directores, indiferentes o no a las marchas políticas en la calle, asistieron en masa a la marcha que exigía la aprobación de la ley de cine y su regulación a principios de los noventa.

[4] La película consta de ocho cortometrajes cuyos guiones fueron premiados y producidos por el INCAA. Los títulos que componen *Historias breves* son los siguientes: "La ausencia" de Pablo Ramos, "Niños envueltos" de Daniel Burman, "Ojos de fuego" de Jorge Gaggero y Matías Oks, "Guarisove, los olvidados" de Bruno Stagnaro, "Dónde y cómo Olivera perdió a Achala" de Andrés Tambornino y Ulises Rosell, "Noches áticas" de Sandra Gugliotta, "Rey muerto" de Lucrecia Martel y "Cuesta abajo" de Adrián Caetano. Posteriormente se realizaron nueves ediciones de *Historias breves*: la segunda parte (1997), por la cantidad de cortos, se dividió en dos, como también la tercera edición (1999, "Ojo izquierdo" y "Ojo derecho"); en el 2004, se estrenó *Historias breves IV.*

Las mil y una maneras de hacer una película

Nuevas correlaciones entre la producción y la estética

Durante los noventa, hacer una película era parte de una *aventura*. Es decir, algo que, según palabras de SIMMEL, "se sale del contexto de la vida". Y esto en un sentido primordial de búsqueda o invención de experiencia: se sale a rodar con la cámara sin que el objetivo final esté mínimamente garantizado. En el cine argentino anterior, en general, la llegada del dinero condicionaba la realización del film. Los directores pensaban películas que necesitaban una cierta cantidad de dinero y, a menudo con gestos heroicos, se embarcaban en la realización de su proyecto. La situación de "hipotecar la casa" para poder hacer la película es un tópico de nuestro cine conformado no por leyendas sino por historias reales.

A diferencia de sus predecesores, el nuevo cine argentino tuvo una relación totalmente diferente con la producción: muchas películas se filmaron con lo mínimo indispensable, durante los fines de semana y como sucedáneo de una reunión de amigos. Este es el caso de *Bolivia* de Adrián Caetano, que se realizó con unos rollos de película que habían sobrado de otra producción, o de *Silvia Prieto* de Martín Rejtman, que tardó casi cinco años en terminarse hasta su estreno en 1999. La realización de *Mundo grúa* también llevó varios años y pudo concluirse porque Trapero contaba con un estudio propio.[5] La imaginación creativa no está, en estos casos, subordinada a la producción o escindida de ella: *la producción está tan segmentada como la realización cinematográfica*. Se busca financiación para el guión, para el rodaje, para entrar en el laboratorio, para conseguir la distribución: ninguno de estos tramos está garantizado de antemano.[6] Las condiciones precarias que rodean al cine pueden ser consideradas estimulantes desde el punto de vista estético. Como dijo Martín REJTMAN, "es difícil hablar de riesgos cuando hay tan poca plata para hacer cine y las películas se hacen con tan poco dinero; es decir: cuando las películas se hacen por necesidad, siempre aparece algo nuevo" (en FONTANA, 2002). La aparición de dificultades inéditas hizo, a su vez, que la producción debiera ser lo más elástica posible y que los directores asumieran, a menudo,

---

[5] Claudia ACUÑA (1999), en la entrevista que le hizo a Pablo Trapero para la revista *El amante*, escribió: "*Mundo grúa* consumió cuarenta mil dólares, catorce meses de filmación y los 27 años de Pablo, completos y al contado, el cash de cada escena".

[6] Hay que tener en cuenta también las transformaciones tecnológicas que permiten, por ejemplo, realizar una película en video y apostar a una conversión en fílmico que puede lograrse gracias a la financiación de un festival. Esto fue lo que sucedió, por ejemplo, con *Extraño* (2003) de Santiago Loza y *El juego de la silla* (2002) de Ana Katz, ambas realizadas en formato digital.

el rol de productores ejecutivos. Pablo Trapero, por ejemplo, firma sus películas como "director, guionista y productor ejecutivo". Porque más allá de la crítica que pueda suscitar la falta de separación de las funciones (condiciones necesarias para la eficacia industrial), el fenómeno del nuevo cine no se hubiese producido si varios realizadores no se hubieran transformado también en los productores ejecutivos de sus propias películas.

Esta situación de *producción segmentada* se modificó totalmente, sobre todo para aquellos que ya habían realizado su *opera prima*, después de la crisis de 2001. Con la ley de cine en plena vigencia y con la conciencia de que una industria necesita de un sistema de retribución sólido, los productores trabajan con los guiones como la carta de presentación más fiable para conseguir la financiación completa del film (el *standard* de calidad que ha producido el nuevo cine argentino es también una ayuda clave a la hora de presentarse ante los organismos internacionales). Así, Martel, Rejtman y Caetano (entre otros) encararon sus últimas producciones con un sistema de financiación montado previamente que permitió llevar a cabo la realización del film con menos sobresaltos. Sin embargo, hasta el día de hoy, se siguen incorporando una cantidad considerable de operas primas producidas de múltiples maneras.[7]

Invención de modos no convencionales de producción y distribución

La producción de una película no sigue una fórmula trazada previamente y no se subordina necesariamente a los carriles institucionales. Las peripecias por las que pasaron *Mundo grúa*, *Bolivia*, *Silvia Prieto*, *La libertad* y varias otras hacen de la producción una aventura paralela a la que transcurre en el film. Los directores saben que, tarde o temprano, van a tener que pasar por el INCAA (sobre todo para la distribución y para el pasaje a fílmico en el caso de las que fueron realizadas en video). Pero en el proceso de producción del film han surgido innumerables variantes que a veces están a disposición de los productores (presentación en fundaciones, en festivales, en organizaciones no gubernamentales) y otras que las películas deben ir creando a lo largo de su ejecución.

Varios realizadores, sin embargo, no sólo encararon la producción de modo no convencional sino que idearon circuitos alternativos con el fin de evitar el INCAA o de fomentar una cultura alternativa.

Mariano Llinás, Gustavo Postiglione, Raúl Perrone, Ernesto Baca, las películas de Saladillo, la liga Yago Blas y otros innumerables emprendimientos hablan de las estrategias de numerosos realizadores para hacer un cine inde-

---

[7] El Festival de Mar del Plata exhibió, en su edición de 2005, más de sesenta filmes nacionales, cifra bastante similar a la del último BAFICI, lo que muestra el crecimiento de la producción y la variedad de los formatos.

pendiente (esto es, fuera de la esfera del INCAA) o para crear un circuito de producción y recepción alternativo.[8]

Para los films que aspiran a insertarse en el circuito comercial las condiciones tampoco son más propicias. El predominio de las grandes cadenas de cine, y su interés por exhibir en todas las salas estrenos de éxito asegurado, llevó a muchos directores a no poder estrenar sus films. Aun algunos que habían tenido mucho éxito en los festivales o en el exterior como *Ana y los otros* de Celina Murga o *Parapalos* de Ana Poliak esperaron años o aún están esperando para llegar al circuito comercial. En este terreno, muchos directores salieron a exigir un cambio en las normativas de exhibición "enganchados" con el éxito resonante de películas argentinas *mainstream* como *El hijo de la novia* o *Luna de Avellaneda*, ambas de Juan José Campanella y producidas por Pol-ka, y con el éxito discreto de *Los guantes mágicos* de Martín Rejtman y *La niña santa* de Lucrecia Martel. Durante esos días, hubo una presión homogénea y coordinada que terminó en una nueva reglamentación de la *cuota de pantalla*.[9] Sin embargo, es evidente que la misma no torcerá el destino casi seguro de buena parte de los films argentinos buenos y malos: las salas del INCAA. Para esto sería necesario que las productoras más pequeñas lograran imponer un circuito de salas independientes en lugares atractivos cuyas películas no tuvieran que convivir con las grandes producciones.

Aparición de una nueva generación de productores

También la nueva camada de productores tiene un perfil que los distingue de las generaciones anteriores: formados muchos de ellos en las escuelas de cine, estos nuevos productores saben desenvolverse en la escena internacional (hablan inglés y conocen las diferentes fuentes extranjeras de financiación) y se implican de un modo diferente en los proyectos. Como se trata generalmente de operas primas, el único argumento que se posee para pedir dinero es el guión. En ese caso, el productor ejecutivo, a menudo un amigo que vive las mismas penurias económicas que el director, se ocupa de la traducción del guión, de diseñar un presupuesto y de ocuparse de que el guión sea *presentable*. Con este tipo de *training* se fue formando una nueva generación de productores que, después de la participación en uno o más films, pudo fundar su propia productora y tener un papel más activo en la elaboración del film y ya no sólo en la búsqueda de recursos. No se ha reconocido todavía lo suficiente el desempeño clave que estos productores han tenido en la formación de un nuevo cine.

---

[8] Ver el Apéndice al final del libro en el que se mencionan en detalle algunos de estos emprendimientos.

[9] La "cuota pantalla" reglamenta la obligación de estrenar una película argentina por trimestre en las salas de exhibición.

17

De los productores de la generación anterior, sólo Lita Stantic había desarrollado una tarea en la que la producción podía, en función de *una apuesta estética* financiar emprendimientos independientes. Esto no impidió que la productora de Stantic haya logrado uno de los más grandes éxitos del cine argentino de todos los tiempos (*Camila*, de María Luisa Bemberg) y una muy buena recepción con productos del nuevo cine (*La ciénaga* y *Un oso rojo* principalmente). El desafío para los nuevos productores es mantener ese perfil renovador y lograr continuidad en la realización de films. Entre los nuevos productores se destacan Daniel Burman y Diego Dubcovsky (*BD Cine*), Hugo Castro Fau y Pablo Trapero (*Matanza*), Hernán Musaluppi (*Rizoma films*), Nathalie Cabirón (*Tres planos cine*) y El "Chino" Fernández (*Villavicio producciones*), entre muchos otros.

Las instituciones internacionales de financiamiento

A principios de los noventa, Alejandro Agresti regresó al país y ofreció reportajes, recorrió escuelas y criticó los modos de hacer cine en la Argentina. Traía una serie de películas bastante innovadoras que no llegó a estrenar comercialmente (*Boda secreta, El acto en cuestión, Luba*), pero que mostró en ciclos especiales y que aportaban un dato curioso para los jóvenes que querían hacer cine: habían sido realizadas con fondos de fundaciones extranjeras, y si bien tenían dificultades para ser estrenadas en nuestro país, gozaban de prestigio y un éxito relativo en los circuitos cinéfilos del exterior.[10] Agresti también había sido fundamental, a fines de los ochenta, en el apoyo que Martín Rejtman recibió de la Hubert Bals Fund para la realización de *Rapado* que, pese a que tardó cinco años en estrenarse comercialmente, se convirtió en una película de culto para los jóvenes desde sus primeras exhibiciones en la Sala Leopoldo Lugones. La admiración por la película de Rejtman no sólo tenía que ver con la historia que contaba sino también con cómo había sido hecha. Sin lugar a dudas, estas películas establecieron un estilo de producción que después se generalizó en las *operas primas* que se hicieron posteriormente.

Si los años ochenta estuvieron marcados por la coproducción artística, durante los noventa predominaron los apoyos de las fundaciones extranjeras. En contraste con la coproducción artística que a menudo condicionaba algunos aspectos de la realización de un film, el apoyo de estas fundaciones implicó solamente una coproducción financiera y no artística. Entre las fundaciones que tuvieron una participación más decisiva en la formación de un nuevo cine, hay que mencionar a Hubert Bals Fund (creada en 1988 y vinculada a organizaciones gubernamentales holandesas y al Festival de Rotterdam, el festival de cine independiente más importante del mundo), Fond Sud Ciné-

---

[10] Sobre el lugar generacional de Agresti y sobre su cine ver el ensayo de Christian Gunderman, "Filmar como la gente: la *imagen-afección* y el resurgimiento del pasado en *Buenos Aires viceversa* (1996) de Alejandro Agresti" en AMADO, 2004: 83-109.

ma (creado en 1984 por el Ministerio de Asuntos Exteriores del gobierno de Francia y dirigido a la producción de "los países en desarrollo"), Sundance (fundación del festival del mismo nombre) e Ibermedia (un fondo creado en 1997 con aportes de los Institutos Nacionales de España y los países latinoamericanos). Estas fundaciones no llegan nunca a financiar la totalidad del film, pero dan asistencia a proyectos, y obtener uno de estos apoyos es fundamental para acceder a otras fuentes económicas.[11] Casi todas las películas del nuevo cine argentino recibieron alguno de estos auspicios y eso no sólo fue un factor fundamental en la formación de la nueva camada de productores (cómo presentar un proyecto y hacerlo atractivo y legible) sino también en los directores que ingresaron en un circuito global y tuvieron, en algún tramo de sus películas, una experiencia fuera de la Argentina (cuando, salvo excepciones, las primeras obras anteriores se hacían en su totalidad en nuestro país).

Inserción y reconocimiento del INCAA

Una de las más importantes diferencias entre lo que se denomina "nuevo cine argentino" y la generación del sesenta (con la que a menudo se lo ha comparado) es que esta última fracasó en sus intentos de conseguir inserción institucional y continuidad en la producción. Según las leyes vigentes entonces, la clasificación que el Instituto Nacional de Cine le daba a una película (una vez realizada) era fundamental para que ésta pudiera recuperar sus gastos. Sólo una calificación A le garantizaba al film la exhibición y el acceso a los créditos del Instituto. La calificación B (de "exhibición no obligatoria") condenaba al film al fracaso económico, lo excluía de los beneficios de la ley de cine y decretaba su muerte por anticipado. En 1960, hubo dos films testigos (*Shunko* y *Alias Gardelito*, ambos de Lautaro Murúa) que recibieron la calificación B pese a su calidad, y eso inició una política del Instituto que hizo que los directores de esa generación (David Kohon, Rodolfo Kuhn, Manuel Antín, Enrique Dawi, José Martínez Suárez) nunca pudieran establecer un circuito propio y una voz fuerte en el seno del Instituto. Los realizadores más ligados a la industria habían copado el Instituto Nacional de Cinematografía y no iban a permitir que los jóvenes recibieran apoyo oficial.[12]

La situación en los noventa fue radicalmente distinta. En primer lugar, los directores que ya tenían varios films realizados recurrían al Instituto pero tenían otras fuentes de financiamiento en la coproducción o en capitales privados (Aristarain, Subiela, Bemberg). Había surgido además un tipo de productor, como el caso de Lita Stantic, que a la vez que conocía muy bien

---

[11] Estos subsidios dados al "desarrollo de proyectos" varían entre 15.000 dólares y no más de 50.000. En el caso de Ibermedia no se trata de subsidios sino de préstamos que se entregan a proyectos más avanzados, y pueden llegar a los 200.000 dólares.

[12] Sobre este tema ver el ensayo de Claudio España y mi ensayo "La generación del 60", incluidos en ESPAÑA, 2005b.

los vericuetos de la industria estaba dispuesto a impulsar *operas primas* y a auspiciar nuevos modos de producción (como en los casos de *Bolivia* o *Tan de repente* de Diego Lerman, intervino cuando el rodaje ya estaba bastante avanzado o había terminado). Finalmente, la coyuntura internacional se mostraba bastante propicia a fortalecer o dar continuidad a las nuevas películas. Las fundaciones (principalmente Fonsud y Hubert Bals Fund) y los festivales (Sundance, Rotterdam y BAFICI) alentaron la experimentación y el riesgo y otorgaron subsidios que permitieron poner en marcha proyectos que, posteriormente, podían buscar otro tipo de financiamiento (los festivales de Mar del Plata y el BAFICI ayudaron a terminar las películas que participaban en competencia).[13]

El INCAA, ante la repercusión de estas películas en el circuito festivalero y a su prestigio entre los críticos, a diferencia de lo que sucedió en los sesenta, se vio obligado a darle más cabida a las nuevas camadas y, a su vez, éstas buscaron la manera de conquistas espacios e influir en las diversas instancias de decisión.

---

[13] A diferencia de los directores que encaraban coproducciones artísticas como modo de solventar gastos de producción y que se vieron obligados a transformar los guiones para introducir personajes de otras nacionalidades o a filmar en localidades extranjeras, los realizadores del nuevo cine —siguiendo los ejemplos pioneros de Alejandro Agresti y Martín Rejtman— recurrieron a estas fundaciones que no sólo no imponían condiciones una vez realizado el guión sino que se manejaban con una idea cosmopolita de la realización cinematográfica.

Cambios en la producción artística

Cambios en la formación del personal artístico-técnico

La tarea formadora de las escuelas de cine y una accesibilidad mayor a la tecnología de punta hicieron que el personal artístico-técnico que participó en los nuevos films realizara un salto cualitativo importante en relación con lo que se hacía anteriormente. No es que antes no hubiera pericia en los diferentes rubros (las películas de Luis Puenzo, Adolfo Aristarain o Eliseo Subiela son un buen ejemplo de esto), sino que el nuevo personal tenía una formación diferente y planteaba una manera diferente de trabajo.

Los progresos en el equipamiento técnico hicieron que se produjera un avance tecnológico similar al que se produjo a principios de los años sesenta cuando apareció el equipamiento liviano que permitió el *cinema-verité*, el documental más personal (Jean Rouch), el cine político (*La hora de los hornos*) y nuevos modos de representación de lo urbano (*Paris vu par...*). En los años noventa, el uso de la computadora se introdujo de lleno en varios rubros del cine y permitió montar digitalmente películas que se realizaron en celuloide, además de retrabajar de otro modo aspectos del film como el sonido, el color o el acabado final.

Pericia en la composición del plano

Se ha señalado que una imagen correcta es lo mínimo que se puede esperar de una película debido a los avances tecnológicos en los aparatos cinematográficos de registro. En realidad, la percepción del público de que se ha producido un cambio en la calidad de la imagen no proviene de la innovación técnica sino de que hay una pericia en la composición del plano. En algunos casos, esta destreza se hace evidente cuando se trata de filmar locaciones desprovistas de todo tipo de aura: Rejtman, Villegas o León han vuelto sugerentes los bares más vulgares de la ciudad.[14] Trapero hizo en *El bonaerense* las

---

[14] BAZIN decía que (2000: 315), "Le décor naturel est au décor construit ce que l'acteur amateur est au professionel". Aunque es difícil generalizar sobre el uso de los decorados naturales en el nuevo cine (en un país, además, donde los estudios son muy precarios), hay que decir que sus recorridos difieren bastante de los que presentaba el cine anterior, desde el hallazgo de decorados naturales extrañísimos pero no necesariamente exóticos (*Balnearios, Bonanza, El descanso*) hasta la capacidad de ampliar el mapa de lo cotidiano. Para ver la innovación que implica en la representación del espacio urbano una de las películas del nuevo cine, puede leerse el artículo de Adrián GORELIK (1999) sobre *Mala época*.

mejores escenas de sexo del cine nacional apoyado en la fluidez y en el rigor de los encuadres. Caetano y Stagnaro han construido, con pocos elementos, una impactante escena de acción hacia el final de *Pizza, birra, faso,* para no hablar del virtuosismo innegable de Lucrecia Martel o de Lisandro Alonso.

Otro hecho que demuestra que no se trata de una mera innovación tecnológica es que existe, en el nuevo cine argentino, una *reutilización estratégica de la desprolijidad.* En el cine argentino anterior, cuando una toma estaba fuera de foco o cuando el sonido estaba mal procesado, eso provocaba en la película una suerte de descompensación o ruido. Algo había salido mal. Los nuevos directores, en cambio, supieron sacar provecho de aquellas tomas que, según un criterio de calidad, no habían quedado bien. Así sucede con los reflejos de luz en las imágenes del depósito de la casa del Rulo en *Mundo grúa,* con la caótica cámara en mano de *Bonanza* de Ulises Rossell o con el sonido confuso de varias escenas de *Pizza, birra, faso.* La desprolijidad estratégica es otro de los atributos estéticos de estos filmes.

Política de actores

El *casting* de las películas del nuevo cine es mucho más que la mera incorporación de rostros novatos al elenco ya establecido de actores profesionales. En las elecciones, el rechazo a los estilos de actuación habitual convive con una búsqueda de un tipo de gestualidad, corporalidad y dicción diferentes. En los *castings,* sólo muy raramente se recurre a los actores consagrados que, aunque tienen mucho oficio, suelen estar demasiado atados a un tipo de realismo o costumbrismo que no es el que les interesa a los nuevos realizadores. El director de *Nadar solo,* Ezequiel ACUÑA, dijo que "con esos actores, me costó mucho conseguir que no actuaran" (2004: 162). Aun en los personajes de más edad en los que previsiblemente suele recurrirse a actores reconocidos, las elecciones se vuelcan hacia aquellos menos marcados por prototipos ya establecidos y, por lo tanto, más permeables al moldeado del director (Mirta Busnelli, Julio Chávez, Enrique Liporace, Martín Adejmian, Adriana Aizenberg). De todos modos, el cambio más pronunciado se da en el caso de los actores más jóvenes. Según Alan Pauls, "nosotros ya no reconocemos las caras que están en las nuevas películas. No hay nombres propios detrás de los actores. Esos actores existen mientras dura la película y dejan de existir cuando termina" (en BECEYRO, 2000). En el *casting,* el nuevo cine transformó los modos tradicionales de reclutar actores e impuso una reflexión sobre el estatuto de los rostros, los nombres y los cuerpos (ver ANEXO 2).

Los caminos de la estética

Antes que cualquier decisión positiva, la primera ventaja de los directores jóvenes reside en que se rehúsan a reproducir los procedimientos y esquemas del cine argentino que les precedió. Estos realizadores, por lo menos, saben qué es lo que *no* tienen que hacer. La crítica ha sido muy insistente en este punto: se han desterrado vicios, se han evitado errores, se ha cortado con ciertos hábitos. La falta de un programa afirmativo (y la consolidación de una postura negativa) ha permitido que cada director hiciera un camino propio y la crítica ha fracasado en sus intentos de trazar un *panorama estético común* para el nuevo cine argentino. El problema radica en que se considera la unidad del corpus en función de un programa generacional, de un proyecto estético común o de una serie de rasgos estilísticos al que los directores suscribirían más o menos conscientemente. Pero como no hay en realidad un programa, apenas se analiza un film se descubre que comparte pocas características estéticas con los otros. Sin embargo, un corpus relativamente unificado surge si se consideran estos problemas estéticos como *rasgos epocales* que pueden leerse, con diferentes configuraciones, en diversos films del período.

Ruptura con el cine argentino de los ochenta

Dos grandes rechazos se encuentran, dibujados con tinta invisible, en los guiones y en las historias de las nuevas películas: a la demanda política (qué hacer) y a la identitaria (cómo somos), es decir, a la pedagogía y a la autoinculpación. Al negarse a estas demandas, guionistas y realizadores construyen sus narraciones sin la necesidad de desarrollar los argumentos paralelos de lo político o de lo identitario como lo habían hecho, de diferentes formas, los directores más representativos de la década anterior: Alejandro Doria, María Luisa Bemberg, Eliseo Subiela, Fernando "Pino" Solanas y Luis Puenzo (legado que se continuó en Marcelo Piñeyro, Carlos Sorín y Eduardo Mignona entre otros).[15] Por supuesto, se puede hacer una lectura política o desde la identidad de cualquiera de los films del nuevo cine, pero la responsabilidad interpretativa queda en manos del espectador. Antes que un mensaje a descifrar, estas películas nos entregan un mundo: un lenguaje, un clima, unos personajes...

---

[15] Paradójicamente, Adolfo Aristarain, un director que en los principios de los ochenta había apostado por un cine narrativo en el que la demanda política era reformulada de un modo muy original, hizo en los últimos años varias películas respondiendo a la demanda de identidad (*Martín (Hache)* de 1997, *Lugares comunes* de 2002, *Roma* de 2004).

un *trazo*. Un trazo que no responde a preguntas formuladas insistentemente de antemano sino que bosqueja sus propios interrogantes.

El hecho de evitar las *narraciones alegóricas* es una de las características más definitorias del nuevo cine. Las películas se alejan de aquellas que las precedieron (la alegoría ha sido el modo privilegiado con el que el cine argentino se ha referido al contexto) y del imperativo de la politización al que, según varios teóricos de diferente procedencia, está sometido cualquier producto que surja del Tercer Mundo. Tanto Fredric Jameson como Gilles Deleuze sostienen que lo personal y lo político son inescindibles en las historias que cuenta el cine tercermundista.[16] Así, cualquier acontecimiento, por íntimo o nimio que sea, admitiría una lectura en clave política y social. Estas películas, en cambio, perseveran en lo literal y tienden a frustrar la posibilidad de una lectura alegórica: el hotel de *La niña santa* no es la Argentina; sólo se trata, ni más ni menos, de un hotel. Esto no significa que no haya una relación entre lo privado y lo público sino simplemente quiere decir que, en nuestra sociedad, estas relaciones están mucho más mediadas, no admiten equivalencias fáciles ni se someten a la idea de que hay que politizar todo.

Por eso las historias mínimas a las que están inclinadas estas películas no deben leerse como un modo desviado de referirse a los grandes temas: más bien, lo que sucede es que, más que indicar un tema, las historias trabajan con la indeterminación y abren el juego de la interpretación. ¿Cuál es el tema de *La libertad*, de *Silvia Prieto*, de *La niña santa*? Esta ambigüedad temática se refuerza porque, y esta es la otra gran negación del nuevo cine, no se introducen moralejas en la historia ni personajes denuncialistas que develan los mecanismos morales, psicológicos o políticos de la trama. Fue sin duda Martín Rejtman el primer director que comprendió, con *Rapado*, que podía comenzar a construirse un programa estético propio evitando los vicios del cine que le precedía:

—En el plano formal, ¿intentaste diferenciarte del grueso del cine argentino previo?

—Traté de mostrar cosas que en el cine argentino no se muestran. Si se explica todo demasiado, opté por no ser tan discursivo; si se habla mucho, opté por hablar menos; si veía que no había un sistema narrativo, que filmaban cada escena como venga, intenté ser riguroso y contar la historia de una manera particular. Pero no es que a propósito dije: "voy a escamotearle la información al espectador y que se rompa la cabeza", porque es muy simple todo lo que pasa. Por ahí requiere un poco más de participación del

---

[16] JAMESON sostiene esta posición en diversos artículos (1986, 1995) y la extiende a toda la producción latinoamericana, asiática y africana (esto es, del tercer mundo). Gilles DELEUZE analiza en su libro *Estudios sobre cine* la producción de Glauber Rocha y de otros autores del cine político destacando "la ausencia de frontera entre lo privado y lo político" y sostiene, continuando los postulados de su libro sobre Kafka, que "el asunto privado se confunde con el inmediato-social o político" (1987: 289).

24

espectador en el sentido de que no está todo dicho en los diálogos y tiene que dejar que cada escena se desarrolle y termine para que empiece la otra, para que se vaya armando la historia (en UDENIO, 1996).

El cine como herramienta de investigación

¿Cómo empezar a rodar una película? Muchas comienzan como si se tratara de un documental: se registra con una cámara *algo* que atrae la atención. Este puede ser el núcleo de una historia que después se desarrollará como documental o como ficción. La ligereza de los equipos y la posibilidad de la transferencia a fílmico hacen que el *apunte* sea ya parte del film, así como en literatura un escritor anota sus ocurrencias en un cuaderno. Las huellas de este proceso pueden hacerse explícitas en el film, como en *Bonanza* de Ulises Rosell o en *Vida en Falcon* de Jorge Gaggero, o inferirse a partir de su estructura, como en los casos de *Mundo grúa* de Pablo Trapero o de *Los rubios* de Albertina Carri. La sección "Work in progress" del BAFICI, que realizan Hernán Guerschuny y Pablo Udenio, de la revista *Haciendo cine*, se sostiene en la idea de mostrar *borradores* al mundo del cine. Esta caracterización involucra especialmente a los documentales, porque son, casi en su totalidad y gracias a la ductilidad del video digital, *Works in progress*. Antes de ser compaginados, estos materiales tienen un peso mayor que en un film narrativo de ficción.[17]

Pero la idea de investigar con la cámara tampoco es ajena a los films cuyos guiones están escritos enteramente *antes* de su realización. Un director como Juan Villegas, que además es un sensible crítico de cine al que nadie acusaría de ingenuo, dijo sobre *Sábado*: "La idea de lo que quería sugerir respondió a una cosa más intuitiva, no lo tenía pensado de antemano. El proceso fue ir descubriéndolo gradualmente" (en ACUÑA, 2004: 158). Y Lisandro Alonso, a propósito de sus proyectos posteriores a *La libertad*, afirmó: "quiero seguir investigando, tratar de saber lo que hice". Idea original, guión y rodaje no son pasos sucesivos sino que se condicionan mutuamente a lo largo de la realización de una película, en un proceso que puede llevar más de dos o tres años. En este recorrido, el cine mismo es una herramienta de investigación y una búsqueda que se prolonga hasta que el film llega a las salas.

La ausencia de exterioridad

Una de las discrepancias entre el nuevo cine argentino y el realizado en los ochenta se produce en la composición de los guiones. Mientras en los

---

[17] Es ejemplar, en este sentido, el tercer documental de Andrés Di Tella, titulado *La televisión y yo (notas en una libreta)* (2002), que fue exhibido al público en diferentes versiones parciales (en el Museo Nacional de Bellas Artes, en el IVº BAFICI) hasta llegar a la definitiva.

guiones que responden a la época del retorno a la democracia hay uno o más personajes que encarnan el punto de vista con el que debe identificarse el espectador (la posición moralmente correcta, la mirada que interpreta más adecuadamente lo que sucede), buena parte de las películas del nuevo cine argentino le quitan al espectador esta posibilidad consolatoria. En *La historia oficial* (1985) de Luis Puenzo el personaje de Patricio Contreras (Profesor Benítez) es clave en la *anagnórisis* (reconocimiento) que se produce en Alicia (Norma Aleandro). Pero Benítez no sólo cumple ese papel: es un profesor progresista, sabe relacionarse con los alumnos, no los engaña y es un ejemplo a seguir. Esta matriz puede leerse todavía en films realizados muchos años después como en *Lugares comunes* (2002) de Adolfo Aristarain. En esta película, el protagonista Fernando (Federico Luppi) reacciona indignado ante la desintegración moral de la sociedad y resulta difícil no estar de acuerdo con sus dichos y con sus posiciones (se trata además, como en el personaje de Contreras, de un profesor de colegio secundario: el espectador queda sumido en el lugar del adolescente). Federico Luppi encarnó a menudo este rol de hombre moral en *El arreglo* (1983) de Fernando Ayala y en *Tiempo de revancha* (1981) y *Un lugar en el mundo* (1991), también de Aristarain. Finalmente, si el cine de Alejandro Agresti no llegó a erigirse en el pionero de la nueva generación (pese a que sus películas, sus posturas polémicas y su concepción de la producción causaron una verdadera conmoción en su momento en las escuelas de cine), fue porque en sus guiones los largos parlamentos tienden a crear una pedagogía que no pasa por la imagen sino por lo que los personajes dicen. En *El amor es una mujer gorda* (1987), por ejemplo, el personaje encarnado por Elio Marchi no deja de reflexionar en voz alta y de dar lecciones sobre lo que nos pasa. Todo esto es lo que generalmente se llama "bajar línea", y la expresión es muy atinada ya que no sólo habla de la acción pedagógica (que a veces implica una cierta desestimación del espectador) sino también de la línea que el film extiende hacia una instancia que, pese a desempeñarse dentro del guión, en realidad está en el exterior: el personaje ético no habla dentro de la historia sino que tiene el privilegio de poder juzgarla desde afuera. La ausencia de exterioridad, en cambio, es clave en los guiones del nuevo cine y en algunos casos llega a incomodar a los espectadores: en *El bonaerense* de Pablo Trapero no hay ningún personaje que permita juzgar lo que hace la policía, en Rejtman y en *Sábado* de Villegas los personajes se mantienen en un mismo plano y nadie viene a juzgarlos o a explicarlos (todo, podríamos decir, transcurre en la superficie). Lo mismo sucede con algunos documentales como *Ciudad de María* de Enrique Bellande, que se niega a juzgar a los creyentes desde afuera y deja todo en manos del espectador. De hecho, no hay en la película *ningún* testimonio de alguien que no comparta la creencia de los fieles (el único intruso, si puede decirse, es el ojo de la cámara cinematográfica al que se le tiene verdadera repulsión: "ique se vaya! iQue se vaya!" gritan los fieles a coro). En *El bonaerense*, esta exterioridad asume un carácter explícito y humorístico: el policía Cáneva sostiene que los extraterrestres observan todo lo que pasa en la tierra y "están indignados con nuestro comportamiento"; en el planeta tierra (o dentro de la

26

historia), en cambio, nadie puede arrogarse esa mirada que juzga todo y que, al identificarse con el espectador, le da sosiego a su conciencia.[18]

Al no "bajar línea", las posibilidades de interpretación se multiplican. Mientras parece difícil creer que puedan imaginarse muchos escenarios interpretativos para *Tiempo de revancha* de Aristarain o *La historia oficial* de Luis Puenzo, ¿cómo entender la última escena de *Silvia Prieto*? ¿Es una exhibición de la banalidad de la vida actual o la promesa de una identificación posible? ¿Cuál es la escena clave de una historia que no enfatiza nunca y que no tiene sobresaltos? La crítica ha percibido esto con claridad. Como dice Leonardo D'Espósito a propósito de *El perro* (2004) de Carlos Sorín: "Profesionalmente filmada, esta 'historia mínima' estirada al máximo utiliza de manera empalagosa el paisaje y la música, *indicando las emociones* que el espectador debe sentir en cada secuencia" (2005: 25). Y ese es uno de los puntos en los que el nuevo cine se ha alejado más radicalmente del cine anterior: en su *relación con el espectador*. Finales abiertos, ausencia de énfasis, ausencia de alegorías, personajes más ambiguos, rechazo al cine de tesis, trayectoria algo errática de la narración, personajes *zombies* inmersos en lo que les pasa, omisión de datos nacionales contextuales, rechazo de la demanda identitaria y la demanda política: todas estas decisiones que, en mayor o menor medida, se detectan en estos films, hacen a la opacidad de las historias, que en vez de entregarnos todo digerido abren el juego de la interpretación.

A grandes rasgos, esto también se observa en los títulos que, más que ser indicaciones de lectura, preservan la ambigüedad y mantienen la incógnita. *Caja negra, La libertad, Los muertos,* aun *La niña santa,* son, antes que descripciones o acertijos que se resolverán a lo largo del film, otro elemento perturbador que invita a la exégesis del espectador. Otros títulos son más descriptivos pero también más neutros, como un señalamiento que tampoco revela nada: *Silvia Prieto, Los guantes mágicos, Sábado, Nadar solo, Un oso rojo.* Compárense estos títulos con los más resonantes de la anterior generación, que hacen un guiño al espectador: *Un lugar en el mundo, El lado oscuro del corazón, Señora de nadie, La historia oficial, El exilio de Gardel, Tiempo de revancha, Últimas imágenes del naufragio,* entre otros.

Ahora bien, ¿cómo leer estas dos actitudes complementarias de investigación y de rechazo a "bajar línea"? Parece arriesgado dar una única respuesta, pero al menos hay tres elementos a tener en cuenta. En primer lugar, la

---

[18] La caracterización que estamos haciendo en este capítulo es más un instrumento para comprender las tendencias del nuevo cine que una clasificación que decide qué es y qué no es nuevo cine argentino. Así, hay producciones que comparten alguno de estos rasgos y no otros, y si se las menciona aquí es para pensar también el contraste y la diferencia. *Whisky Romeo Zulú* (2005) de Enrique Piñeyro vincula el accidente aéreo, que es el tema de su película, con las imágenes televisivas que aparecen, como la otra realidad, hacia el final del film. El principio de exterioridad, en cambio, sí está incluido en el personaje principal (el mismo Piñeyro) que termina ofreciéndonos, sobre los hechos narrados, el punto de vista adecuado moral y políticamente.

27

máquina de la trituración política que hace que todos nuestros actos sean considerados bajo esa óptica ha dejado de funcionar. Las respuestas políticas, en el sentido habitual del término, ya no resultan satisfactorias porque los problemas mismos que surgen ya dejaron de responder a las convenciones tradicionales. La demanda política no surge de un modo tan transparente y las sucesivas crisis (básicamente, el fracaso de la reinstauración democrática en diversos aspectos) hicieron que los nuevos directores prefirieran suspender varias de las certezas heredadas. Por otro lado, la demanda identitaria también se había agotado como modelo narrativo y se había anclado en un estereotipo costumbrista, además de haberse convertido en un estilo televisivo en el que predominaba el abuso del primer plano. Construir el guión a partir de la pregunta "cómo somos" dejó de ser interesante desde el momento en que la comunidad y la historia que le daba sentido a esa pregunta entraban en un proceso de descomposición o estaban más definidas por procesos contemporáneos globales, no necesariamente nacionales. En tercer lugar, la relación que tenían los directores anteriores con el espacio público era mucho más evidente y concreto: Bemberg hizo *Señora de nadie* y sus otras películas desde una posición feminista; Solanas se erigió en la voz de los exiliados políticos; Aristarain mostró cómo un cine narrativo podía poner al descubierto el funcionamiento de la represión; Puenzo y su guionista, Aída Bortnik, mostraron, con *La historia oficial*, la necesidad de denunciar el pasado reciente. Los directores se asignaron y encontraron *una función* en el retorno a la democracia.[19] Nada de eso sucede con los directores jóvenes que surgieron a fines de los años noventa: ni las posiciones resultaban tan disponibles ni el tejido social estaba tan estructurado como para que los cineastas pudieran seguir con su función de avanzada. Ante la desintegración de la esfera pública (sea por acción de la globalización, de los medios masivos o de las políticas de gobierno), los nuevos realizadores no se han asignado una función previa sino que utilizaron el lenguaje del cine para investigar sobre sus propios posicionamientos, sobre sus propios deseos informes.

La dispersión en las narraciones

Edgardo COZARINSKY ha observado, a propósito de *Tan de repente* de Diego Lerman, que "había, sí, un punto de partida, pero luego el film, con libertad y economía admirables, iba en busca de su narración, de su historia, y la inventaba casi ante mis ojos" (2003: 181). El efecto que logra la película de Lerman

---

[19] Basta pensar, en términos de repercusión, que varios de estos films llegaron a una cantidad de público impensable para los directores del nuevo cine. *La historia oficial* de Puenzo, por ejemplo, tuvo más de un millón y medio de espectadores y *Camila* más de dos millones, sin contabilizar a quienes asistieron a estos films por TV. Estas cifras hablan de una eficacia cuantitativa que no hay que desdeñar cuando se piensa en los cambios que se produjeron en el cine de los últimos años.

proviene, básicamente, de que lleva al límite una *poética del accidente*. Un paracaidista que cae en la ruta y que detiene la marcha del camión en el que viajan los protagonistas es un buen emblema para un film que se inicia con la deriva de las adolescentes Lenin, Mao y Marcia y que termina con la muerte abrupta de Clara, la tía de Lenin que vive en Rosario, a la que visitan. El accidente en una narración es un límite ya que, en general, lo que domina una narración son los acontecimientos motivados. Aun lo inesperado (un encuentro casual), puede adquirir cierta lógica a los fines de una narración.[20] Paradójicamente, en los filmes argentinos del período el accidente es ley: imprevisible por definición, se disemina en estas historias y las estructura. El primer término de la serie está dado por el azar. *El descanso* comienza cuando un auto se incrusta contra un cartel publicitario en una ruta; *Sábado* puede dividirse por sus dos choques automovilísticos en diferentes esquinas de la ciudad, y *La ciénaga* se inicia con una caída accidental y termina con una muerte que también lo es. En "Vida y obra", de Mariano de Rosa, episodio de *Mala época*, el protagonista se queda sin habla porque le cae accidentalmente una viga en la cabeza. Finalmente, *Mundo grúa*, de Pablo Trapero, de un modo muy original, construye la tensión del relato a partir de un accidente que se anuncia todo el tiempo y que nunca sucede. Es como si el impacto que se tratara de procesar con las narraciones viniera del afuera más absoluto y esa es la razón por la cual el accidente no se puede representar y está siempre *fuera de campo* (en *La ciénaga*, en *Tan de repente*, en *Sábado*, en *El descanso*, en *Silvia Prieto*).[21]

Muchas películas presentan una estructura narrativa errática, como ha señalado Fabián Bielinsky, el autor del guión mejor construido de los últimos años según los cánones clásicos. Desde la mirada del autor de *Nueve reinas*, resulta claro que el nuevo cine argentino tenga algo de informe en su construcción narrativa. Aun el guión de *La ciénaga*, muy riguroso en su composición, presenta varios personajes y si la historia comienza girando alrededor de las relaciones que entablan Mecha (Graciela Borges) y su hija Momi (Sofía Bertolotto), termina orientándose hacia Tali (Mercedes Morán) primero, y hacia José (Juan Cruz Bordeu) después para, finalmente, concentrarse en Luciano (Sebastián Montagna), el hijo de Tali que muere al caer de la escalera. A diferencia del cine moderno que presentaba una historia y la desarrollaba (aun en sus variantes más transgresoras), el cine actual suele arrojar, desde el inicio,

---

[20] En algunos géneros, como en el policial, lo casual está absolutamente excluido (ver, para una reflexión narrativa sobre esta exclusión, "La muerte y la brújula" de Jorge Luis Borges). En otras narraciones, hay accidentes pero a menudo están motivados (una enfermedad es una mancha moral, el accidente de un trabajador una denuncia de un sistema explotador, etc.). De todos modos, no hay que dejar de mencionar la cantidad de narradores que introducen el azar y el accidente inmotivado como parte de su poética, entre los que se destacan André Gide (y su "acto gratuito") y los surrealistas.
[21] En *Silvia Prieto* el accidente no mostrado de una de las repartidoras de muestras de jabón en polvo hace que Silvia cambie de trabajo. Es decir, tuerce el rumbo de la historia. Debo la observación del accidente fuera de campo a Diego Trerotola.

innumerables relatos potenciales de los cuales termina eligiendo uno o dos. Esto explica cierta errancia en las tramas y la sensación de que las películas pueden derivar hacia cualquiera de sus personajes.

Personajes fuera de lo social

Ya hace varios años que se asistió, en el cine, al nacimiento de un nuevo tipo de personajes que, si bien habían hecho sus apariciones, nunca habían sido tan omnipresentes: son los personajes que están fuera de lo social. Muy lejos de los rebeldes del cine político que, oprimidos, actuaban para transformar la sociedad que habían recibido. Y muy lejos también de un cine costumbrista en el que cada personaje era un signo de su lugar en la jerarquía social. De repente, comienzan a aparecer una serie de personajes amnésicos, verdaderos *zombies*, que no vienen de ningún lugar ni se dirigen a ningún otro, obsesionados por un mapa indescifrable. "En los años sesenta –escribe Serge DANEY–, el personaje del marginal era un buen tema para un guión. Víctima de la sociedad, reanimador de utopías o revelador de contradicciones, el marginal tenía algo de antihéroe simpáticamente positivo. Bastaba con seguirlo para arrojar una mirada al sesgo a la *sociedad* que su caída libre, como la de una estrella fugaz, iluminaba. Y ahora, he aquí a Mona [la protagonista de *Sin techo ni ley* de Agnès Varda de 1985] que habla poco, no reivindica nada, toma poco y no da nada, no acusa a nadie y muere en un descampado" (2004: 258). Es un personaje "fuera de lo social". Los personajes de varios de los filmes de los noventa son *marginales* en el sentido en el que los define Daney: no portan en esa marginalidad una idea de cambio y de heroicidad ("seja marginal, seja héroi" decía un *slogan* sesentista del artista brasileño Hélio Oiticica), sino, simplemente, la condición de su exclusión y de la disponibilidad absoluta.

En *Tan de repente* de Diego Lerman las dos chicas, Mao y Lenin, vagabundean sin hacer nada antes de entrar a la historia. Los nombres, además, señalan todo aquello que las separa de la modernidad: se llaman Mao y Lenin pero no quieren hacer la revolución; son lesbianas, pero no representan a las lesbianas ("no somos lesbianas" dice varias veces Lenin); son jóvenes, pero no es algo a lo que recurran para justificar sus actitudes; son "punks", pero esa palabra ya no significa absolutamente nada. No se sabe dónde viven, ni de dónde vienen, si tienen dinero o si tienen hogar. En *Pizza, birra, faso* los chicos son *lúmpenes* que no buscan cambiar nada sino rebuscárselas en un mundo hostil. En *Bolivia*, el inmigrante ilegal, ex-campesino de los campos de coca, vagabundea de noche por los bares con el único fin de hacerse imperceptible. En *La libertad*, el protagonista, que se alejó de todo contacto social, no le reclama nada a nadie y prosigue, en silencio, con su tarea de cortar árboles. Ya Emilio BERNINI ha observado que el cine de los noventa trata de "mundos cerrados" frente a la aspiración "a dar una imagen global de la sociedad" que tenían los productos de la generación del sesenta (2003: 90). Y Alan Pauls elogió el hecho de que "el nuevo cine argentino está mucho más interesado en mostrar mundos que en mostrar personajes, héroes" (en BECEYRO, 1997: 4).

Son mundos no cartografiados de antemano en los que lo social como contención, opresión o marco se desvanece.[22]

El retorno de lo real transmitido por televisión

Son pocas las películas del nuevo cine argentino en las que no aparece una transmisión televisiva. Con mayor o menor preponderancia, *Silvia Prieto, Bolivia, La ciénaga, Mundo grúa, Tan de repente, Ciudad de María, La niña santa, Todo juntos* de Federico León o *Una de dos* de Alejo Taube, entre otras, dejan en algún momento la totalidad de la pantalla en manos de la televisión o registran la situación de mirarla. Aun en aquellas en que no aparece, como en *Sábado*, hay un personaje (Gastón Pauls) que se presenta a sí mismo como un astro de la pantalla chica. Es evidente que la televisión ocupa cada vez un espacio mayor en nuestras vidas y su presencia no sólo se hace sentir en la intimidad hogareña sino también en los lugares públicos. La emisión de imágenes, noticias, eventos políticos, relatos, publicidades y entretenimientos ha hecho que la misma realidad, en los últimos años, haya sido transformada por la existencia y la propagación de estos aparatos. Con la televisión se modifican nuestras nociones de espacio, tiempo y creencia. Lo real es, de alguna manera, producido por la televisión, y el retorno de lo real del que se ha hablado tanto últimamente, antes que una cuestión de estética, indica los trastornos que produjeron en nuestras percepciones del mundo los medios masivos. La televisión, en palabras de Umberto Eco, se transforma "de *vehículo de hechos* (considerado neutral) en *aparato para la producción de hechos*, es decir, de espejo de la realidad pasa a ser productora de la realidad" (1990: 210). El cine, como la televisión, también es una máquina de producir imágenes audiovisuales, pero su modo de circulación y su grado de influencia es mucho menor: al poner en escena a la televisión, lo que hacen estas películas es confrontar dos modos de producir lo real que a veces entran en tensión, se excluyen o son antagónicos. El *realismo* del que tanto se ha hablado a propósito del cine no es otra cosa que eso: no representar lo real sino ver los diferentes modos de producirlo; no implica grados de representación de la realidad, sino competencia en la producción de lo real. Y esto sucede en películas tan diferentes entre sí como *Bolivia, La ciénaga, Todo juntos* o *Silvia Prieto*.

---

[22] Durante los ochenta (y antes también) el cine argentino vivía obsesionado por cómo representar a los personajes que ejercían algún poder institucional; militares, grandes empresarios, políticos, comisarios. Ellos eran las terminales de una maquinaria social que hacía cambiar el rumbo de las historias. Es curiosa la ausencia total de estos personajes en los films del nuevo cine, aun en aquellos que podrían estar más condicionados a representarlos (pienso, por ejemplo, en *Los rubios* o en *El bonaerense*). Si esto es así, es porque antes que mostrar a los representantes del poder, lo que interesa es exhibir los funcionamientos de la maquinaria social y de sus engranajes más imperceptibles.

En *Bolivia*, la televisión llega a ocupar la totalidad del plano expulsando al cine, tanto con los espectáculos deportivos (Argentina vs. Bolivia en fútbol, la pelea de box entre Mike Tyson y Evander Holyfield) como con las películas violentas que los feligreses consumen en el bar mientras matan el tiempo. Ya se ha observado muchas veces cómo los enfrentamientos nacionales, en un mundo globalizado, se desplazan hacia el deporte y particularmente hacia el fútbol. Mientras las imágenes muestran el gol de Argentina y se escuchan los comentarios del relator deportivo Fernando Niembro ("los bolivianos se desesperan y se desordenan"), la música de Los Kjarkas sostiene el típico discurso latinoamericanista fraternal: "cual ave que brota de los sueños, / más allá de toda realidad, / remontando cruzas por los Andes / llevando un mensaje de hermandad".[23] Hacia el final de la película, la violencia de la televisión se muestra más real que la música, y el personaje del Oso termina repitiendo las palabras discriminatorias que escuchó en los medios. La *contaminación* entre el bar y la pantalla es permanente, y los personajes, como en los innumerables planos en que se los muestra apresados por el aparato que cuelga en el local, viven en un espacio en el que imagen televisiva y espacio real se vuelven indiscernibles.[24]

En *La ciénaga*, las imágenes televisivas también acompañan todo el tiempo a los personajes, pero no es la contaminación sino la escisión permanente la que hace que la historia avance. En algunos planos, la imagen digital del noticiero sobre la aparición de la virgen desplaza totalmente a las imágenes del celuloide, pero esto no hace más que marcar una incompatibilidad: los procedimientos de la puesta en escena tratan de sustraerse de las formas convencionales de representación mediática. Mientras el cine, en *La ciénaga*, conduce a la sospecha y al desasosiego, la televisión es la productora de creencia y de una nueva religión.

No es casual que sea una de las películas más intransigentes con el lenguaje televisivo la que incluya a los televisores con el fin de contrariar su naturaleza. En el bar de *Todo juntos* también hay un televisor encendido, pero no para emitir la señal de aire o de cable habitual sino para reproducir un texto escrito que habla del conflicto íntimo e incomunicable de la pareja protagonista. "Nos criamos prácticamente juntos. Ella tenía la llave de mi casa. Yo tenía la llave de su casa [...] Estuvimos seis meses masturbándonos vestidos. Llegué a lograr tener una erección desnudo pero la sola idea de penetración me debilitaba". En un film que puede calificarse de realista, la producción televisiva de lo real es imposible porque en el tiempo de la televisión jamás aparece el núcleo duro del dolor que la película pone en escena. Para acer-

---

[23] Música de Los Kjarkas, grupo boliviano creado en 1965 por los hermanos Hermosa, que ha sido autor de numerosos éxitos internacionales entre los que se destacan "Florcita azul" y "Lambada, llorando se fue". Kjarkas en quichua significa "fuerza, fortaleza". Ver http://loskjarkas.com/biografia.html de Jaime Reyes.

[24] Hasta puede decirse que, por la posición de los personajes, el aparato crea la espacialidad y la postura de los comensales.

carse a ese conflicto, es necesario construir, con el cine, un tiempo muerto, extremadamente lento, crudo, cargado, viscoso, y usar los aparatos de televisión pero borrando ese frenesí del tiempo instantáneo y siempre entretenido que suelen transmitir.

Uno de los mejores planos de la televisión se encuentra en *Silvia Prieto*: Marcelo y Brite están en una pizzería viendo el programa "Corazones solitarios", en el que se forman parejas matrimoniales (la máxima intimidad, la máxima exposición pública). Con sorpresa, Marcelo reconoce en la pantalla a Mario Garbuglia, su ex-compañero de la secundaria, quien afirma en el programa: "Estuve en crisis porque la juventud se me escapaba". Corte y plano en el comedor de la casa de Silvia, a quien no se la ve mientras, más adelante, el televisor emite el mismo programa y enfoca a Marta, la futura pareja de Mario. Por los ruidos, se entiende que Silvia está en la cocina. El plano fijo dura bastante y, en un momento, se aprecia en la pantalla del televisor un *zoom* sobre Marta.[25] La imagen sufre una verdadera distorsión y el rostro de ella se agranda pese a que la cámara de *Silvia Prieto* no se ha movido. La infidencia de la televisión y sus procedimientos se opone a la distancia y a la lentitud de la mirada del cine. Pero hay algo más: nadie está viendo la televisión. Silvia hace sus cosas, mientras la televisión hace las suyas. Si la tiene encendida es porque la televisión ya dejó de ser algo para ser mirado. Su temporalidad, su espacialidad, su modo de acercarse a lo real (volviendo lo íntimo asunto de discusión pública) ya están inscriptos en nuestra percepción e importa muy poco si apretamos o no el botón del encendido. En nuestra vida cotidiana, los últimos años han sido también un proceso de aprendizaje de cómo vivir con la realidad que ha producido la televisión.[26]

La manifestación realista

El realismo del que se habla a propósito del nuevo cine exige ser pensado en el cruce de dos líneas: por un lado, en tensión con ese real que produce la televisión del que hablé anteriormente; por otro, en su vínculo con el realismo cinematográfico, diferente a los realismos de otras áreas de la creación artística.

---

[25] Sobre el carácter televisivo del *zoom*, Serge DANEY escribió: "En su uso cotidiano (profano), el *zoom* hacia delante se había convertido, no tanto en una voluntad de significar o en una figura de estilo, cuanto en una suerte de reflejo automático de los camarógrafos, vacío de sentido, que indicaba solamente 'estamos en la televisión'. Pero al mismo tiempo, el *zoom* hacia delante, con su costado insinuante y de animal de rapiña, sigue 'teniendo un sentido': el de una violación, justamente" (2004: 197).

[26] Esto también tiene consecuencias en la política ya que, como señala Oscar LANDI, "la televisión constituye al campo de la mirada en el gran tema estratégico del poder político; la lucha electrónica por ordenar y educar las percepciones de la gente se convierte entonces en una de las claves centrales de nuestra época" (1992: 90).

En casi todos los críticos, sobre todos en los que tuvieron una formación en teoría literaria, el realismo es *código*. Es que en la mala imagen que le corresponde a este estilo, fueron los críticos de la literatura y del lenguaje quienes han provisto el arsenal conceptual más importante. Jaime REST lo definió como "una concepción mundana, sociológica y crecientemente materialista propia del siglo XIX que ha formado parte de la cosmovisión burguesa y que trata de reproducir artísticamente el mundo 'tal como se lo ve', en coincidencia con el avance del empirismo y del pensamiento científico moderno" (1979: 129). En el siglo XX y sobre todo a lo largo de la década del sesenta, el realismo ha sido considerado la expresión victoriosa de la representación y de una concepción ideológica en la que el signo es ignorado en favor de una idea de transparencia y de aceptación acrítica de lo real (entendido lo real como algo dado y no como construcción). El realismo, entonces, debía ser desenmascarado por razones ideológicas y científicas ya que, en palabras de Tzvetan Todorov, la verosimilitud realista "intenta hacernos creer que el texto se ajusta a la realidad y no a sus leyes propias" (citado en CULLER, 1978: 198-199). La impugnación de este estilo adquirió tal intensidad, que Paul DE MAN, crítico perteneciente a la escuela de la deconstrucción, invirtió los términos y definió ya no al realismo como ideología sino a la ideología misma en tanto realismo: "Lo que llamamos ideología es precisamente la confusión de la realidad lingüística con la natural, de la referencia con el fenomenalismo" (1990: 23). De todos modos, esta crítica al realismo estuvo dirigida básicamente a expresiones lingüísticas y discursivas. La frase de BARTHES "entendemos por realista todo discurso que acepte enunciaciones acreditadas tan sólo por su referente" (1987: 186) muestra cómo la impugnación del realismo tuvo que ver básicamente con señalar el colapso del signo lingüístico.

La genealogía del realismo en cine es absolutamente diferente y el término comienza a utilizarse en el momento en que los códigos cinematográficos entran en crisis, como sucedió con el cine italiano de posguerra. Utilizado para denominar a un estilo que se oponía a la inclinación teatral y codificada del cine anterior, el término neorrealismo fue aceptado inmediatamente por realizadores y críticos, pese a que ya había sido abandonado o desacreditado en otras áreas por la acción de los movimientos de vanguardia. El "realismo" no venía en estas películas de las fuentes narrativas o dramáticas, sino de la puesta en escena y de una narración cuyos códigos y lazos causales estaban debilitados. Desde la elección de actores no profesionales e historias cotidianas a los decorados naturales y a la distancia del plano secuencia y el registro directo, lo que hicieron Luchino Visconti, Roberto Rossellini y Vittorio De Sica fue descubrir la potencialidad *documental* del cine.

La denominación, de todos modos, no hubiera adquirido la importancia histórica que tuvo si no fuera por las elaboraciones críticas de André Bazin, quien consideró a este movimiento un punto de quiebre en la historia del cine y llevó a cabo su justificación teórica. Para entender cabalmente la empresa baziniana, hay que tener en cuenta que sus escritos defienden el realismo pero también la noción, clave en sus posturas, de la puesta en escena (se sabe, por ejemplo, que fue un defensor acérrimo del plano secuencia como emblema del cine moderno, contra la idea del montaje). En segundo lugar, hay que considerar su concepción de la imagen cinematográfica: ésta no es una representación icónica sino una impresión indicial, como una huella digital o, según un símil de vastas consecuencias en su pensamiento, como el rostro de Cristo en el santo sudario. Desde este punto de vista, lo que hace realista a un film es que acentúa la naturaleza documental de la imagen (aunque la historia que se cuente sea ficcional). Con estos aportes bazinianos, el *realismo* adquirió en el cine una carta de ciudadanía que lo vinculaba al cine más vanguardista, más experimental y moderno.

Esta denominación no fue impugnada por la crítica posterior, y los directores de la *nouvelle vague*, formados en la revista *Cahiers du cinéma* que fundó el propio Bazin, llevaron al campo de la creación las consecuencias del pensamiento baziniano: sus puestas en escena despojadas, su inclinación por el registro directo y el *cinéma-verité*, por el plano secuencia y la cámara en mano, por las nuevas caras y la familiaridad de las historias y de los lugares (París es tan protagonista de la *nouvelle vague* como Jean-Luc Godard o Anna Karina). De hecho, Eric ROHMER llegó a afirmar que el "cine es, de todas las artes, la más realista" (2000: 66). Esta pervivencia del término "realismo" en el cine, cuando ya ha sido expulsado en mayor o menor medida de las otras prácticas artísticas, sigue hasta la actualidad, y el propio Gilles Deleuze sostiene que el neorrealismo ofreció una descripción de lo real (sobre todo en las relaciones causales) mucho mayor a la que nos tenía acostumbrado el cine anterior. Su objeción a Bazin no estuvo en el uso del concepto, sino en el hecho de que Deleuze considera que hay que sacar al neorrealismo del "nivel de lo real" y colocarlo en el "nivel de lo *mental*" (DELEUZE, 1987: 11-12).[27] Sin abominar del término (Deleuze está lejos de las alarmas que el estilo realista provocó en los defensores de la *écriture*: Derrida, Barthes, Sollers o Kristeva), para él la gran innovación del neorrealismo consistió en que cortó el nexo entre la percepción y la acción haciendo intervenir lo mental. La frase deleuziana "más que reaccionar, registra" bien podría ser el lema de los diversos retornos al realismo que se han producido a lo largo de la historia del cine.

En esta historia del uso del término, resulta evidente que la crítica que se le puede hacer al cine argentino de los ochenta no es su realismo sino su *costumbrismo*, es decir, su apego a códigos de representación que son propios de la literatura realista o de cierto tipo de teatro inclinado al realismo grotesco. Más allá de que las historias pudieran ser verosímiles en términos de representación de la vida cotidiana, la puesta en escena y las actuaciones resultaban construcciones teatrales que se imprimían sobre la imagen cinematográfica. Esta herencia con la que se encontraron los directores de la nueva generación producía la siguiente paradoja: ¿cómo se explica que reproduciendo diálogos

---

[27] Deleuze y Bazin coinciden, sin embargo, en que más allá de esta oposición real/mental, hay que valorar al neorrealismo por su *puesta en escena*. Es necesario reflexionar sobre el hecho de que el teórico del cine que hizo una defensa más férrea del realismo haya sido también el que impuso con más fuerza la idea de puesta en escena.

35

tan naturales y representando personajes tan comunes, las películas resulten tan impostadas e inverosímiles? El equívoco consistía en que, mientras creían representar lo real, lo que estaban haciendo era reproducir sus códigos. El alejamiento del costumbrismo no radicó tanto en el rechazo de los códigos de representación como en la conciencia que tomaron los nuevos directores de las desemejanzas entre narración y puesta en escena. Porque si la nueva generación apostó por el realismo lo hizo, principalmente, en términos de la segunda.

Esta puesta en escena que evoca lo real no se hace sobre la base de una transparencia o de la idea de que hay que mostrar la realidad tal cual es. La realidad no es en blanco y negro, pero su uso en *Bolivia*, *Los rubios* o *Mundo grúa* produce un efecto documental, de registro directo y cotidiano. En palabras de Claudia ACUÑA (1999), hay una "intención explícita de que *Mundo grúa* funcionase como una cámara oculta que robara (Pablo dice *afane*) pedazos de la realidad". Pero este "robo" no sería del todo efectivo si no hubiese un trabajo de edición y compaginación de los materiales que acentuase estos indicios de lo real. De ahí que, más allá del retorno del género documental, también haya una presencia de lo documental en varias de las películas de ficción. En realidad, como muy bien lo vio Eric Rohmer, cualquier película (excepto las de animación) tiene una base documental ya sea en el registro de los cuerpos, del espacio o de los objetos.[28] De ahí la sugerente definición de Serge DANEY de que "el cine es ese arte extraño que se hace con cuerpos verdaderos y acontecimientos verdaderos" (2004: 288). Pues bien, el cine argentino tendió a acentuar estos aspectos (en las locaciones, en el vestuario, en los actores, pero también en los procedimientos) y a no ahogarlos o expulsarlos de la puesta en escena.

De hecho, los críticos que quieren oponer el registro realista a la puesta en escena, han debido recurrir a una nomenclatura negativa para definir un estilo: los "no realistas", como si el cine de esos directores (Rejtman, Villegas, Acuña o Lerman) fuera una reacción o estuviera en contra del realismo de los otros (Caetano, Stagnaro, Trapero) (ver SCHWARZBÖCK, 2001 y la mesa redonda armada por la revista *Kilómetro 111* en ACUÑA, 2004). Pero son los mismos directores los que no se reconocen en este enfrentamiento ni están dispuestos a regalar el término 'realismo' a otros directores. "Para mí *Silvia Prieto* –afirmó REJTMAN– es una película realista y su código es absolutamente normal y cotidiano" (en FONTANA, 2002). Y Villegas ha dicho que "yo hablaba en una época de objetivismo en lugar de realismo, porque el realismo para mí

---

[28] Existe una diferencia entre lo documental o indicial propio del cine y el documental en tanto género. Considerada la imagen fílmica en tanto indicio, entiendo que todo film (excepto los de animación) tiene una base documental y que, por lo tanto, la oposición que debe guiar la reflexión sobre el género "documental" es la que se produce entre ficción y testimonio y no entre ficción y documental. El género documental sería, a grandes rasgos, el uso testimonial de los rasgos documentales del registro cinematográfico.

36

es eso: no subjetivizar, no enfatizar... lo cual no es una idea mía sino de Rossellini" (en ACUÑA, 2004: 167). En todo caso, el término *realismo* se convirtió en el ideologema de debate y las diferentes estéticas se definen por el uso y la interpretación que hacen de él los directores.

Lo que estas posiciones revelan (además de que los realizadores no le temen a un término que todavía es un tabú para cierta crítica) es que muchos de los antagonismos que estructuraban el debate modernista han caducado en una sociedad en la que la producción artificial de imágenes es algo habitual y generalizado. La antítesis entre transparencia o naturalidad y artificio o autorreflexión dejó lugar a otra serie de conflictos. Ya no es tan central mostrar quién desenmascara los acercamientos artificiales a lo real que se quiere presentar como verdaderos o naturales, sino quiénes pueden entregar mejores percepciones o poderes para producir lo real.

Una observación que hace Martín Rejtman en una entrevista tiene la virtud de condensar las dos líneas básicas que presentamos acá para la consideración del realismo: el papel que juega la televisión en nuestra percepción de lo real y la capacidad del cine de rozar nuestra experiencia de lo real. Dice el director de *Los guantes mágicos*: "En este sentido, hay películas, como *Sólo por hoy* de Ariel Rotter, que parecen programas de televisión. Improvisar, en esos casos, es largar a los actores delante de la cámara y dejar que hagan lo que quieran. Esa especie de costumbrismo o de supuesto realismo de buena parte de las ficciones de TV es un poco nociva. En un punto, *se convierte en algo más real que la realidad*. Por eso, cuando se escucha hablar de otra manera no suena verdadero, cuando para mí lo cierto es que en la vida cotidiana se habla mucho más como en *Silvia Prieto* que como en una comedia televisiva del tipo de *Son amores*" (en FONTANA, 2002, subrayado mío).

Los signos del presente

De todas las prácticas artísticas de los años noventa, fue el cine el que tuvo una mayor *apertura al presente*, situación que se explica sea por factores tecnológicos, industriales, culturales, políticos o estéticos. Pero para acceder al flujo del presente, los nuevos realizadores debieron desmontar y rechazar lo que se había hecho anteriormente y redireccionar la máquina del cine: transformar las relaciones entre producción y estética, segmentar la elaboración del film para financiarlo, inventar modos no convencionales de producción y exhibición, acudir a las fundaciones internacionales, lograr el reconocimiento del INCAA y de la crítica, reclutar y formar nuevo personal artístico-técnico, instaurar un modo novedoso de hacer *casting*, evitar la "bajada de línea" rechazando la demanda política y la identitaria, construir narraciones abiertas que puedan incluir lo accidental, retratar a personajes fuera de lo social, competir con otros medios en la producción de lo real, procesar el impacto de los cambios de un mundo que ya no es el mismo.

No me gustaría terminar este capítulo dando la idea de que el panorama trazado es digno más de un optimismo tozudo que de una descripción obje-

37

tiva de lo sucedido en los últimos años. Todavía siguen existiendo en el cine argentino innumerables problemas, además de que, a diferencia de lo que sucede con el cine de otros países, en Argentina se producen una cantidad considerable de películas que ni siquiera llegan a cumplir con las condiciones mínimas de coherencia narrativa y estética en términos cinematográficos. Muchos de estos engendros, además, cuentan con el apoyo financiero y político oficial del INCAA. Cualquiera que se dedica al *métier* de ver todas las películas producidas en el país sabe de lo que hablo. Sin embargo, hoy también cualquier espectador o crítico puede elegir entre ocho y diez películas de las producidas en los últimos años y estar interesado por la trayectoria de por lo menos dos o tres directores. No es poco para una cinematografía tan escasamente pródiga como la Argentina que, a duras penas, presenta más de diez grandes títulos a lo largo de su historia.

II. Cine, la narración de un mundo

Nomadismo y sedentarismo

Desde sus inicios, el cine ha conectado grupos, públicos, colectividades, multitudes, mundos. En los últimos años, cuando la noción misma de sociedad parece sufrir una mutación sin precedentes, en gran parte debido a la importancia del papel desempeñado por los medios de comunicación, no es casual que el cine vuelva a preguntarse —implícita o explícitamente— sobre la posibilidad de inventar o consolidar nuevos agrupamientos. La ausencia o la retirada de los grandes grupos populares como sujetos de la historia llevó al cine a posar su mirada en una agrupación más pequeña pero no menos venerada: la familia. Parece evidente que no sólo los lazos conyugales matrimoniales están en crisis, sino también nociones de familia tan acendradas como la unión heterosexual, la estabilidad del grupo unido por lazos de sangre, la autoridad de los ancestros, el sentido de la pertenencia. Antes, se suponía que los padres no sólo traían a los hijos al mundo sino que también les entregaban un mundo: es decir, un legado, una experiencia, eventualmente un trabajo y un lugar en el que arraigarse.

Pues bien: hay cierta orfandad en los personajes del nuevo cine. Los padres no aparecen por ningún lado y si lo hacen es solamente para anclar despóticamente a los demás en un orden disgregado. Pese a que no hay familia, ésta sigue inscripta como un punto de referencia aunque sea invisible. Por eso las relaciones entran en descomposición: la familia es todavía una institución que sigue operando y que no fue reemplazada por ninguna otra. Cuando los personajes insisten en mantener ese orden (patriarcal) nos encontramos ante un proceso de disgregación y una inmovilidad, una parálisis y un letargo que bien merece la denominación de sedentarismo. Cuando la familia en cambio está ausente y los personajes no tienen un lugar de pertenencia ni un hogar al que retornar, nos encontramos ante un caso de nomadismo. En realidad, nomadismo y sedentarismo son signos complementarios de los nuevos tiempos pero muestran estados diferentes: mientras el nomadismo es la ausencia de hogar, la falta de lazos de pertenencia poderosos (restrictivos o normativos) y una movilidad permanente e impredecible; el sedentarismo muestra la descomposición de los hogares y las familias, la ineficacia de los lazos de asociación tradicionales y modernos y la parálisis de quienes insisten en perpetuar ese orden. Son, obviamente, *figuras de la ficción* que radicalizan e investigan estética y narrativamente componentes sociales cada vez más diseminados.

Si bien la movilidad es importante para determinar si la narración es nomádica o sedentaria, no resulta suficiente. *Familia rodante* (2004), de Pablo Trapero, transcurre casi toda en una casa rodante que parte de San Justo y llega a Misiones. Pero si se trata de una narración sedentaria es porque la familia, aunque esté en proceso de descomposición, todavía le proporciona sentido a la acción de los personajes. Hay familia y hay casa, aunque sean rodantes. Por su parte, *Vida en Falcon* (2004) de Jorge Gaggero, transcurre en un único lugar

41

y documenta los días de dos hombres que viven dentro de dos autos estacionados en la calle. El hecho de que su protagonista haya comenzado este tipo de vida una vez muerta su esposa, de que se ubique tan contundentemente afuera de lo social y de que en ese auto la constitución de una familia sea imposible, convierten a este film en un ejemplo integral de nomadismo.[1] Lo decisivo en esta clasificación es, entonces, la familia como mundo de referencia y la existencia o no de un lugar estable (algo así como un hogar) al que los regresos sean siempre posibles.

Según su orientación, la narración pondrá el acento en los descartes del capitalismo o en la descomposición de las instituciones sedentarias. El cine de los descartes se reconoce porque en él predominan los itinerarios erráticos y los desplazamientos hacia el mundo de los desechos, del vagabundaje y de la delincuencia (todo aquello que el capitalismo pretende colocar, imaginariamente, en los márgenes). En la línea sedentaria, en cambio, vence la claustrofobia y la desintegración: familias que confunden sus lazos; instituciones y héroes del pasado histórico que funcionan como autómatas desahuciados, y personajes que se hunden en el parasitismo.[2] Entre las películas argentinas realizadas en los últimos años, *Pizza, birra, faso* de Caetano y Stagnaro sintetiza las coordenadas del cine nómade, mientras *La ciénaga* de Lucrecia Martel se erige en la representante más contundente del cine de la descomposición. Por supuesto que podría hablarse de las infinitas diferencias entre ambas en lo que hace a procedimientos y puesta en escena, pero lo que me interesa acá —antes que un análisis formal— es reflexionar sobre el tipo de preocupaciones que revelan. Porque hay en ellas una búsqueda que ya no se puede encarar usando los instrumentos de la historia evolutiva del cine modernista con su insistencia en los procedimientos, la obra coherente y la noción de autoría.

Entiendo que esta clasificación puede generar cierta resistencia desde el momento en que no se basa exclusivamente en criterios cinematográficos. Sin embargo, mi objetivo es recorrer transversal y experimentalmente las historias para ver cómo piensan cultural y socialmente con categorías que tienen en el cine su propia especificidad, como lo son el espacio, los planos, las narraciones, los encuadres: en una palabra, la puesta en escena. Tampoco considero que ésta sea una clasificación fija o definitiva; de hecho creo que *Rapado* tiene más en común con *La ciénaga* debido a su rigor formal, que con *Pizza, birra, faso,* aunque con ésta comparta el rasgo del nomadismo. Son *tendencias* o, si se quiere, construcciones críticas para describir mundos en descomposición y movimientos de los cuerpos.

---

[1] Irónicamente, el corto publicitario del Ford Falcón de los años setenta que abre y cierra el film de Gaggero muestra, para ensalzar el tamaño del automóvil, cómo una familia numerosa puede entrar en el auto cómodamente.

[2] Una excepción la configuran los relatos de familia judía en los que el reencuentro parece ser posible y está lleno de sentido. Me refiero tanto a las películas de Daniel Burman (sobre todo *El abrazo partido*, 2003) como a la opera prima de Gabriel Lichtmann *Judíos en el espacio (¿o por qué es diferente esta noche a las demás noches?)* de 2005.

La dispersión y la fijeza
(entre *La ciénaga* y *Pizza, birra, faso*)

La afirmación de que en la tendencia nómade se produce un desplazamiento hacia los descartes del capitalismo puede parecer extraña en un medio como el cine, tan atravesado por las grandes inversiones económicas. Por eso es importante definir ante qué tipo de desplazamientos nos encontramos, y qué dimensiones simbólicas y materiales se ponen en juego. Esta pertenencia nomádica es, en realidad, paradójica, y hace referencia tanto a los grupos de relegados como a una elite que se desplaza sin hacer caso de las fronteras. Un buen ejemplo de esto fueron los éxitos de *Pizza, birra, faso* de Adrián Caetano y Bruno Stagnaro, *Mundo grúa* de Pablo Trapero, *La libertad* de Lisandro Alonso y *Bolivia* de Adrián Caetano en la cultura global de los festivales de cine. Es como si en esos eventos transnacionales se descubrieran las virtudes de la regionalización y de la huida del capitalismo global. Por eso, no hay que entender este interés por los descartes del capitalismo como una toma de posición intransigente o antisistema sino como un uso y a menudo una idealización de lo marginal. No es, sin embargo, la única forma que asume el nomadismo: también está el desplazamiento de las personas de clase media que no tienen un lugar de vida fijo, que tuvieron que abandonar sus hogares o que, por propia voluntad, viven en un desplazamiento permanente. Es decir, no entendemos el nomadismo como una evasión romántica hacia el precapitalismo o una línea de fuga según lo propone Gilles Deleuze, sino más bien como un estado contemporáneo de permanentes movimientos, traslaciones, situaciones de no pertenencia y disolución de cualquier instancia de permanencia. Podría, sin duda, hablarse de migración o de diáspora, pero la virtud del término nomadismo está en que excede la cuestión nacional o comunitaria: se trata, antes que nada, de un tránsito por unos espacios en los que ninguno llega a convertirse en punto de retorno (rol que, tradicionalmente, le correspondía al hogar familiar, al edificio religioso o al suelo patrio). En este sentido, aunque sean totalmente diferentes entre sí, tanto *Rapado* de Martín Rejtman como *Mundo grúa* de Pablo Trapero o *Pizza, birra, faso* pueden ser incluidas en esta tendencia: qué sucede cuando nos quedamos sin hogar.

En las películas que retratan personajes que están fuera de lo social, lo primero que sorprende es el vínculo entre la cultura global del cine y una idealización de lo popular que tiene larga data. Esta alianza entre fuertes inversiones económicas y apego al lumpenaje, entre el nomadismo de una elite ilustrada y el nomadismo de los iletrados se caracteriza, paradójicamente, por su rechazo al consumo estandarizado que impone el capitalismo global a la vez que se monta en una de sus variantes (la interacción mundial de los festivales, las fundaciones y otras instituciones). Frente a este consumo que define a los nuevos sujetos y quiere incluirlos en el cuerpo social, lo que hacen los films nómades es captar la existencia de los personajes en el momento en que la fuerza del consumo se agota o se detiene (la música del Rulo que fue un éxito, en *Mundo grúa*, la prescindencia casi absoluta del protagonista de *La libertad*, la acumulación de chatarras que hacen los personajes en *Bonanza* de Ulises Rosell, el auto destartalado que antes fue mercancía valiosa en *Vida en Falcon*). Son excluidos y, por lo tanto, están marcados por la dimensión de lo abyecto y por la pertenencia a un espacio precario. Basurales, casas destartaladas, depósitos de chatarra, recintos abandonados, casas miserables. Escasean los lugares globales (los "no-lugares" de Marc Augé), a la vez que se acentúan los sitios que muestran el carácter periférico de esa cultura. Según Marc AUGÉ, "los *lugares antropológicos* crean lo social orgánico, los *no lugares* crean la contractualidad solitaria" (1997: 98). Mientras los lugares antropológicos remiten a la región y a la tradición, los no-lugares (como los aeropuertos, los shoppings, las autopistas) están saturados de sobremodernidad. Pero los personajes nómades no transitan ninguno de estos dos tipos de lugares sino algo que podría denominarse *lugares de la precariedad* o lugares que ellos mismo tornan precarios en sus recorridos. Puede haber contratos, como quiere Augé, pero siempre bajo sospecha; pueden parecer orgánicos pero esta organicidad siempre resulta ilusoria. En *Pizza, birra, faso* son los taxis pero también la cola de desocupados, agrupación de un solo día en la que cualquier intento de construcción de lazos resulta imposible (de hecho, los personajes se suman a la cola sólo con el fin de robar a los otros). Aun un monumento tan importante como el Obelisco (y los monumentos aspiran a esa organicidad), es recorrido por los personajes en su interior y convertido en un lugar peligroso y vulnerable.

Los taxis son un emblema de estos contratos transitorios que siempre están a punto de quebrarse cuando no son traicionados por alguno de los implicados. En *Pizza, birra, faso*, los maleantes (el Cordobés y Pablo) suben al taxi, les roban a los pasajeros y simulan que atacan al taxista quien es, en realidad, su cómplice. Finalmente, se pelean con el taxista, lo golpean (esta vez de verdad) y el pacto de delincuentes se rompe. Pese a ser también precarios, el hecho de que en estos espacios se anuden particularidad y globalización y de que la modernización esté en conflicto, hace que en vez de *lugares* o *no lugares*, pueda hablarse de *hiperlugares*. A la manera de un hipertexto, cada ámbito se mantiene reconocible aunque asume diferentes sentidos según el contexto. El hiperlugar por excelencia es el taxi y no es casual que uno de los primeros films sobre la globalización (del cine y de la sociedad) haya transcurrido enteramente en taxis de diferentes ciudades del mundo: *Una noche en la tierra* (1991) de Jim Jarmusch transcurría en Los Angeles, New York, París, Roma y Helsinki. Los taxis son similares en casi todas las ciudades, pero lo que sucede en cada uno tiene que ver con las contingencias y con las situaciones peculiares de cada gran ciudad: no hay organicidad social ni contractualidad solitaria. En el cine latinoamericano reciente, el taxi se ha transformado en un modelo reducido de la sociabilidad violenta: la colombiana *La Virgen de los Sicarios*, la chilena *Taxi*, las argentinas *Pizza, birra, faso, Todo juntos* y *Taxi, un encuentro* de Gabriela David. Lo que en Jarmusch es diálogo y encuentros más o menos sosegados, en las películas latinoamericanas es estallido, delito, expulsión violenta. Estas formas de sociabilidad transitoria, entonces, crean

44

sociabilidades que ya no se caracterizan por su materialidad global sino por los grados de descomposición de cada localidad.

En estos espacios, transitan personajes que tratan de implementar tácticas de pura supervivencia en un nomadismo que amenaza las formas tradicionales de la sociedad moderna (clasificación en un mundo eminentemente laboral, trazado de fronteras, implementación de formas de identificación y control). En palabras de Zygmunt BAUMAN, el nomadismo es el nuevo villano frente a lo que él denomina "modernidad sólida": en la actualidad, afirma, "somos testigos de la venganza del nomadismo" (2003: 18). Dentro de la tendencia nómade, Caetano y Stagnaro son los que van más lejos en la identificación con los marginales hasta ampararse en toda su cultura; en cambio, en *Bonanza*, la música de Manu Chao hace algo así como un contrapunto con las vidas que se narran. Es como si en una mirada aparentemente apolítica (porque se omite el fenómeno del menemismo), se tratara de buscar momentos de resistencia (al poder del consumo) y con esos fragmentos construir universos paralelos: un mundo que deviene grúa, o depósito de chatarras como en *Bonanza*, o reducto de un idiolecto extraño como en *Pizza, birra, faso*. Con los desechos de una época despiadada, se construye el *collage* de un mundo que abriga efímeramente a los personajes.

En su negativa a asumir posiciones políticas o narrativas integrales, este nomadismo paradojal no llega a constituir un relato social alternativo en el sentido clásico del término (los agrupamientos, cuando no se trata de la soledad absoluta del personaje de *La libertad*, son transitorios e inestables). No hay aquí ni una toma de distancia radical de ese mismo capitalismo del cual toma sus descartes ni una pretensión de distancia *crítica* que se daría a partir de una elaboración de las formas y del respaldo en algún gran relato. Lo que se produce más bien es una contaminación con ese mismo capitalismo, una inmersión en él y una búsqueda de intensidad y situaciones interesantes en sus márgenes, en sus extremos o en sus restos (de allí la obsesión con el lumpenaje y con las ruinas urbanas). Estas películas no buscan la obra acabada, ni siquiera pretenden alcanzar *otra* forma —una forma inasimilable como en Tarkovski o en Godard–, sino que se mimetizan con las formas existentes para investigar las posibilidades de estos desplazamientos. Basta comparar *Bonanza* de Rosell con otra de sus películas (en coautoría con Andrés Tambornino y Rodrigo Moreno) como *El descanso*, o con el pasaje de Stagnaro por la televisión con *Okupas*. En sus estrategias, estos realizadores rechazan o desdeñan los mitos modernistas de la autoconciencia y del estilo autoral: la forma no va adelante descubriendo cosas sino que se reorganiza y define en el curso de su realización. Es como si, acercándose en este aspecto a la televisión, hubiera una tendencia a trabajar directamente en la mesa de edición con los materiales en bruto dejando que éstos vayan orientando el armado. La forma se apoya más en la *investigación* de lo que se encuentra mientras se filma que en la precedencia del relato alternativo que ofrece la puesta en escena modernista. Antes que privilegiar un pensamiento desde el plano, estos directores actúan como investigadores del afuera: *Bonanza* de Ulises Rosell es el resultado de incursiones casi etnográficas en los alrededores de La Plata, así como *La li-*

bertad surge de un interés entre antropológico, económico y espiritual por un hachero de La Pampa.

A diferencia de este traslado hacia los descartes y hacia los márgenes, la tendencia sedentaria presenta un movimiento espiralado y hacia los interiores. La insuficiencia del ordenamiento familiar es la clave, y justamente una de las características inquietantes de *La ciénaga* reside en la falta de definición de los vínculos parentales a lo largo de los primeros minutos del film. Durante estos momentos iniciales, el espectador funciona, del mismo modo que los personajes, como un *zombie* que se desliza entre la vida y la muerte sin marcos de referencia para interpretar su propia situación.

El consumo también marca, como en la tendencia nómade, a los personajes pero antes que ser rechazado, impone su máquina despiadada y omnipotente y ancla permanentemente a los personajes en situaciones de descomposición (una de las protagonistas de *La ciénaga* no deja de consumir desde la cama y el prometido viaje de compras nunca llega a realizarse). La sociedad organizada alrededor de la autoridad patriarcal, con todo lo que implica, se descompone en estas películas que testimonian el pasaje de una imaginación masculina (que dominó la vida humana durante siglos) a una imaginación femenina en un cine que puede ser hecho por mujeres que tematizan este *no querer volver a casa*, para decirlo con un título de Albertina Carri, pero también por hombres, como en los casos de Luis Ortega, Santiago Loza o Federico León, que hicieron films que son amargas críticas del patriarcalismo. En *Caja negra* de Luis Ortega, Dorotea (Dolores Fonzi) va descubriendo que así como la madre sustituta (su abuela Eugenia Bassi) la ata a un simulacro de familia, el reencuentro con su padre (Eduardo Couget) que sale de la cárcel le revela que esa familia en realidad la está aislando de la vida. Atrapada en una red familiar signada por la vejez y la apatía, Dorotea desperdicia su juventud y sólo puede ejercer el juego de la seducción con un vecino circunstancial al que la une más que nada una relación de camaradería y de favores.[3] En *Extraño*, de Santiago Loza, Axel (Julio Chávez) se mueve permanentemente pero la imagen del riel del tren que traza una línea en la pantalla muestra lo ilusorio de sus desplazamientos y la descomposición de sus afectos familiares. Mientras, Erica (Valeria Bertuccelli) se recluye en su casa, esperando un hijo, recordando a su amiga y sin mencionar nunca, ni siquiera en las charlas con Axel, al hombre que la dejó embarazada (el padre) que jamás aparece. En *Todo juntos*, de Federico León, el regreso de los protagonistas a sus propias casas es imposible, aunque el fantasma de las familias los aceche en todos los lugares impersonales que recorren.

---

[3] En *Monobloc*, el segundo largometraje de Ortega, los componentes de la descomposición sedentaria llegan al límite en la historia de una adolescente (Carolina Fal) que llega a decir que "mi único mundo son Perla [la madre, Graciela Borges] y mi madrina [Rita Cortese]". En este film, Ortega abandona la austeridad de su opera prima y desarrolla en exceso lo que en aquélla era más amanerado y sentimental: la musicalización que se extiende, en este segundo film, a las actuaciones, la fotografía y la narración.

46

Como señala Ana AMADO (2002), la tendencia nómade también podría observarse desde los ordenamientos familiares aunque, desde esta perspectiva, lo que predomina en ella más que el relato de una descomposición es la ausencia de familias, sobre todo de madres –en *Pizza, birra, faso, Bonanza, La libertad, Mundo grúa*–, mientras en *La ciénaga*, las madres pululan y se multiplican. En *Bonanza* no sólo falta la madre sino que todo el estilo de vida familiar se organiza alrededor de ocupaciones típicamente masculinas, al punto que la hija del protagonista (la Vero) es una mujer pero tiene comportamientos y modos varoniles. Huida o descomposición son respuestas a una situación similar pero comportan movimientos diametralmente opuestos que pueden convivir en una misma película.

Los precarios órdenes del azar

En los bordes de estas dos tendencias, en cada una de estas películas y más allá de todo lo que las separa, asedia una misma amenaza: las ruinas, lo impensable, lo que está fuera de control. De allí que exista una indagación de lo fortuito, lo accidental y lo azaroso que enlaza la experiencia del cine (del hecho de filmar) con la reflexión sobre esas ruinas (sean espaciales, como en el cine de la errancia; sean temporales, como en el cine sedentario). Narraciones en las que el accidente pone en movimiento a la historia, como sucede en *El descanso* de Tambornino, Rosell y Moreno, en *Sábado* de Juan Villegas, en *Mundo grúa* y en *La ciénaga*, entre otras. *El descanso* comienza cuando un auto se incrusta contra un cartel publicitario en una ruta; *Sábado* puede dividirse por sus dos choques automovilísticos en diferentes esquinas de la ciudad, y *La ciénaga* empieza y termina con un accidente: el primero es una caída, el segundo es una muerte. Finalmente, *Mundo grúa*, de Pablo Trapero, de un modo original, construye la tensión del relato a partir de un accidente de trabajo que se anuncia todo el tiempo y que nunca sucede. Hay realismo, pero sobre todo hay un exceso de efectos indiciales de lo real que no aparece como un orden previamente organizado sino como una masa informe de la que puede surgir lo imprevisto. Estos indicios configuran un exceso de lo real aleatorio que abruma a los cuerpos y los hace reventar desde afuera y desde adentro. Tajos, heridas, anomalías: una carga de intensidad que el cuerpo humano no llega a soportar.[4] Desde los cuerpos heridos de *La ciénaga* al cuerpo anómalo de Eduardo Couget en *Caja negra*, desde el desangrarse violento de uno de los personajes de *Pizza, birra, faso* a la gordura que excluye al Rulo del mundo laboral en *Mundo grúa*. Por supuesto que puede pensarse en casualidades, pero, ¿cuándo se ha visto en el cine argentino semejante proliferación de ruinas y de cuerpos desacompasados? ¿Será que los cambios en la década del noventa

---

[4] Tampoco la mirada soporta el accidente: como dijimos, siempre está fuera de campo.

47

han sido tan profundos, abruptos e inesperados que el accidente es una de las posibles figuras para pensar y volver a narrar el presente? ¿O es que el cine se aparta del consuelo que entregan las narraciones en las que los personajes son sujetos esenciales al curso del acontecimiento y se inclina por la simbolización débil del accidente?

La cara complementaria de los accidentes son las ruinas: si el accidente es el resto que queda del tiempo moderno, la ruina es lo que queda de su espacio. En el nuevo cine argentino, la presencia de las ruinas o de casas destartaladas y precarias, en sentido literal, se detecta en innumerables obras. Desde *El descanso* donde se emprende la construcción de un complejo vacacional en un hotel abandonado hasta *Balnearios* de Mariano Llinás, donde se cuenta la historia de un pueblo inundado, pasando por *Pizza, birra, faso, Caja negra, Bonanza, La libertad, Los muertos* y tantas otras.[5] En el comienzo de *Otra vuelta* de Santiago Palavecino, tal vez el director de las nuevas camadas que sostiene una poética más modernista (en sus planos se siente la presencia de Antonioni y en la musicalización es evidente la evocación de Godard), hay un plano general en el que el protagonista (con un sobretodo blanco) parece moverse dificultosamente por un lugar en ruinas. Ese lugar es una estación de servicio de aquellas que habían sido punta de lanza en la modernización del territorio y es el emblema del pueblo al que el protagonista regresa, donde las fábricas de YPF son ahora grandes tinglados mudos.[6] Las ruinas aparecen en el film mostradas al sesgo y, antes que elementos de una alegoría, constituyen el ámbito en el que se desarrolla una historia de pérdidas y desencuentros. No son ruinas de una antigüedad prestigiosa ni del lejano siglo XIX, son —como las estaciones de servicio— *ruinas de la modernidad*. ¿Cómo construir entonces una experiencia si la modernidad barrió con las tradiciones pero ahora no puede sostenerse a sí misma en tanto renovación permanente y dadora de sentido? ¿Cómo crear experiencias, en definitiva, con la variabilidad, la precariedad y el accidente?

Mediante el accidente y la ruina, estas historias se abren al presente y al reconocimiento de que ya no hay narración previa que señale los caminos a seguir. El accidente o las ruinas están *antes* de que la historia comience y eso hace que todas las conexiones sean débiles. Con esta precariedad, cada película comienza a plantear una posible salida, un atisbo de experiencia, siempre en peligro. Mientras Palavecino recurre a la forma modernista y convierte a

---

[5] Es interesante el caso de *Ciudad de María* de Enrique Bellande, que cuenta las transformaciones de San Nicolás de "ciudad del acero" a ciudad de peregrinaje. La construcción de la gran cúpula es uno de los *leit-motivs* visuales del film. Cabe aquí la frase de Jean Cocteau: "Nada se asemeja más a una casa en ruinas que una casa en construcción".

[6] Sobre las estaciones de servicio de YPF durante los años treinta, Anahí Ballent y Adrián Gorelik escriben que son construcciones "francamente modernistas, casi comandos didácticos de vanguardia con la explícita vocación de generalizar en el país un imaginario de progreso urbano" (BALLENT, 2001: 191).

48

estas ruinas en citas de *El desierto rojo* de Michelangelo Antonioni, Lisandro Alonso persigue un despojo ascético que lo conduzca a un estado de naturaleza tan anterior a la modernidad como a las tradiciones. Mientras Martel trata de reflexionar sobre una categoría evanescente como el accidente con una que no lo es menos (la del deseo), Pablo Trapero hace diferir al accidente porque al colocarlo en el futuro muestra que la narración sin el trabajo moderno es imposible. Finalmente, Martín Rejtman parece haber ido más lejos porque inserta el azar de las series en narraciones armadas cronométricamente, donde todo está determinado de antemano. Observadas desde las ruinas de la modernidad, algunas películas del nuevo cine argentino se proponen realizar un imposible: armar órdenes incorporando el azar.

Azar, cuerpos, tragedia

En el desenlace de *La ciénaga*, uno de los niños, Luciano, cae de una escalera y muere instantáneamente. La escena es de las pocas que recurre a una retórica algo artificial si la comparamos con la planificación fresca y singular del resto de la película. Tal vez la razón de este *amaneramiento* que se apodera del film, con sus trucos de escuela de cine, tenga su explicación en que se trata de recuperar la compostura después de que la narración ha estallado, resolviendo de un solo golpe y abruptamente la diversidad de historias que estaban en juego. En un principio, en *La ciénaga* todo parece girar alrededor de la relación entre Mecha (Graciela Borges) y Tali (Mercedes Morán), y entre Momi (Sofía Bertolotto), una de las hijas de Mecha, y la mucama Isabel (Andrea López). Posteriormente, la historia se orienta hacia José (Juan Cruz Bordeu), hermano de Momi, para finalmente desembocar en Luciano (Sebastián Montagna), el hijo de Tali que muere al caer de la escalera. La narración *elige* a uno de los personajes más "inocentes" de la historia y hace que el mal del azar se encarne en su cuerpo de siete años.

Sin duda, la muerte de Luciano aparece anunciada de muchas maneras (tiene un accidente simultáneo al de Mecha que está elidido, trata de no respirar, le dicen "estás muerto" en un juego, se queda encerrado dentro del auto), pero ninguno de estos hechos explica ni justifican una muerte frente a la cual toda interpretación resulta desatinada o arbitraria por el vacío absurdo que genera. En realidad, ni la inocencia ni el castigo importan, en la medida en que el azar —a diferencia de lo que sucede en la narración clásica— no está motivado, sino que ingresa en la historia para hacerla añicos, con todo su desconsuelo, su poder y su injustificación. La retórica (los planos de los cuartos vacíos que suceden a la caída de Luciano) surge para reordenar algo que se presenta como demasiado amenazante: no sólo arrasa a los personajes, también pone en peligro la forma misma de la película. Como si la mirada analítica que sostiene el film tratara de mantenerse en pie pese a saber que le asestaron un duro golpe: hay una zona en la narración que está fuera de todo control, hay una fuerza oscura e indefinida que tira a los personajes permanentemente hacia los pozos. Por eso, los cuerpos no pueden subir o enderezarse, y las dos

49

ascensiones más importantes que se producen (la del chico en la escalera y la de la Virgen que se expresa como mancha en un tanque de agua) deben ceder ante esa fuerza ctónica que hace que los cuerpos se arrastren, caigan, se echen o, simplemente, no puedan levantarse.

Una de las dificultades de la crítica con este film fue no haberle podido atribuirle ninguna filiación. Algunos prefirieron repetir las palabras de la realizadora, mientras otros recurrieron a lo que estaba más a mano: el cine de Leopoldo Torre Nilsson.[7] Y si bien existe una semejanza en las ceñidas situaciones claustrofóbicas que reproducen los conflictos sociales (además, claro, de la presencia de Graciela Borges), una diferencia fundamental radica en que el deseo y la caída, en Torre Nilsson, son la consecuencia de una crisis psicológica en los personajes y de un *crescendo* dramático en el relato. En cambio, en *La ciénaga*, el deseo nunca llega a ser tan poderoso como para sacar a los personajes de su abulia, y la caída se produce, antes que por la violencia de la transgresión, por descomposición o degradación. Basta comparar, por su asombrosa similitud temática, la escena de la muerte del chico en la escalera de *El secuestrador*, de 1958, con la de la película de Martel: aquélla es el estallido del antagonismo de clase, ésta es obra del azar. Luciano no quiere ver *otra* cosa, como los adolescentes de Nilsson, sino que se mueve intrigado por los ladridos de un perro. Los personajes de *La ciénaga* no tienen consuelo porque su drama está *más acá* del deseo (por eso la figura del niño y su *capricho* cierra la historia).

Por supuesto que más allá de sus afinidades con Torre Nilsson, *La ciénaga* sí puede enmarcarse claramente en un estilo: se trata del naturalismo, entendido tal como lo describe Gilles Deleuze en *Estudios sobre cine*. En el naturalismo, un *mundo originario* (que se reconoce por su carácter informe: en este caso, la ciénaga) resurge en todos los personajes con su borbotar de pulsiones elementales. Este mundo originario, en palabras de DELEUZE, es "el conjunto que lo reúne todo, no en una organización, sino que hace converger todas las partes en un inmenso campo de basuras o en una ciénaga, y todas las pulsiones en una gran pulsión de muerte". Lo que aparece por todos lados, agrega, es "una misma pulsión de parasitismo" (1984: 179-201).[8] La singularidad del naturalismo es que hace pasar esta pulsión por todos los espacios: en la película de Martel, lo informe de la ciénaga se infiltra en los medios civilizados de la pileta y de la cama de Mecha, creando un ambiente

---

[7] Habrá sorprendido a varios, sin duda, la inclusión de una cita fílmica en *La niña santa* que no remite a Torre Nilsson sino a *Heroína* (1972) de Raúl de la Torre: ésa es la película que ve el personaje interpretado por Mercedes Morán por televisión. ¿Se trata del homenaje a uno de los pocos directores argentinos que, después de Nilsson y de otros directores de la generación del sesenta, puso el acento en la mirada y la experiencia femeninas? ¿O es más que nada una dedicatoria a Graciela Borges, quien hace allí de traductora en un congreso médico?

[8] De Gilles Deleuze sobre el naturalismo también puede consultarse "Zolá y la grieta", incluido en su libro *Lógica del sentido* (Barcelona, Barral, 1970).

acuático en el que intentan moverse los personajes y que no deja de opacarse todo el tiempo. Esta opacidad de la transparencia afecta al agua pero también a los vidrios, los espejos, las nubes, el tanque de agua y su mancha, el río y su desagüe, la ducha y el mismo aire convirtiéndolo en una capa pringosa y viscosa. En medio de un clima opresivo, los personajes se mueven como *zombies* sin poder interpretar nunca sus propias situaciones (crispación entre la obsesión analítica de la cámara y el parasitismo de los personajes), y lo que siempre queda trunco es su deseo en un mundo despojado del consuelo de la satisfacción sexual. Ya en la primera escena es la indiferencia y no otra cosa lo que junta a los personajes de la terraza: ellos están ahí deambulando y arrastrados por las sillas. Ellos nunca pueden reconocer el espacio en el que viven como un mundo sujeto a interpretación y a cambio. Están, por decirlo de alguna manera, flotando. Como los creyentes que se mueven en masa frente a las cámaras de televisión y al tanque de agua, la gran dificultad que tienen consiste en que *no pueden separar su deseo de aquello que ven y de la opacidad que los rodea*. Momi ve a la mucama como a una hermana-novia; Tali, la fatalista, cree que las situaciones no pueden ser de otra manera; Mecha cree que el mundo termina en su televisor, en su teléfono y en el borde de su cama. En Momi, el primer personaje que literalmente se hunde en la pileta-ciénaga, el deseo debe volcarse sobre su propia familia en una serie de relaciones imposibles como la de José con su hermana Verónica (Leonora Balcarce), o debe concretarse en la figura de la mucama, transgrediendo todos los mandatos sociales. Luciano, el único que trata de ver lo que sólo escucha, cae estrepitosamente y muere. Ésa parece ser la ley de la ciénaga: quien desee salir de ella se hunde todavía más hondo y chapalea del modo más patético (y algunos, como el padre, interpretado por Martín Adjemián, ni siquiera tienen fuerza para eso).

Sin embargo, hay algunos desplazamientos que si bien no marcan una salida del estado *zombie*, sí establecen un momento de abandono. Lo que pasa es que estos desplazamientos son casi imperceptibles, y por eso la crítica sostuvo que la película tenía una estructura o una forma circular (porque comienza y termina en la pileta). En verdad no hay nada de eso; más bien la historia transcurre en una espiral y hacia el final se produce un pequeño salto o desplazamiento que de ninguna manera puede interpretarse como un retorno a la primera escena. Si al comienzo los personajes se comportan como *zombies*, hacia el final, otra de las hijas de Mecha, Verónica, logra separar el mundo del deseo del mundo visual: "no vi nada", comenta sobre su peregrinación a la Virgen del tanque de agua. En las escenas de psicosis colectiva mostradas anteriormente por televisión, los personajes veían lo que deseaban ver. La frase de una de las hijas es, por el contrario, la huella más fuerte que queda de la muerte de Luciano: cierta racionalidad asoma en las palabras de alguien que puede cuestionar la existencia de Dios o la fe, después de la inexplicable muerte del niño. Una pequeña iluminación negativa que anuncia que las creencias deberán reconstruirse desde cero con los restos de lo que queda.

51

Salidas

Las escenas de las fiestas o de los bailes les permitieron a los nuevos directores no sólo mostrar un estado de los cuerpos, de los gustos y de los usos del tiempo libre sino también los conflictos entre diversos sectores y clases sociales. Se trata de escenas clave que marcaron, así como lo hicieron las escenas de confesión religiosa en los ochenta (*Camila, La historia oficial, Contar hasta diez*), innumerables films argentinos de la última década, desde *Cenizas del paraíso* (1997) de Marcelo Piñeyro a *La ciénaga* y *Pizza, birra, faso*, desde *Felicidades* (2000) de Lucho Bender a *Esperando al mesías* (2000) de Daniel Burman y *Los guantes mágicos*. En *Pizza, birra, faso*, la escena de la fiesta es sólo una promesa de entretenimiento que jamás llega a realizarse. Los protagonistas intentan entrar a la bailanta pero no pueden hacerlo. En la escena final, optan por robar las boleterías del local. En esta secuencia, la cámara se mantiene distanciada y fría, como al acecho, pretendiendo entrar en ese mundo que le está vedado. La violencia, acá, separa a los grupos y revela un espíritu de solidaridad entre los asaltantes que habla de una posible comunidad de valores sintetizada en su título. En su calidad de testigo, el ojo de la cámara asiste a esta fiesta con una planificación clásica, de film de acción, pero tomando partido por los asaltantes e identificándose con ellos. Caetano y Stagnaro se solazan mostrando esta cultura, siguiéndola, subrayando sus rasgos y celebrando su vitalidad al margen de la ley. Justamente la única que, desde afuera, puede cerrar estos relatos es la ley representada en la policía, célula nómade del poder sedentario (esta irrupción final se produce tanto en *Pizza, birra, faso* como en *Bolivia*).

En *La ciénaga* la escena de la fiesta está amenazada por el enfrentamiento entre los indios kollas y los burgueses de provincia. Y el motivo de la pelea es Isabel, la mucama que trabaja en la familia de Mecha. Con una cámara nerviosa, desorientada e inquieta que se mezcla con el frenesí del carnaval, Martel sigue a los participantes hasta el choque final en el que José, quien había querido imponer la dominación hogareña sobre la mucama en un espacio público, es herido por el Perro (Fabio Villafañe). La escena tiene una planificación opuesta a la de *Pizza, birra, faso* pero de efectos paradójicos: mientras la distancia de Caetano y Stagnaro apuesta por una identificación con los protagonistas, la cámara inmersa en la situación de Martel no deja de mantener su mirada analítica sobre el patriarcalismo y el machismo pueblerinos. Esta posición le permite mantener cierta negatividad, cierta mirada crítica y llena de sospecha que está en tensión con esa filmación nerviosa, casi en trance, que se mezcla con los grupos sociales que chocan a causa de la mucama. La fiesta no es el lugar de la subversión (como se la considera habitualmente) sino de la reafirmación de las mayores regresiones sociales: las mujeres como objeto de deseo y de agresión, la mirada machista paternal como motivo de encuentro y disputa, la violencia como modo de dirimir conflictos, el automatismo bailantero como supuesta expresión genuina.

En la película de Martel, los dominados son objeto de deseo y asco simultáneamente. Según la mitología que se forjan los patrones, los pobres comen bagres, no saben atender el teléfono, se cogen a los perros y desconocen las maneras civilizadas. Todo lo que, sublimado, se reproduce en la familia de Mecha. Los propietarios sostienen el mito de que los empleados les roban a los patrones, pero es Momi quien termina quedándose con algo de la mucama. La alianza (o el amor) entre estos dos grupos, que su concurrencia a la misma fiesta parecía prometer y que fue el signo de la cultura argentina de los años noventa, es tan imposible como ficticia. Lucrecia Martel se aparta con decisión, como ya lo había hecho en su primer cortometraje *Rey muerto*, de las representaciones condescendientes o cómplices de lo popular. Sin embargo, algo de la afección por los personajes populares que se les achacó a Caetano-Stagnaro puede pensarse también en el film de Martel: como si ellos pudieran entregarnos el secreto que los hizo salir del parasitismo. Es que con Isabel se produce el otro desplazamiento, además del de Verónica, que evita la repetición: la mucama es el único personaje que abandona el círculo aciago de la ciénaga, convirtiéndolo en una espiral. En un mundo signado por la infertilidad y la impotencia, Isabel es la única que queda embarazada. Su pareja, además, quien va a buscarla al umbral de la casa de Mecha, es el Perro, personaje emblemático que condensa todo lo amenazante y siniestro que acecha a los integrantes de la familia (la rata-perro africana del relato de Verónica, el perro por el que muere Luciano, los perros sarnosos que recorren el film). El mundo de los dominados es inaccesible y tal vez por eso mismo promete una posible resistencia: el destino de Isabel está, en realidad, más allá de la historia.

Si la espiral de *La ciénaga* arrastra a todos los personajes en la disgregación sedentaria (excepto a Isabel), la movilidad nómade de *Pizza, birra, faso* atrapa a todos los personajes y los empuja a una fuga que termina trágicamente: el Cordobés es detenido por la policía, Pablo muere, los otros desaparecen. La única que logra cruzar la frontera es Sandra (Pamela Jordán) cuando, en la última escena, logra subirse al barco que la llevará a Uruguay. Mientras se escucha la voz de la policía por la radio del patrullero, la cámara registra la ciudad desde el ferry como si quisiera apegarse a la promesa de esa huida hacia otro país, con el dinero robado en el bolso y un bebé en la panza. "Las mujeres –dice Oliver MONGIN en *Violencia y cine contemporáneo*– cuando no sucumben a la fascinación de la violencia, cuando no quieren ocupar violentamente el lugar de los hombres violentos, son casi siempre el instrumento de una regeneración. Y con razón: la mujer responde a la violencia destructiva con la violencia del nacimiento, de la procreación" (1997: 50). La familia futura, en una película que ensalza las virtudes del nomadismo lumpen, promete un momento de detenimiento, de fundación o, al menos, de alegría en una familia sin padre.[9] Aunque en momentos de desintegración, tal vez

---

[9] En un momento, Pablo le dice al Cordobés: "¿Vas a tener un hijo, no sabías?". A lo que él le responde: "Yo no, Sandra". Sandra es, además, el único personaje en el que desempeña un papel central la autoridad del padre y que tiene una casa estable (de hecho, hay varias escenas desde su cuarto en el que se mira la calle en la que está su novio el Cordobés).

no deban depositarse muchas esperanzas en ese orden ya fisurado que podrá crear Sandra.

Sea en la errancia o en la fijeza, en la huida nómade o en el hundimiento sedentario, un mismo mundo está disipándose y ni siquiera las narraciones parecen aportar mucho consuelo. Queda, como último refugio, la esperanza porque, como dijo Walter BENJAMIN, "la esperanza sólo nos ha sido dada a los desesperanzados" (1986: 88).

Intensidades de los rostros y los cuerpos
(*Rapado* y *Todo juntos*)

Rapado de Martín Rejtman y *Todo juntos* de Federico León presentan una visión estilizada del nomadismo y el sedentarismo. Pero si esto es así no lo es porque sean versiones extremas de una u otra tendencia, sino más bien porque dibujan en un solo trazo, respectivamente, la línea estilizada de la deriva y del estancamiento. Los personajes de Rejtman (como Gabriel en *Silvia Prieto* y Alejandro en *Los guantes mágicos*) a menudo no tienen casa y están en perpetuo movimiento. Jamás se detienen, viajan en auto, en avión, en tren, en moto o en *skate*. Como en Wim Wenders, los medios de transporte se mimetizan con el cine, que se convierte en el medio de transporte de una mirada regulada por la dialéctica entre un orden global de simultaneidad y una búsqueda de localización. Es verdad que en *Rapado* aparecen familias que se sientan alrededor de la mesa para desayunar o para cenar, pero no es menos cierto que estas ceremonias son el testimonio de algo que se está terminando: los adolescentes casi jóvenes de la película sólo piensan en cómo planear la huida. ¿Hacia dónde? Hacia cualquier lado. Como dice Beatriz Sarlo, "se habla mucho del nomadismo y los personajes de *Silvia Prieto* tienen algo de nómades: los chicos viven donde pueden; uno se va a Los Angeles, Silvia se va a Mar del Plata; hay algo de nomadismo en todo esto. El saco Armani es como un caballo nómade que va pasando de una aldea a otra" (en Birgin, 2003: 144). Mar del Plata, de alguna manera, ha funcionado como una suerte de versión *soft* del México de las películas norteamericanas al que huyen los perseguidos por la ley. Pero los personajes de las películas del nuevo cine que van hacia Mar del Plata no huyen de la ley sino que buscan, tal vez, nuevos aires o sólo un cambio de paisaje. *Silvia Prieto, ¿Sabés nadar?* de Diego Kaplan, *Nadar solo* de Ezequiel Acuña, entre otras, tienen escenas en esa ciudad balnearia.[10] Como siempre van en invierno, la playa se convierte en algo inútil donde sólo quedan las sobras de los veraneantes, como en *La prisionera* de Alejo Moguillansky y Fermín Villanueva. Esa ciudad, sin embargo, no es un lugar para quedarse sino una estación más en el recorrido de los personajes: el nomadismo es un índice de la inestabilidad de los lazos afectivos con el mundo.

El nomadismo, entonces, construye un cine del espacio y de la errancia en el que los lugares nunca están suficientemente cargados de sentido y de

---

[10] En *Rapado* el personaje huye con la moto pero como se descompone debe regresar a Buenos Aires. En el relato que dio origen a la película, en cambio, Lucio se va a Mar del Plata donde termina la historia. La única película en la que se huye de la persecución policial es *Pizza, birra, faso* y allí el México del policial negro está representado por Uruguay. La historia termina en la frontera justo antes de que el protagonista pueda subir al ferry. También *Tan de repente* de Lerman y *La cruz del sur* de Pablo Reyero transcurren en la cosa atlántica.

historia. En el sedentarismo, en cambio, los lugares están sobrecargados y encierran y aprisionan a los cuerpos. Más que los recorridos y las errancias, importan en esta tendencia las reacciones físicas y los gestos. Por eso en las historias sedentarias hay una mayor propensión a los planos cerrados y a los primeros planos: se trata de seguir un recorrido pero del gesto corporal. Ninguna película es más íntegra en este sentido que *Todo juntos*, que cuenta el fin de una pareja conectada a una extensa familia ausente pero opresiva que actúa a través de cables telefónicos. Papá Rubén, mamá Marta, el primo Nicolás, el amigo de la infancia Gasloli: todos están vigilando, invisibles, del otro lado del teléfono. Realizada sólo con dos personajes a los que la cámara asedia, sus rostros son un mapa que sirve para orientarse en un mundo en penumbras y ya desintegrado. Por eso es tan importante, desde este punto de vista, el prólogo en el que se lo muestra al protagonista masculino (Federico León) faenando un chancho en una filmación en video. Mientras a lo largo de la historia el protagonista parece un *zombie*, alguien que perdió sus propios gestos y ni siquiera se preocupa por encontrarlos, en la primera escena se ve su rostro afectado por todo tipo de contorsiones: intriga, éxtasis, miedo, admiración, temeridad. Toda la energía de un cuerpo que puede hacer *algo* sin su hermana siamesa, su novia (Jimena Anganuzzi), junto a quien había hecho todo y de la que se está separando. Como si en la soledad del espacio abierto, su cuerpo pudiera expandirse y explotar mientras en el resto del film se muestra contraído y estático. El sedentarismo de los personajes, una vez más, es la desintegración de un orden, de un mundo.

El largo y tortuoso camino de la separación de los novios

La historia de *Todo juntos* transcurre casi en su totalidad en bares, en locutorios y en remises. Excepto la primera escena, en la que una cámara de video registra al protagonista faenando a un cerdo, el resto del film registra las idas y vueltas de una pareja que compartió todo en la vida ("fueron criados juntos") y que ahora enfrenta una separación. La situación tiene algo de documental autobiográfico (León se estaba separando por ese entonces de su pareja que no era otra que Jimena Anganuzzi) y de puesta en escena de la relación entre director y actriz: "En una película —declaró León—, siempre la relación del director con la actriz es de poder. En la ficción, la relación de él sobre ella también es de dominación. Por más que sea el epílogo, el hombre dirige lo que está por suceder" (M.B., 1983). El film puede ser leído como un triple exorcismo: el de la pareja de la ficción, el de la pareja real y el de lo que pueden hacer un director y una actriz cuando todo está acabado. Un exorcismo que excluye los prolegómenos de la ruptura (el tiempo de las discusiones se agotó y la relación está terminada) y que se limita a mostrar los modos en que una pareja termina una relación ya agotada.[11]

---

[11] El guión de la película fue publicado en forma de libro en León, 2005.

56

Pese a que estos son los únicos dos personajes que aparecen en escena (en una ciudad que se muestra vaciada y desierta), hay varios 'personajes' secundarios que son convocados a partir de las diversas llamadas telefónicas que hacen, obsesivamente, él y ella. No llegan a escucharse sus voces, pero su presencia silenciosa o invocada en los diálogos de la pareja es una sombra ominosa que se proyecta sobre toda la historia. Mediante el cableado telefónico, los cuerpos de los personajes se atan a un exterior que se define como un *fuera de campo amenazante*. Las llamadas a los padres, a los amigos, a los amigos de los primos muestran el crecimiento de los dos protagonistas en dos familias que hicieron todo juntos. El problema, entonces, es la *exterioridad*. Por eso, en vez de consumar la ruptura en su propio departamento, los protagonistas actúan en lugares públicos: ya no queda nada que sea sólo de ellos dos. "Son situaciones privadas en espacios públicos, no pueden llevarse sus conflictos a casa", afirmó León (M.B., 2003). O mejor: espacios "semi-públicos", como el teléfono que utiliza la protagonista en la primera comunicación. Espacios como el de los locutorios, en que ellos pueden mantener las relaciones más íntimas pero expuestos a la mirada de los otros. Aun lo más privado de una persona (las anotaciones personales y confesionales en su agenda) son leídas por él en el teléfono y el extraño texto que cuenta la iniciación sexual de la pareja se 'transmite' por la televisión de un bar.

Aunque viene del teatro, León trabaja con aquello que le proporciona el lenguaje del cine y que lo hace radicalmente diferente a la escena dramática. En términos de procedimientos, *Todo juntos* indaga el fuera de campo y el primer plano. La continuidad con el teatro, en cambio, está dada sobre todo en los diálogos y en la búsqueda de un ritmo hecho de frases coloquiales pero ordenadas como en un poema: "¿vas a hacer algo hoy a la noche?" o, cuando lee la agenda de ella: "Argelia todo el día. Natación: recuperar. Baile. Episodios: un pequeño baile con plata vieja como practicando cuando tengamos muchos billetes como éstos, pero nuevos. Vamos a poder hacer muchas cosas. Siempre tener en cuenta que el tiempo pasa rápido, se puede dejar pasar". Si algo hace al teatro de León parecido a un hechizo es, justamente, el ritmo de sus diálogos que alcanzan el lirismo con el material crudo de los diálogos corrientes. Diálogos entonces que llegan del teatro para adquirir la potencialidad del cine en el uso peculiar que hace León del fuera de campo y el primer plano.[12]

Los escenarios en los que transcurre la película son lugares comunes: bares, locutorios, remises, galerías. Lugares de pasaje que no son transformados por quienes lo ocupan. Esta transitoriedad está acentuada por la musicalización *lounge*, es decir, que pertenece al espacio y no a los personajes, que es neutra y no es convocada por nadie. Los planos se mantienen

---

[12] Un análisis de *Todo juntos* desde la categoría de plano puede leerse en FILIPPELLI, 2002.

57

fijos (en general son planos medios), o sea que la puesta en escena petrifica los entornos y los hace más extraños por los *raccords* que los modifican. Así, uno de los bares en el que se encuentran es registrado por diversos planos que sólo difícilmente se encadenan entre sí, perturbando la continuidad del espacio construido por la puesta en escena y dando la sensación de que esos espacios no son recorribles, no están comunicados, no tienen salida y aprisionan o asfixian a los personajes. El fuera de campo, entonces, va sumando elementos para su comprensión de un modo quebrado y dificultoso (del primer bar no vemos casi nada más allá de algunas sillas y lo que parece ser un primer piso; del remise vemos sólo el asiento trasero; del locutorio, la cabina iluminada del protagonista). El espacio debe construirse a partir de los personajes y de los fragmentos espaciales que nos entregan sus cuerpos.

La dificultad se acentúa porque los cuerpos se encuentran con frecuencia inmóviles y amarrados a una silla. La cámara nunca asume un punto de vista distanciado (no hay planos generales) y opta, para narrar el conflicto, por los primeros planos. En los rostros abatidos y llorosos de él y ella están los indicios que nos permiten seguir de cerca los estados anímicos de los personajes. Según Gilles DELEUZE, al rostro se le asignan por lo general tres funciones: "*individuante* (distingue o caracteriza a cada cual), *socializante* (manifiesta un rol social), *relacional o comunicante* (asegura no sólo la comunicación entre dos personas, sino también, para una misma persona, el acuerdo interior entre su carácter y su rol)" (1984: 146-147, subrayados míos). Sobre todo en Bergman o Bresson, el cine, con el primer plano, pierde o pone en crisis estas tres funciones. Algo similar ocurre en la película de Federico León: no hay gesto *individuante* porque las dos cabezas salen de un mismo cuerpo que ya está muerto. El rostro de él se imprime en el de ella y viceversa. En cuanto a la función *socializante* del rostro también se esfuma totalmente. "Vení, no quiero que me vean la cara así" le dice ella a él, como si él no formara parte de esa mirada social que la condena o la señala. Los otros, en la película, están borrados o vaciados: las calles de la ciudad no tienen miradas extrañas, las voces del teléfono no asumen jamás un rostro, el violador es sólo un rumor seductor. Nadie los mira o, si seguimos la propuesta del director de que se trata de contar la ruptura "como si hubiese sido filmada por ellos", son ellos los que borran a los otros y su mirada. El rostro *relacional* también se suprime porque los únicos dos rostros que vemos no tienen nada que comunicarse. O mejor, no hay comunicación con el otro en *Todo juntos* porque el "otro" ya está constituido de antemano por la historia previa de la pareja. Todo se lo dijeron y todo lo compartieron pero lo que no saben cómo compartir es la ruptura, el abandono, la separación (relacionar *un* rostro con *otro*). Lo único que tiene ella para su ex-novio son *reproches* y lo que tiene él para ella son *amenazas*: en ambos actos, el otro *ya* está ahí y no puede hacer nada porque todo lo que haga está determinado o juzgado previamente. Los reproches se basan en las suposiciones de lo que ella ya sabe porque no hay nada de él que ella ya no sepa: "ni siquiera querés hablar", le dice. Si en el reproche no hay comunicación es porque el otro no puede querer nada que ya no esté determinado de antemano: te conozco muy bien, sé que no querés hablar, aunque finjas que querés hablar, en realidad lo hacés para conformarme, pero yo no me conformo porque sé que fingís, aunque lo niegues estás simulando, etc. En el caso de él, en cambio, lo que prima es la *amenaza*: "si voy a comprar cigarrillos por ahí no vuelvo". Pero si él vuelve es porque lo que lo ata a ella como abandono es la amenaza y no su concreción: de esa manera, la relación –como en una parábola kafkiana– se prolonga indefinidamente. Él no quisiera tanto dejarla (aunque la relación ya se terminó) como mostrarle que la está dejando. Ella sólo tiene reproches y todo lo que él haga dará lugar indefectiblemente a otros reproches. El reproche y la amenaza dilatan indefinidamente la separación de los novios.

Pero en realidad ambos –amenaza y reproche– son efecto de una realidad más profunda: no hay *otro* al que mirar. La separación tiene como fin crear a otro, ¿pero cómo hacerlo cuando el otro es uno mismo? La paradoja en la que deriva toda esta situación se ve claramente en una afirmación que hace él: "Que yo piense que seas tonta no significa que seas tonta". Pero nada más falso que este razonamiento: como ambos son en realidad uno solo, el hecho de que él considere que ella es tonta la *hace* tonta. Los dos rostros son caras de un mismo pensamiento y un mismo ánimo que los atraviesa. El personaje de Jimena Anganuzzi lo dice de un modo explícito: "te necesito a vos para pensar… estar sola y pensar me cuesta mucho y trato". En el reproche y la amenaza los personajes se intercambian un único y obsesivo mensaje: mirá cómo me dejaste, *ya no tengo rostro*. Como dice DELEUZE a propósito de Ingmar Bergman: "llevó hasta su extremo el nihilismo del rostro, es decir, su relación en el miedo con el vacío o con la ausencia, el miedo del rostro frente a su nada" (1984: 148). Reproche y amenaza, paradójicamente, terminan estando dirigidas a eso que los une y son una prolongación indefinida de la relación y no el advenimiento de la tan deseada separación. Para que ésta se produzca se necesita un *tercero*, alguien que reconozca la individualidad de ese rostro, que se comunique con él, que lo ponga a circular otra vez en lo social al devolverle la mirada de algún otro cualquiera.

Ese tercero esperado también es un fuera de campo amenazante pero en un sentido muy diferente al fuera de campo que se prolongaba en la familia. La familia convierte a estos dos en uno ("Nos criamos prácticamente juntos. Ella tenía la llave de mi casa. Yo tenía la llave de su casa. La madre de ella era la mejor amiga de la mía") y su realidad es la continuidad de la relación ("Mi mamá y tu mamá se van a seguir viendo" le dice ella). El tercero que necesitan, en cambio, es aquel que los puede dividir: pasar por el tres para llegar al dos. A lo largo de la historia aparece anunciado de muchas maneras: en la puesta en escena del bar, el "Postres" de la vidriera se convierte –por el encuadre– en un "tres". En la agenda de ella que él le lee por teléfono, se dice: "Que sean tres: mi exclusividad, tu variedad. Ya antes se habló de tres, sin mí. Nunca me hice amiga de Romina por la relación íntima entre los dos, más allá de lo que pasó o pueda pasar". Pero tanto él como ella necesitan estar juntos para llegar al tres y separarse. Lo que les falta a estos dos personajes para terminar de una vez por todas con su relación es un *tercero* que venga del

59

afuera más absoluto, no, por supuesto, de la familia. Finalmente, parece que lo encuentran en el remisero.[13]

El remisero sin rostro (quien permanece en un estricto fuera de campo) le *da* un rostro a ella y después a él. Cuando él desciende del auto amenazando no volver, el remisero (experto en las artes amatorias) asegura que volverá y, mientras, le ofrece a la chica un alfajor. Se ponen a hablar de cuestiones familiares y cuando él vuelve, el remisero le pide a ella, con su voz suave y aterciopelada, que se saque los anteojos negros: "Sacátelos, ¿por qué no? Te quiero ver toda la cara. Ahhhh, *así te veo toda la cara*. Por qué no venís acá adelante conmigo, vení un rato. ¿La dejás que venga?". Se suceden entonces dos planos fijos prolongados: el primero es de él, cabizbajo, con un fragmento pequeño del asiento delantero que se mueve y los jadeos del remisero y su ex-novia mientras hacen el amor. El segundo —después del cambio de posiciones— es el rostro de ella mientras se perciben los movimientos del auto y los jadeos del remisero y su ex-novio. La separación finalmente parece haberse consumado: el rostro de ella es visto por primera vez por otro y no suscita ni lástima ni piedad sino deseo. La mirada del otro escinde esos cuerpos y ella puede pasar al asiento delantero a contorsionarse de goce. Rostros atravesados por el goce que no vemos porque ya no tienen que ver con la relación de ellos sino con su final: hay que imaginarse cómo, por la gestualidad del nuevo amor, se convierten en *otros*. El goce de cada uno de ellos es inaccesible y el "todo juntos" se quiebra. ¿O será que, en vez de aprovechar a este tercero para despedirse, lograrán incluirlo en una nueva unidad en el que ellos dos se convertirán en espectadores masoquistas de nuevos intercambios?

Pese a lo que se ha dicho con frecuencia (aun el mismo director), la escena está lejos de ser una violación. Ni el remisero invade el espacio de la pareja forzándolos a hacer algo contra su voluntad (más bien son ellos dos los que se pasan al asiento delantero) ni hay indicios de violencia o agresión física (el remisero se comporta como un caballero y hasta se preocupa por la suerte física de sus pasajeros). El sexo no llega a ser pornográfico aunque es ciertamente obsceno: literalmente, está "fuera de escena". La liberación final es paradójica: siguen haciendo todo juntos pero en este caso hay *algo* que no van a poder compartir (el goce). Encontraron ese tercero y, por lo tanto, la relación está a punto de terminar. Sin embargo, el final está lleno de ambigüedad: por la mañana, él y ella están en unas mesas al aire libre en lo que parece un club de campo. Él sale del baño, ella habla por teléfono (reestablece el cordón con los otros) y se sienta al lado de su pareja y le comenta: "van a pasar a buscarnos". Éste súbito pronombre en primera persona del

---

[13] SALAS, en su reseña del film, habla de "tres fantasmas" que acosan a la pareja: el video de la faena del chancho, la supuesta infidelidad de él y, por último, el remisero (2004: 175). Otra muy buena reseña es la de Diego TREROTOLA (2003) en la revista *El amante*.

60

plural restituye el todo juntos que amenazaba con desintegrarse una y otra vez. Fin de la película, ¿fin de la relación?[14]

El desplazamiento de la experiencia

Dentro de la tendencia nómade, las opciones pueden ser distintas y hasta opuestas: *Mundo grúa* de Trapero, por ejemplo, dota de afecto al barrio del protagonista transformándolo en un *lugar* (el nomadismo consiste en que debe alejarse de él para encontrar trabajo). En Rejtman, en cambio, los lugares aparecen vaciados tanto si se trata de *no lugares* (aeropuertos) como de los sitios que frecuentan los personajes (la casa de *videogames* de *Rapado*, los bares chinos de *Silvia Prieto*, todas las residencias temporarias de los personajes de *Los guantes mágicos*). Ya desde su primer film, Rejtman traza las líneas de su mundo con increíble nitidez. Tal vez sólo Lucrecia Martel y Lisandro Alonso han sido tan categóricos en sus ambiciones estéticas. Pero aún más que en los otros dos directores, los tres largometrajes de Rejtman establecen un código tan propio que el espectador sólo comienza a sentirse a gusto varios minutos después del comienzo. Y uno de los rasgos de este mundo es que los personajes están moviéndose permanentemente: es más, sus obsesiones suelen tener que ver con hacer de sus cuerpos máquinas de recorrido más veloces, más mecánicas, más impasibles. Los largos *travellings* que inician *Rapado* siguiendo a la moto de Lucio (Ezequiel Cavia) se transforman en un *travelling* desde la moto misma, como si cuerpo, máquina y cámara se transformaran en una sola entidad. Por eso el nomadismo de las películas de Rejtman excede a los personajes: son las cosas mismas las que no dejan de circular, de moverse y de generar relato y sentido. El billete falso, el reloj, las zapatillas, la aspiradora, las fichas de los videojuegos, además de los aviones, las motos y los *skaters* que atraviesan la calle al final del film. El cine de Rejtman es un mapa en el que personas y cosas no dejan de trazar recorridos.

A diferencia de sus dos films posteriores, en el que la circulación precede a los personajes, *Rapado* es, para decirlo de alguna manera, el film más romántico de su filmografía. No porque haya referencias a la literatura romántica (nada más alejado de Rejtman que el romanticismo) ni porque cuente una historia de amor —aunque los dos protagonistas terminan trabando contacto con otros: Damián con una chica que conoce en la calle (Cecilia Biagini) y Lucio con Gustavo (Gonzalo Córdoba), el guitarrista de *Estrella roja*, quien lo invita a dormir a la casa y con quien comparte la cama.[15] Con "romanticis-

---

[14] Agradezco a Diego Trerotola quien me sugirió esta lectura del final de la película.

[15] El nombre del grupo *Estrella roja* se refiere a un ácido lisérgico que llevaba ese nombre. Ver la canción "Mil horas" de Andrés Calamaro del disco *Vasos y besos* (1983) de *Los Abuelos de la Nada*: "En el circo vos ya sos una estrella / Una estrella roja que todo se lo imagina". Rosario Bléfari y Gonzalo Córdoba, actores de Rejtman, formaron parte de la banda de rock Suárez.

mo" quiero dar a entender que *Rapado* es la única de las películas de Rejtman que narra el momento en que el personaje abandona *voluntariamente* el orden sedentario para entrar en la movilidad nómade. Como los relatos que forman parte del libro del mismo título, *Rapado* se centra en personajes adolescentes que todavía no entraron en la universidad ni en el mercado laboral (su tiempo no está pautado ni comercializado) y que acaban de terminar o abandonaron la escuela secundaria. Un momento de indefinición que está lleno de miedos y promesas. Como dice la canción de *Estrella roja*: "Era un año malo / no recuerdo otro peor / Estaba en la calle / sin trabajo y sin amor / nadie decía nada bueno, nada malo / nada de mí". En esa necesidad de abandonar el mundo familiar, la moto se transforma en un verdadero talismán que permite la huida y la intensidad de la velocidad. La historia comienza cuando a Lucio le roban la moto, el dinero y las zapatillas, y sigue con la búsqueda de una moto que le restituya aquella que le robaron. Con su amigo Damián (Damián Dreizik), fantasean con hacerse de una moto, y después de varios intentos fallidos, el protagonista logra robarse una motoneta a la que camufla en su casa y con la que se escapa fuera de la ciudad. Como está casi fundida, debe abandonarla y regresar. La historia finaliza con Damián conociendo a una chica en la calle y con Lucio yendo a dormir a la casa de Gustavo, el guitarrista del grupo *Estrella roja*, grupo al que había conocido casualmente por un casete que se encontró en la motoneta robada. En la última escena, Lucio deja la casa del guitarrista y va a la parada de colectivo. Entonces pasa el hermano de Gustavo con una banda de *skaters* y Lucio lo saluda mientras se da cuenta de que –como ya le había pasado antes– olvidó el reloj en la casa de su amigo.

Los personajes de *Rapado* tienen casi veinte años, así como en *Silvia Prieto* tienen poco menos de treinta y en *Los guantes mágicos* están, como dice uno de los personajes, "más cerca de los cuarenta". Cada película funciona como una descripción de mundos a una determinada edad, y si en *Silvia Prieto* la movilidad nomádica está en los taxis y en *Los guantes mágicos* en los remises, en *Rapado* está en la moto, signo de la aventura, la adolescencia y el aislamiento.[16] Ni en *Silvia Prieto* ni en *Los guantes mágicos* los personajes tienen padres y las familias ya se deshicieron o recién se están formando. En *Rapado*, en cambio, asistimos a varias escenas familiares, almuerzos o desayunos, en las que los personajes no tienen nada que decirse. "¿Vos sabés que en el hemisferio norte los remolinos en los desagües son para el otro lado?" comenta la madre de Lucio en el almuerzo que sigue a su llegada de Canadá. Obviamente, no recibe respuesta. En la cena en la casa, la familia de Lucio reacciona con movimientos mecánicos y tiene diálogos insustanciales. En el desayuno en casa de Gustavo, hacia el final, éste desautoriza a su madre cuando le ofrece

---

[16] La película es un catálogo de motos (desde la Zanella llegando a las grandes motos) que, a su vez, recorren la historia en diversos niveles: desde los *video-games*, donde juega Dreizik, a las motos reales.

café a Lucio. Las familias no llegan a ser "disfuncionales" pero agotaron su capacidad de darle sentido al mundo de esos adolescentes.[17]

La vacilación de los personajes de *Rapado* está en que no quieren fundar un nuevo orden sino en que solamente pretenden la intensidad de la huida. La melancolía final de Lucio surge del hecho de que finalmente nunca consiguió restituir la velocidad de desplazamiento que protagonizó en la primera secuencia. Tal vez lo restituye con el simple hecho de cortarse el pelo, que le ofrece esa sensación de individualidad y libertad o, inconcientemente, con el olvido del reloj al final de la historia que repite uno anterior (cada acontecimiento, en Rejtman, forma una serie). ¿Será este olvido un modo desviado de sentir el peso de la relación ocasional pero intensa que acaba de trabar con el guitarrista? No sabemos con certeza si se trató de un encuentro sentimental o simplemente es el comienzo de una bella amistad: como en *Silvia Prieto* y en *Los guantes mágicos*, el contacto sexual aparece elidido. Y acá, a diferencia de lo que sucede con la espalda rasguñada de Gabriel en *Silvia Prieto*, no hay marcas de que haya pasado efectivamente algo. Sin embargo, el juego de dobles y sustituciones que hace mover la historia lleve a suponer que Lucio encontró una nueva intensidad que sustituye, en otro mundo, a los recorridos urbanos con la moto. El encuentro, de todos modos, es furtivo, casual, algo aislado, transitorio. Lucio sigue su deriva y tal vez sólo vuelva a encontrarse con Gustavo para pedirle que le devuelva el reloj.

Con una mirada de entomólogo, Rejtman muestra, en *Rapado*, cómo funciona un mundo frío en el que todo es transitorio y está en movimiento pero también cómo, en esas situaciones transitorias y en esos movimientos de huida, puede encontrarse, aunque sólo sea por un instante, el fulgor de una experiencia.

---

[17] El término "disfuncionales" ha sido sometido a diversas críticas porque supone una idea normativa de familia. Por eso evito ese término y prefiero hablar de la disgregación del modelo de familia patriarcal sin que ello implique una idea de decadencia, anormalidad o pérdida irreparable. Más bien me interesa el cruce entre modelos normativos que todavía siguen funcionando y costumbres, hábitos y lazos familiares que transformaron el panorama social pero que se presentan todavía como novedosos y no conceptualizados.

63

El retorno de lo documental

"El arte está cubierto por un velo enfermo".
Sabzian, personaje de *Primer plano*
de Abbas Kiarostami

En 1953, los jóvenes que después formarían la *Nouvelle Vague* asistían a la proyección de *Viaggio in Italia* de Roberto Rossellini y descubrían que era posible hacer cine con muy pocos medios. "Apenas un auto, un matrimonio y una cámara", comentó el entonces jovencísimo GODARD (1989). El maestro Rossellini volvía a dar una lección, profundizando, como lo entendió lúcidamente André Bazin, la tendencia neorrealista de sus primeros films. El neorrealismo no era meramente una cuestión de temas (los desahuciados en las calles), sino una serie de procedimientos (el plano secuencia, la narración elíptica y errática, la puesta en escena despojada, el uso de decorados naturales, la profundidad de campo) y una pulsión rabiosa por apoderarse de lo real. Conocer la recepción de Rossellini en Francia y la defensa que encabezaron Bazin y sus protegidos resulta fundamental para comprender qué cosa es el realismo en el cine. Pero, sobre todo, para despejar las confusiones que provoca el traslado de las coordenadas del realismo literario al lenguaje cinematográfico.

El neorrealismo italiano surgió de entre las ruinas de la posguerra europea y este origen lo marcó para siempre: no se trataba de un realismo que se apoyaba en las convenciones y en un imaginario relativamente asentado (como sucedió en literatura o artes plásticas), sino que emergía una vez que todas las creencias habían entrado en crisis y que las certezas habían sido arrasadas como las grandes ciudades. En el realismo literario, la sensación de fluidez, transparencia, neutralidad y conexión naturalizada entre los acontecimientos ha sido la causa de su esplendor, así como también la razón por la que sus detractores se propusieron demolerlo mostrando su carácter de artificio, de plusvalía de la codificación, de ideología de una clase (primero la burguesía, después el proletariado con el realismo socialista) que no distinguía entre lo real y sus representaciones. En el cine, en cambio, el neorrealismo no sólo se opuso a una serie de películas que se parecían demasiado al teatro o que se alejaban de la vida cotidiana, sino que vino a mostrar el carácter inconexo y errático del acontecimiento, su resistencia a ser inscripto en esquemas preconcebidos. Un *registro* de las superficies (las calles, los gestos, los cuerpos, los desplazamientos) en un momento en que las ruinas no autorizaban ningún realismo convencional o consolatorio.

Para lograr esto, los neorrealistas italianos (el primer Visconti, De Sica, Rossellini) se basaron en la potencia tecnológica del cine, que nos entrega imágenes que, de un solo golpe, captan los infinitos detalles de lo real (basta confrontar, por ejemplo, un plano de un automóvil o una mueca humana con su descripción literaria o pictórica). Es que las imágenes fílmicas no son de naturaleza icónica o simbólica sino indicial; en términos de Peirce, signos

64

que "responden a una conexión física exterior" y que se equivalen "punto por punto con la naturaleza".[18] Es decir, huellas que la realidad física deja sobre la placa o la cinta y que más allá de sus aspectos formativos (encuadre, elección del objeto, encadenamiento temporal, etc.) mantienen un resto que puede resumirse en la fórmula *esto era así*. Justamente, la virtud de los defensores del realismo durante la década del cincuenta, como André Bazin o Sigfried Kracauer, a quienes solamente un despistado puede acusar de ingenuos, fue que desplazaron el debate sobre la imagen cinematográfica del orden icónico al indicial. El crítico alemán lo hizo al hablar de la afinidad del cine con la realidad física, y el francés, al sostener la primacía de la percepción sobre el significado y el carácter dinámico y renovador de lo que denominó *l'image-fait* neorrealista.[19] "Un fragmento de realidad anterior al sentido" (2000: 282): así definió BAZIN a la *imagen-hecho,* oponiéndose a la remota tradición iconofóbica francesa que vendría a recalar, a fines de los 60, en *Cahiers du Cinema,* la revista que él mismo había fundado. Con una concepción de la cultura como sistema de signos, los iconofóbicos argumentaban que había un vínculo necesario entre predominio de la burguesía y representación realista ("nos dedicamos —escribió uno de ellos, Philippe Sollers— a desmontar los mecanismos de la literatura burguesa de manera crítica, elaborando los organismos formales no recuperables por la ideología burguesa de la representación clásica"). Muchos años después, esta creencia se reveló falsa, desde el momento en que la proliferación de simulacros y de imágenes creadas mediante computadoras desplazaban a lo que Sollers denominaba "representación clásica" sin producir trastornos en los modos de dominación. Una vez cerrado el ciclo modernista de crítica de la representación, retorna —como un roce benéfico— la pulsión del cine por lo real, su capacidad de registrar las superficies y de documentar lo existente.

Pero esta imagen-hecho no venía sola. Los neorrealistas la utilizaban como un núcleo testimonial que se potenciaba en su compenetración con la ficción, en una dialéctica que retorna de tanto en tanto en el cine (la *nouvelle vague* francesa, el *free-cinema* inglés, *el cinema novo* brasileño, y hasta el auge del documentalismo). En los últimos años esto ha sucedido con tanta fuerza que una de las películas más exitosas —me refiero a *La vida es bella* de Roberto Benigni— debió incluir los *leitmotiv* neorrealistas (la bicicleta y el caballo de los dos primeros films de Vittorio de Sica, el niño que es testigo impotente y abrumado) con el fin de atenuarlos y neutralizarlos. El niño no muere por lo que ve, como en *Alemania año cero,* sólo confunde el campo de concentración con un cuento de hadas. En contraposición, este retorno se exhibe en todo su esplendor en *Primer plano* de Abbas Kiarostami, que dio una última vuelta de

---

[18] En su *Tratado de semiótica,* Umberto Eco hace una exposición sobre el sistema de signos de Peirce. Una de las grandes virtudes de la concepción del signo de Peirce radica, según ECO, en que no supone *intencionalidad* ni *artificialidad* (1995: 32).

[19] De hecho, Bazin utiliza un ejemplo similar al de Peirce: el de la huella dactilar (2000: 16).

65

tuerca a las relaciones entre documento y ficción presentando no el testimonio de un hecho sino de un deseo. No importa que Sabzian mienta; mucho más decisivo es que halló en la realidad de las imágenes un camino por el cual el deseo se encuentra con su verdad. De cara a la intemperie y a las ruinas, la promesa de cada nuevo cine realista es la convergencia entre huella (el resto de lo real que queda en la superficie) y deseo (aquellas configuraciones que puede formar con cada indicio recogido) para darle forma a una creencia.

La poética de lo indeterminado: renuncia y libertad en una película de Lisandro Alonso

"Para mí es un sabio. Alguien al que no le interesa la sociedad, que crea su propio mundo. Hay gente que habló de Whitman, de Rousseau, de Nietzsche e incluso de otros nombres que no conozco".

Lisandro Alonso, a propósito de Misael, protagonista de *La libertad*.

La necesidad de registrar y de utilizar el carácter indicial de la imagen fílmica retorna con una gran fuerza en muchas de las últimas películas argentinas. *Mundo grúa, Bonanza* o *Bolivia,* por mencionar sólo algunas, se apoyan tanto en escenarios que –para decirlo de alguna manera– ya están armados, como en la potenciación recíproca entre ficción, documental e improvisación. Pero hay un film que lleva más lejos que ningún otro esta pulsión por registrar, al punto de que la idea de narración en un sentido clásico se desvanece: se trata de *La libertad* de Lisandro Alonso. "Yo no quiero contar una historia –dijo su autor–, lo único que me interesa es observar." La historia que relata la película es muy sencilla: en la primera escena, un joven devora, junto a un fogón, una mulita. Es de noche y a lo lejos se ven los relámpagos. Ese hombre es Misael Saavedra, un hachero que vive en el campo, en la provincia de La Pampa, alejado de su familia y de la ciudad. A lo largo de una hora y quince minutos, lo único que hace Alonso es seguir la vida de este hachero. Misael cortando leña, Misael cagando, Misael lavándose las manos, Misael transportando sus maderas para vender, Misael comprando cosas en un kiosco. *La libertad* finaliza con la misma escena del comienzo: Misael come la mulita con los relámpagos a sus espaldas. Misael Saavedra es un personaje real, y lo que hace la película es, ni más ni menos, mostrarnos algunas escenas de su vida como hachero.

En la película no hay anécdota ni diálogos, salvo cuando Misael vende madera, habla por teléfono o compra gaseosa y cigarrillos. Durante el resto del film, Misael está solo y no tiene contacto con sus semejantes. Por su fuerza lírica y por la escasa información que proporciona, *La libertad* está lejos de ser un documental. No se trata de mostrar cómo vive un hachero en el campo argentino, sino de develar el misterio de tanta sabiduría. Lo sucinto del guión recuerda la idea de Cesare Zavattini cuando sostenía que había que filmar durante una hora y media a una obrera que sale de su casa, hace compras, mira vidrieras y vuelve a su casa. Pero lo que en Zavattini quería ser la investigación de los vínculos sociales, en *La libertad* se transforma en la historia de alguien que decidió aislarse del mundo. Lo que el hachero eligió es la vida ascética, retirada y solitaria, sin una justificación religiosa, política o utilitaria. Misael es el nómade que huye de las ciudades para encontrar su hogar en la naturaleza y su sustento en los árboles.

La anomalía de una película que observa algo en apariencia tan simple como un día en la vida de un trabajador se potencia con su título. Como en ciertas obras artísticas del siglo XX (de modo fundacional, los *ready-made* de Marcel Duchamp), el título radicaliza la indeterminación del objeto. Duchamp escogió un mingitorio y le puso como título *Fountain*. Con una misma lógica pero en un universo totalmente diferente, Alonso registró la actividad de un hachero aislado y le puso *La libertad*. Esta poética de la indeterminación tuvo un efecto poderoso en los espectadores, y eso explica que a propósito del film se haya hablado de Whitman, de Rousseau, de Nietzsche... Aunque ¿qué tiene que ver la alabanza de Misael con las multitudes coexistentes de Whitman, la voluntad general de Rousseau o la obsesión por la voluntad de poder del filósofo alemán? Prefiero, en este caso, la definición del propio realizador: "Es un espejo, pero vacío". Esta indeterminación permite que cada uno pueda proyectar, en esa huella, su propia idea de lo que es la libertad y responder a la provocación de Alonso.

Pero la libertad no está sólo en el personaje: cómo no reconocerla en el director novel de menos de treinta años que se decide a realizar sin concesiones una obra singular, huraña, luminosa. Ambas libertades se encuentran sin intercambiarse ni entrar en contacto. Saavedra explota las virtudes de su renuncia, y Alonso, las del hombre de la cámara, que consisten, como dice KRACAUER inspirándose en Proust, en ser un testigo, un observador, un forastero (1989: 36). Podríamos agregar: un recolector de huellas. El director observa al hachero, testimonia sus actividades, trata de no entrometerse en su mundo. Ambos se valen de los saberes de su oficio: si la naturaleza le entrega al hachero una materia prima perpetuamente renovable, el arte del cine le entrega a Alonso la distancia del plano-secuencia y la indeterminación de las significaciones que se extraen de la percepción de las superficies. Y también, y no menos importante, la mirada estética que puede suspender los lazos con el mundo utilitario y embellecer el paisaje con una intensificación de los verdes y los blancos, de los rojos y los azules. Encuentro, entonces, alrededor de una imagen-hecho: la del bracero que huye y la del artista adolescente. Un singular encuentro de dos soledades.

Huyendo de la piedad

La mirada que se interesa por el destino de Misael puede reconocerse en otros films argentinos de los últimos años. Es la atracción que ejercen aquellos personajes que están en las afueras del consumo y que podrían incluirse en lo que se denominó "personajes populares", si la representación de esos personajes no estuviese atravesada por los estereotipos y las atribuciones más elementales. Exceptuando el cine de Leonardo Favio, las figuras populares fueron siempre anacrónicas y parecían venir del pasado. Pobreza y costumbrismo o pobreza y sobreactuación ya eran un modo común de representación, hasta que nuevas formas de registro de lo real recolocaron a ese tipo de personajes en el centro mismo de la contemporaneidad. El Rulo en *Mundo grúa*, la mucama de *La ciénaga*, el inmigrante de *Bolivia*, el ciruja de *Bonanza*, los muchachos de *Pizza, birra, faso:* todos ellos con sus cuerpos forman una galería del despojo y la precariedad. Misael pertenece sin duda a esta prole, pero su gesto es tan contundente, su alejamiento es tan irreversible, que parece guiado por un secreto o un designio que jamás nos llega a revelar. Salvo Martín Rejtman en *Silvia Prieto* o Juan Villegas en *Sábado* (quienes tratan con los, en apariencia, menos interesantes personajes de la clase media), en el nuevo cine proliferan esos héroes lúmpenes o menesterosos que antiguamente estaban asociados al populismo. Pero si en estos films no cabe hablar de una continuidad con las anteriores representaciones de lo popular es porque el *vínculo piadoso* que rescataba a esos personajes de la miseria está irremisiblemente quebrado. Estos personajes no piden nuestra piedad y son más bien indiferentes a ella: forman su propio mundo y no necesitan de ninguna redención exterior. Sin embargo, *La libertad* da todavía un paso más allá porque no se interesa en el problema de la convencionalidad de la representación (ese estilo costumbrista que, en la tradición argentina, es el verdadero sucedáneo del realismo teatral o literario en el cine), sino en el hecho de que es necesaria toda una ascesis para poder captar las superficies o los indicios. Alonso no se preocupa en desmontar el costumbrismo, como hace Rejtman, o en atacarlo con violencia, como hace Adrián Caetano; simplemente lo ignora interponiendo su indiferencia y su desinterés. Como un testigo, un observador o un forastero, sale a la búsqueda de una mirada inocente, de una experiencia pura, de una superficie incontaminada, y la encuentra en la naturaleza y en el hachero Misael. Alonso no se preocupa por las narraciones convencionales a las que el cine nos tiene acostumbrados y es tan extremista en estética como lo es Misael en la vida.

La idea de que la experiencia puede estar en poder de esos personajes populares acerca *La libertad* a películas como *Pizza, birra, faso, Bonanza* o *Mundo grúa*, pero el hecho de que considere que su soberanía plena sólo puede realizarse en la huida y la soledad, pone a su protagonista en un lugar inusitado: Misael renuncia a ser un personaje popular para convertirse en alguien que, en las condiciones más adversas, adopta una salida individualista. Él posee un secreto pero éste no depende de su pertenencia a un grupo, una colectividad o al pueblo. Misael se sustrae, renuncia y hasta puede —casi— prescindir de los otros: descubre, en su refugio, la sabiduría de la necesidad.

Dos territorios

La indeterminación de la libertad exige en todo momento la toma de decisiones, por eso la libertad de cada época se basa en su capacidad para negar algo que le es impuesto. Y ese "algo" que, en la actualidad, estructura a los sujetos y sus percepciones es el consumo. Podríamos pensar las nuevas películas del cine argentino desde sus estrategias para enfrentar el consumo: la proliferación seriada de baratijas en *Silvia Prieto*, la nostalgia por el mundo productivo de *Mundo grúa*, el robo y el pillaje en *Pizza, birra, faso*. En *La libertad*, la exterioridad misma es pensada como un mundo de consumo con el que se debe negociar en condiciones innobles y donde sólo valen las artes del regateo. Así, Misael debe salir con la madera que cortó con tanto cuidado para ir a venderla a precios irrisorios. Son quince troncos que comienza ofreciendo a dos pesos y que termina vendiendo a un peso con ochenta. Es decir, un total de veintisiete pesos, de los cuales gasta inmediatamente casi diez en el kiosco. Otro detalle: su comprador llama a los troncos "postes", remarcando su carácter utilitario.

Esta escena de venta que pone en escena la película es ficcional y es una de las modificaciones que introduce el director en la historia del hachero. "La única diferencia –cuenta Lisandro Alonso– es que, en su trabajo cotidiano, no vende la madera sino que trabaja por un sueldo" (en QUINTÍN, 2001). En la imagen que nos entrega el film, Misael regula su trabajo y sus momentos de descanso en su territorio, pero para sobrevivir debe salir a vender la madera y a lidiar con los compradores en un afuera que se configura como lugar de la expoliación. Con este cambio sustancial que introduce el director, la vida de Misael se divide en dos: dentro de su territorio, se entrega de modo irrestricto a la naturaleza; fuera de él, necesita transformar los resultados de su libertad en mercancía. El hachero que había convertido su necesidad en libertad debe resignarse, para mantener esta utopía individualista, a la mercantilización de su entorno, sujeto a permanentes mediciones físicas y monetarias. Ésta es la delimitación que Alonso dibuja sobre la vida que le sirve de base: o naturaleza libre o amenaza de la mercancía.

Por eso la alabanza lírica de la naturaleza en que se internan Misael Saavedra y Lisandro Alonso no tiene un ápice de romanticismo: es más bien una salida calculada al realismo siniestro y amenazante de la mercancía. Si la mercancía en *La libertad* es lo sublime, lo inconmensurable, aquello que todavía no tiene concepto, la naturaleza en cambio tiene algo de refugio y de morada, de lugar transitable y seguro. Es el repliegue hacia el tiempo circular que no entrega tanto una positividad como la posibilidad de sustraerse de un mundo en que todo es cuantificable. En esa pequeña porción de soberanía, Misael encuentra el instante que se sustrae a la contingencia y al intercambio, ese instante en que los árboles son madera o tronco y no postes.

Ascetas del mundo, uníos

> "No la renuncia sino el desprendimiento".
>
> Giacinto Scelsi

La pregunta que se hace el realismo en el cine es *posterior* a la que se hace el realismo literario y, en cierta medida, la supone: ¿cómo reencantar el mundo? Si el realismo literario pudo surgir como estilo fue porque el mundo estaba desencantado y las interpretaciones religiosas, mágicas o supersticiosas ya no explicaban la conexión de los acontecimientos. Un universo cuantificado en el que cada objeto encuentra su causa. El cine realista, en cambio, debe su existencia al hecho de que asomó de entre las ruinas: en ese momento en el que nada parece sostenerse, el cine se vale de sus huellas para trazar líneas, esbozar afecciones y establecer recorridos. Para apuntalar una *creencia*.

Anclada en lo real (el fragmento de biografía de Misael), la película de Alonso agrega ese *plus* que la convierte en un tratado sobre la vida posible y deseable ("Para mí es un sabio", declaró Alonso sobre el protagonista). Sin pedagogía (la indeterminación radica, en buena medida, en que no se explicitan las causas del acercamiento del director), sólo su título nos indica que es una película sobre la libertad. Pero ¿qué tipo de libertad? ¿Nos encontramos frente a una libertad negativa como ausencia de constricción o de impedimento? ¿O lo que la película nos ofrece es una libertad positiva, en la que la autodeterminación del sujeto coincide con una instancia más amplia? Una libertad positiva supone una organización social mayor que ofrezca los contenidos para que se manifieste esa voluntad (BOBBIO, 1993). Sin embargo, la *sabiduría*, tanto para el protagonista como para el director, es más una economía de la subsistencia que una producción de conocimiento y reglas de vida. Consiste, antes que en establecer concordancia comunitaria de medios y fines, en huir de todo contacto. A tal punto que el mismo encuentro de ambos –realizador y personaje– está marcado por la discreción y la ausencia de intromisiones.[20] La libertad de Misael es, en realidad, una libertad negativa, de repliegue, de soledad, y su mayor sabiduría consiste en haber convertido la necesidad en libertad aunque para eso deba renunciar a la sociedad humana. Renuncia que, por supuesto, nunca puede producirse totalmente: Misael debe regatear para vender sus maderas, debe llamar a su familia para que no se preocupe, debe acercarse al kiosquero para hacerse de una gaseosa. Todo eso, aunque más no sea, para volver a su territorio, en el que nadie entra y en el que puede hacer sus necesidades sin que nadie lo mire.

Entiendo –o creo entender– por qué desfiladeros se aventura Alonso: los de la celebración del ascetismo y el retiro, del alejamiento y la renuncia, del individualismo y el capricho. Una atracción por esos personajes marginales que pueden prescindir de las preocupaciones mundanas y que ven las relaciones sociales como una restricción o un impedimento. Esta actitud tiene una genealogía más filosófica o religiosa que política, y marca el tipo de intereses que orienta la mirada del director. En una lectura pesimista –y la indeterminación del film *también* acepta esta interpretación– se extrae a la libertad del ámbito que genuinamente le pertenece: el de la sociedad humana (porque, ¿cuánto tiempo puede durar el autoexilio de Misael o cómo se puede formar una comunidad de puras libertades negativas?). En una mirada más comprensiva, la de Misael es una pequeña utopía en la que la felicidad no necesita de la

---

[20] Una primera versión del film incluía un último plano en el que Misael miraba a la cámara y sonreía. Este plano después fue eliminado de la versión definitiva del film aunque en realidad sugería más las ideas de complicidad y artificialidad que la de intromisión.

toma del poder ni del consenso o disenso de los otros. Una sabiduría nómade del hombre que huye, de la que se nos entrega una delicada maqueta. No importa que ésta no sea la libertad que queramos o que como concepto sea estrecho y restringido: Lisandro Alonso logró hacerla bella, real, deseable y vivible durante setenta y cinco minutos.

Mercancía y experiencia

A diferencia de otras artes del período, y aun de la literatura, el cine argentino de los últimos años tuvo una obsesión tan poderosa con el fluir del presente que un crítico cultural podría inventariar las transformaciones de la década del noventa a partir de sus films. La extensión de la globalización, la transformación del trabajo, las alteraciones en las culturas de elite, masivas y populares, la preponderancia del consumo y la crisis de la política (o su fin) pueden ser pensados, no sin considerar las refracciones y los desplazamientos, como signos de un presente que emerge en las imágenes de las películas. De hecho, una de las transformaciones más decisivas de estos años, esto es, la invasión de la mercancía en todas las formas de la vida cotidiana, se detecta en varias de las películas producidas dentro del *nuevo cine argentino*.

Como si nada hubiera quedado a salvo del imperio de su forma, la mercancía parece dejar sus huellas en cada fotograma.[21] Ya en los títulos se manifiesta este hecho: así, *Pizza, birra, faso* define a los personajes, mediante una jerga, por aquellas mercancías que consumen, y *Los guantes mágicos* le otorga a los productos que los personajes esperan como salvación (un cargamento de guantes que llega desde Hong-Kong, la nueva capital del cine) una naturaleza mágica que es propia de la forma mercancía.[22] *Ciudad de María* de Enrique

---

[21] Esta característica vale también para todo el *boom* de cine comercial producido durante los noventa con el auspicio de la televisión. En estas películas (*Comodines, La fuga, Un argentino en Nueva York*), la mercancía narra sin mediación alguna. Son las prolongaciones, podría decirse, del relato socio-político de los noventa que Beatriz SARLO definió como "*la novela burguesa de la racionalización mercadocrática*, materia bien pobre para reemplazar la identidad política que el menemismo se propone disolver" (1990: 4, subrayado del texto). Más allá de que estas películas no resisten un análisis cinematográfico, no dejan de ser interesantes desde un punto de vista cultural: ¿hay acaso "primer mundo" más patético que el representado por el encuentro del personaje protagonizado por Franchella con los dobles de Woody Allen y Whoopi Goldberg, esta última convertida en moza de un bar de comida rápida? Así como *Made in Argentina* (1986) de Juan José Jusid no era una gran película pero servía como testimonio *directo* de los años alfonsinistas (y también comenzaba en Nueva York), *Un argentino en Nueva York*, también de Jusid, ilustra inadvertidamente el estado de la imaginación social durante los años del menemismo.

[22] Esta característica, según MARX, es propia de la mercancía: "La forma de la madera, por ejemplo, cambia al convertirla en una mesa. No obstante, la mesa sigue siendo madera, sigue siendo un objeto físico vulgar y corriente. Pero en cuanto empieza a comportarse *como mercancía*, la mesa se convierte en un objeto físicamente metafísico. No sólo se incorpora sobre sus patas encima del suelo, sino que se pone de cabeza frente a todas las demás mercancías, y de su cabeza de madera empiezan a salir antojos mucho más peregrinos y extraños que si de pronto la mesa rompiese a bailar por su propio impulso" (1964: 36-37, subrayado del texto).

Bellande comienza siendo un apunte sobre la creencia religiosa y termina siendo un tratado de economía: cómo el negocio alrededor de la Virgen genera un nuevo orden en la ciudad, que antes vivía del acero. *El abrazo partido* de Daniel Burman elige, para narrar su historia, un espacio en el que todo es transacción económica (una galería en el barrio del Once) y un tipo de encuadre que deja a los personajes asediados por unas mercancías baratas que llegan hasta los bordes de la pantalla. *Vida en Falcon* de Jorge Gaggero comienza con un comercial antiguo de Ford Falcon y termina con ese mismo comercial para contar la vida de alguien que vive con lo mínimo. El consumo y el intercambio de mercancías también definen a los personajes con quienes, según estos criterios, puede hacerse algo así como un cuadro de Mendeleiev. Uno de los films aparentemente más alejados de esta problemática (me refiero a *La ciénaga* de Lucrecia Martel) nos presenta a una de las protagonistas (la madre interpretada por Graciela Borges) postrada en una cama y embelesada por una de las formas publicitarias más difundidas de los últimos años, la "venta directa" de la televisión por cable. Mediante una elipsis, Martel suprime el acto de la compra, pero el paisaje del dormitorio finalmente cambia para ostentar ahora un pequeño refrigerador comprado mediante ese sistema. Introduciendo el acto de compraventa en el cuarto anteriormente reservado a las relaciones matrimoniales, particularmente lánguidas en esta película, con este personaje Martel da en el centro de una de las transformaciones de la naturaleza de la mercancía en la vida cotidiana: su irrupción en la vida íntima.[23] Omnipresencia siniestra y no localizable de la mercancía, carácter global inscripto en sus productos, satisfacción e inmovilización del deseo y, en fin, captura del cuerpo del consumidor (todos rasgos que la mercancía tenía con anterioridad pero que conquistó plenamente en el curso de los últimos años) son marcas que se leen en el cuerpo del personaje interpretado por Graciela Borges. Postrado en su cama, lo que a este personaje se le escapa irremisiblemente es la posibilidad de una experiencia. Es que, como hipótesis, ésta podría ser una de las cifras de las narraciones cinematográficas de los últimos años: la mercancía como una de las amenazas más poderosas a la existencia de la experiencia. Y pocas obras han sido tan radicales al poner en escena este hecho como los films de Lisandro Alonso (*La libertad* y *Los muertos*) y de Martín Rejtman (*Silvia Prieto* y *Los guantes mágicos*). Pero mientras en el primero esta amenaza asume la forma de una exterioridad, en el último la mercancía es el medio en el que se vive y aquello que hay que recorrer y atravesar para llegar a la experiencia.

---

[23] La otra transacción económica importante es la venta de los pimientos que produce la familia: el tema es tratado en la escena del almuerzo y se vincula con la descomposición del grupo familiar ya que deben venderle a Mercedes (Silvia Baylé), actual pareja de José y ex-amante de Gregorio (Martín Adjemián), el esposo de Mecha.

74

Un cine de las sobras:
Los muertos de Lisandro Alonso

En la estela de Walter Benjamin, Giorgio AGAMBEN inicia su libro *Infancia e historia* con la estrepitosa afirmación de que "la incapacidad de tener y transmitir experiencias quizás sea uno de los pocos datos ciertos de que dispone [el hombre] sobre sí mismo" (2003: 7). Sin embargo, cuando algunos renglones más abajo Agamben sostiene que "la experiencia no tiene un correlato necesario en el conocimiento, sino en la autoridad, es decir, en la palabra y en el relato", pone de relieve el carácter restringido de lo que considera *experiencia* (AGAMBEN, 2003: 9). El filósofo italiano se refiere al vínculo entre tradición, memoria y colectividad que, desde la época de los griegos, define a este término.[24] Aquello que Benjamin denominaba *Erfahrung* (frente a *Erlebnis*) y que había sido puesto en entredicho por la modernidad y, más puntualmente, por el acontecimiento de la Gran Guerra.[25]

Esta misma concepción es la que lleva a Nicola ABBAGNANO, en su *Diccionario de filosofía*, a considerar que es una contradicción o un uso meramente retórico hablar de "experiencia excepcional" o de "experiencia mística".[26] Pero en la modernidad, *lo inaudito* se constituye como la marca misma de la experiencia tal como se manifiesta en nuestra habla cotidiana con expresiones como "tuve una experiencia increíble" o "deseo vivir nuevas experiencias". Es que así como hay una experiencia que se nutre de lo recibido en forma de tradición, hay otro tipo propiamente moderno que se vincula con la actualidad, lo abierto y la experimentación. Las vanguardias llevaron esta forma al límite al suspender la primera noción de experiencia y no es casual que en esos mismos años Benjamin decretara en su ensayo "Experiencia y pobreza" el fin de un tipo de experiencia y la emergencia de otro (BENJAMIN, 1989: 167-173). Y si bien es cierto que la experiencia como transmisión y legado de

---

[24] A los fines de su argumentación, AGAMBEN prefiere hablar —en un giro antivanguardista propio de los setenta— de lo "inexperimentable" al referirse al *shock* y a la novedad: "Obtener experiencia de algo significa: quitarle su novedad, neutralizar su potencial de shock". Y agrega: "Nuevo es algo con lo que no se puede hacer experiencia, porque yace 'en el fondo de lo desconocido'" (2003: 54-55).

[25] Benjamin había dividido la experiencia en *Erfahrung* (integración de acontecimientos en memorias colectivas) y *Erlebnis* (separación de los acontecimientos de estos contextos significativos y vinculación con el fluir de la vida). Para una exposición de esta diferencia, ver JAY, 1988: 67.

[26] Para poner un solo ejemplo en el que hay un uso intensivo de este concepto de experiencia, puede pensarse en Georges Bataille y en aquello que denominó "experiencia interior", relacionada con lo extremo (lo heterogéneo), lo no-discursivo y que encuentra su práctica más radical en el erotismo y la mística.

los mayores parece haberse eclipsado irreparablemente a principios del siglo XX, no es menos verdadero que, después de casi cien años, la liberación de las tradiciones que se manifestaba como promesa de un nuevo tipo de experiencia (la de los modernistas Albert Einstein, Paul Klee o Adolf Loos según los ejemplos de "Experiencia y pobreza") también ha entrado en un cono de sombra y, en los últimos tiempos, lo nuevo se ha manifestado como la repetición obstinada de un rito vacío. Ante este doble ocaso, más que la defensa de un tipo de experiencia sobre otro, la tarea fundamental consiste en cómo combinarlas o en investigar lo que sucede *entre* ellas. Ni *tabula rasa* ni falso retorno a tradiciones ya marchitas; ambas modalidades, aunque sea como ecos apagados, continúan persistiendo a la espera de las operaciones que muestren su valor y su núcleo resplandeciente.

Las dos películas de Lisandro Alonso configuran un buen testimonio de cómo toma forma ese choque de dos experiencias.

Viaje sin fin

Al modo de ciertas narraciones tradicionales, *Los muertos* "relata" el viaje de un hombre, Argentino Vargas, que sale de la cárcel una vez cumplida la condena y remonta el río para reencontrarse con su hija. La cárcel es el Penal Nº 1 de Corrientes, cercano a la ciudad de Goya, de donde el protagonista parte en canoa por el río Paraná. Las peripecias típicas del relato novelesco de viaje se presentan a lo largo de su trayecto: la realización de una prueba, el reconocimiento de un amigo o antiguo conocido, la relación amorosa con una mujer y, finalmente, el reencuentro con su familia. Todos estos hechos se dan, sin embargo, como ecos apagados de una experiencia que no se presenta jamás. La realización de la prueba (entregar una carta a la hija de un compañero de la cárcel) no enfrenta ningún obstáculo significativo. La explosión erótica es, en realidad, el encuentro apático con una prostituta; la conversación con el amigo es un intento por reinstaurar el olvido y, finalmente, el reencuentro no se produce con la hija sino con el hijo de ella (su nieto) con quien cruza unas palabras frías y parcas.[27] La expiación de la culpa o el proceso de transformación radical del periplo del héroe no se presenta en ningún momento y el carácter de progresión narrativa de un viaje contrasta brutalmente con la impasibilidad de Vargas.

Los muertos, segundo film de Lisandro Alonso, continúa por lo menos dos de las líneas que había trazado su primer film, *La libertad*. El lema que lo impulsaba ("Yo no quiero contar una historia, lo único que me interesa es observar"), también puede aplicarse a su nueva película. Lo que hacen ambas es

---

[27] "Ando buscando a mi hija, Olga", dice Argentino Vargas. Y el nieto le responde: "Sí, es mi mamá". De este modo, el vínculo parental directo entre ellos (abuelo-nieto) queda obturado.

76

registrar el encuentro de dos soledades, la del protagonista y la del realizador. O mejor, el encuentro de dos tipos de experiencia de soledad que se oponen: la tradicional y la moderna, la de los saberes de la supervivencia y la de los saberes del cine, la de los lugareños del campo y la del hombre de la cámara ("el testigo, el observador, el forastero") que llega desde la ciudad.

La otra línea compartida es que los dos films representan el mundo exterior (el afuera del rancho o de la cárcel) como un mundo de expoliación donde la mercantilización se interpone en la relación entre las personas. En *La libertad*, los dos únicos encuentros de Misael eran con un hombre que le compraba la madera y con un kiosquero que le vendía bebidas. En *Los muertos*, una vez fuera de la cárcel, el protagonista (Argentino Vargas) entra en una serie de intercambios económicos que definen su estadía en el pueblo: va a comprar alimentos ("tres y dos, cinco", afirma el vendedor), una camisa para su hija, y mantiene relaciones con una prostituta. La pequeña cantidad de dinero que le entregaron al salir de la cárcel por su trabajo como carpintero es su único nexo con los personajes con los que se va encontrando: "¿Cuánto le debo?", le dice al taxista; "¿Se vende mucho la madera? ¿Cuánto le pagan?", son las palabras que cruza con el hermano de María. El encuentro con la prostituta se registra en una escena que, desde el punto de vista de la imagen, es totalmente pornográfica pero resulta absolutamente deserotizada por el modo en el que está filmada. "El amor con una prostituta —afirma Walter Benjamin en sus *Pasajes*— es la apoteosis de la empatía con la mercancía" (1999: 511), pero en esta escena la empatía es tan profunda (con la mercancía, no con la prostituta) que el acto amoroso no llega a la apoteosis (Alonso corta antes de que se produzca el orgasmo) y se muestra con el automatismo y la abstracción que distinguen a la mercancía.[28]

Pero si sólo afectara a los personajes, la amenaza de la mercancía no sería tan temible: lo que sucede es que esta amenaza afecta a la forma en su conjunto. En el interior del film, en su narración, la ausencia de la experiencia como trasmisibilidad y legado (Vargas no le cuenta a nadie todo lo que le pasó y sólo atina a decir, en uno de los momentos más confesionales del film, que no quiere recordar nada) es sustituida por la transmisión de cantidades. En su exterior, en la relación que el film establece con el espectador, la forma debe sortear la amenaza de las historias prefabricadas, de un cine comercial que, eludiendo toda experiencia, no hace más que repetir una y otra vez lo ya contado. Frente a la narración prefabricada en la que se ha convertido el cine mismo, el registro cristalino de la exterioridad de *Los muertos* trabaja con la indeterminación y evita las explicaciones y los nexos causales. Así como el protagonista se aleja del pueblo ahogado por un medio en el que el único contacto con los demás hombres o mujeres es el de la transacción económica, el

---

[28] También afirma Benjamin en el mismo libro que "la prostitución en la que la mujer representa al vendedor y a la mercancía en uno, adquiere una significación particular" (1995: 896).

realizador sale intencionalmente en su búsqueda para hacer un cine diferente, lejos del cine-institución.[29]

Los saberes del cine que Alonso contrapone al cine-espectáculo o al cine-mercancía se manifiestan en el protagonista (el otro) como unos saberes radicalmente diferentes: son los saberes de la supervivencia en la selva o el monte. Una supervivencia que *casi* puede hasta prescindir del mercado: el hachero de *La libertad* se alimenta de una mulita, el ex-presidiario de un panal, una bebida que le regalan y un chivo que encuentra a orillas del río.[30] La experiencia en peligro de extinción de la que habla Agamben (la experiencia vinculada a la autoridad de la tradición) quedó inscripta en los cuerpos como *habilidad*. Pese a todos esos años pasados en la cárcel, el protagonista todavía sabe moverse en la selva: sabe remar, sabe guiarse, sabe reconocer los diferentes tipos de árboles. Es una experiencia incorporada, en el sentido más genuino del término. Hasta hay una obsesión en el director por registrar esas habilidades manuales y corporales: trabajos con la madera, recolección de un fruto, destrucción de un panal, matanza de un chivo.

Esta habilidad inscripta en el cuerpo debe enfrentarse con dos objetos hostiles en diferentes momentos del film. Primero, cuando Argentino Vargas decide comprarle algo a la hija y se dirige a una mercería. El vendedor le entrega tres camisas y le dice los diferentes precios. El protagonista se encuentra ante dos problemas: no cuenta con mucho dinero y debe medir imaginariamente el cuerpo de su hija ("no tengo idea cómo puede estar", confiesa). Elige —como era de prever— la más barata.[31] La relación con la hija se transforma así en algo abstracto determinado por la mercancía y el hecho de que al final ella no aparezca lo hace más patente.

---

[29] Esta disimetría entre la situación forzada de Vargas y la elección del director está subrayada a lo largo de toda la historia mediante la negativa a una identificación entre personaje y director lo que se consigue, entre otras cosas, por los planos secuencia y por la música de *Flormaleva*. No es aquí el lugar para analizar cómo el mismo Lisandro Alonso sabe beneficiarse de nuevas situaciones que ha planteado la circulación de los films por los festivales en un circuito global que viene a dotar a estas películas de prestigio. El ámbito global de los festivales es algo que Alonso conoce bien: su formación, además de su paso trunco por una escuela de cine, surge de su participación en la sección "Primer plano" que curaba Nicolás Sarquís en el Festival de Mar del Plata y que se caracterizaba por pasar cine alternativo e independiente o de cinematografías nacionales poco conocidas en nuestro país (en esos ciclos fue donde se proyectaron las primeras películas del nuevo cine iraní).

[30] También su nieto es presentado subiéndose a un árbol y extrayendo un fruto que le servirá para alimentarse. Esta idea de supervivencia se repite, con un carácter bien diferente, en el caso del mismo director quien tuvo con su película toda una estrategia de exhibición para eludir el fracaso previsible de la boletería (la película se pasó en la sala Leopoldo Lugones del Teatro Municipal General San Martín y tuvo una importante publicidad). Se puede decir que *Los muertos* también casi prescindió del mercado del cine espectáculo.

[31] Está claro que una camisa no es necesariamente una mercancía, pero en *Los muertos* es presentada como objeto de una transacción y valorada según sus precios.

El segundo objeto hostil aparece hacia el final del film y cierra el viaje del protagonista por el río, en todo un tramo en el que el mundo de las mercancías parece haber quedado atrás. A partir de entonces, Vargas traba una relación espontánea con la naturaleza de acuerdo a sus necesidades. Es que su habilidad le permite tomar del mundo lo que necesita para sobrevivir pero no para percibir o experimentar aquello que le es ajeno. Al final del film Vargas llega al rancho de su hija y se encuentra con un juguete del niño, un muñequito con la camisa de la selección argentina, que el personaje toma entre sus manos para finalmente arrojar al suelo. La contemplación del objeto por parte de Vargas es subrayada por el plano, pero lo que para el espectador puede ser una percepción cultural (jugadorcito de fútbol, mercancía, juguete infantil), para Vargas es una *no imagen* porque excede el carácter instrumental que busca en todo lo que lo rodea. Evidentemente, esa pieza no lo ayudará a sobrevivir y es por eso que la arroja. La opacidad de ese objeto revela el carácter precario de la percepción de Vargas que sólo distingue aquello que le sirve: si el protagonista es un muerto es porque no pudo superar la condición humana. Su percepción está regida por su necesidad de sobrevivir y, fuera de los objetos útiles, Vargas no puede ver absolutamente nada: su experiencia subjetiva jamás puede objetivarse.[32] Miniaturizado, el cuerpo del jugadorcito se convierte en una alegoría en la que el cuerpo se vuelve inerte, pedazo muerto, cuerpo vaciado.[33] *Es que la habilidad corporal sirve para sobrevivir pero no puede crear comunidad ni sentido.* En ningún pasaje se ve mejor esto que en el momento en que esta experiencia incorporada se muestra en todo su esplendor: cuando Argentino Vargas mata a un cabrito. El protagonista lo degüella con su machete del mismo modo como lo hizo con sus hermanos. En palabras del director, "quería mostrar que el protagonista aún tenía fresca su capacidad de matar. Y cuando llegó el momento de filmar, Argentino lo hizo de una manera tan rápida y natural que nos sorprendió a todos".[34] El chivo, al que el protagonista mató por necesidad, no llega a ser expiatorio. Repetición sin rito, inmolación sin expiación, esa matanza no puede ser un sacrificio ni una promesa, es un fragmento que no puede integrarse a ningún sentido (ninguna vida) más que como habilidad corporal. De ahí que estos personajes sean *los muertos*. Literalmente, el título parece referirse a los dos cuerpos (presumiblemente los hermanos del protagonista) que yacen al comienzo del film, pero

---

[32] Sobre este tema de la percepción, el interés y la condición humana pueden verse los desarrollos de Bergson y Deleuze en Marrati, 2003: 42-44. El "primer momento material de la subjetividad" consiste, según Deleuze, en una sustracción de la percepción de aquello que nos interesa (1984: 97). La imagen-acción ("la acción virtual de la cosa sobre nosotros") y la imagen-afección ("la cosa vivida") configuran el segundo y el tercer momento de la subjetividad.

[33] El jugador tiene la camisa argentina y esto parece alentar una lectura en clave de alegoría nacional, pero ningún otro indicio en el film nos permitiría desarrollar esta lectura.

[34] Una vez más, se produce el enfrentamiento entre dos tipos de experiencia: el de la *naturalidad* del mundo de Vargas y el de la *artificialidad* del cine.

la resonancia del título se desparrama por toda la historia, impregnando a sus personajes, a sus acciones, a su clima. Alonso los definió así: "Están resignados, revolviendo entre las sobras, sin pensar en lo que va a venir" (en PÉREZ, 2004). Convertida la experiencia como legado en "sobras", tampoco tienen la posibilidad de abrirse a la experiencia como futuro (el viaje no llega a configurar ni una historia ni una aventura).

Con esa experiencia (y Alonso parte a buscarla allí donde parece aguardarnos, lejos de las ciudades y de la vida artificial[35]) sólo se puede lograr lo mínimo: sobrevivir, lo que es una forma de la muerte en vida. La habilidad, en definitiva, es un repliegue hacia una visión instrumental del mundo. Aun la relación con la hija se transformó en algo abstracto determinado por la mercancía: el motivo de su viaje termina siendo un cuerpo ausente. Y la relación con el nieto se reduce a nada, como si se tratara de un cruce entre dos personas que no pueden percibirse y de la opacidad de los niños que ya pertenecen a otro mundo.[36] Como sucedía en *La libertad*, con esa experiencia no puede crearse una comunidad. Pero si en el anterior film esta experiencia tenía un carácter de retiro (y de ahí que pudiera llamarse "libertad" y que pudiera hablarse de "sabiduría"), en *Los muertos* es sólo la exhibición de una mutilación que encuentra su representación más abigarrada en el personaje de Argentino Vargas.[37]

Diálogo entre los muertos

Los muertos no deja de marcar nunca las diferencias entre el que observa y el observado. Como si hubiese una diferencia que sería conveniente no

---

[35] La vida en la ciudad como despojada de toda experiencia genuina es un tópico antivanguardista que también aparece en el libro citado de AGAMBEN: "Sin embargo hoy sabemos que para efectuar la destrucción de la experiencia no se necesita en absoluto de una gran catástrofe y que para ello basta perfectamente con la pacífica existencia en la gran ciudad" (2003: 8).

[36] El ascetismo de Alonso sirve para que todo objeto adquiera cierta abstracción y pase a formar parte de una serie: cuchillos, navajas, machetes, niños, objetos de supervivencia (fruto, panal, cabrito). La prescindencia relativa frente a la mercancía de los adultos no se corrobora en los niños, casi todos presa de un mundo ya mercantilizado: las hijas de la prostituta (expuestas indefensamente al descuido de la madre), los chicos que compran los caramelos, el carrito del bebé (única incrustación de modernidad en el rancho que visita para entregar la carta), el jugadorcito de fútbol del nieto de Vargas.

[37] Sólo en dos momentos parece quebrarse esta incomunicabilidad: en la cárcel (pero se trata de un mundo de excluidos de la vida pública) y en el momento en que Vargas deja una de las azucareras que hizo en prisión como regalo para María, la muchacha a la que tenía que entregarle la carta. Verdadero *don* que Vargas deja al salir por la mañana, es, de todos modos, un acto que el protagonista hace sigilosamente y casi como un pago por la noche pasada en el rancho.

80

suprimir a lo largo de todo el film, éste se cierra con la música de *Flormaleva*, una música electrónica tan ajena al mundo del protagonista como una cámara cinematográfica. Sin embargo, si la experiencia ya está en su ocaso y lo decisivo es lo que se produce *entre* los dos tipos posibles de experiencia, ¿de qué modo ese *entre* adquiere una presencia física, casi corporal, impregnando al espectador? De los saberes del cine y del arte, Alonso utiliza dos procedimientos básicos: el plano secuencia y la indeterminación de sentido.

Tanto en *La libertad* como en *Los muertos* el plano secuencia a media distancia, cuando trata de atrapar a los personajes en el cuadro de la naturaleza envolvente, tiene ese carácter de observación meticulosa y demorada. El punto de vista que se sostiene durante casi toda la narración, corroborado por el plano en el que la cámara se aleja desde una camioneta, es el del cineasta, situación de testimonio y de registro que explica el efecto documental que irradian ciertas partes del film (una distancia media, siempre exterior pero preocupada por registrar todo), que se refuerza porque el protagonista se llama igual que el actor.[38] En la cárcel, en cambio, los planos se multiplican generando una sensación paradójica de diversidad. En el pueblo y en el río, los cortes son más escasos y se reduce la diversidad de perspectivas. El efecto documental se ve disminuido ya que la cámara, a diferencia de los documentales etnográficos o de aquellos sobre la naturaleza, no avanza con el personaje sino que lo espera de frente: el personaje entra en una naturaleza que ya fue explorada.[39] Mundo desprovisto de magia y de sacralidad pero también de futuro y de novedad. De este modo, el plano secuencia tiende a orientarnos, más que hacia el paisaje o a lo que va a suceder, a lo que hacen los personajes y a permitirnos observarlos sin interrupciones o cortes abruptos. El plano secuencia se abre al tiempo, pero no al tiempo pleno de la narratividad o de la redención sino, en palabras de Kracauer, "a la fría infinitud del espacio y el tiempo vacíos" (citado en Frisby, 1992: 220).

La indeterminación se extiende por todo el film pero se ancla en un gesto que tiene que ver con la naturaleza específicamente cinematográfica (o artística) de esta experiencia. En *La libertad* gran parte de su eficacia radicaba en

---

[38] Esa cámara en la camioneta marca, además, una de las cesuras que divide al film en tres: la vida en prisión hasta que la camioneta de la policía lo deja en la ruta, su estadía en el pueblo (la cámara lo abandona nuevamente cuando entra con la canoa en el río) y el recorrido por el río. A su vez, la secuencia inicial y la final forman una suerte de prólogo y epílogo, emparentados por el uso de una sonorización electrónica realizada por Catriel Vildosola, integrante del grupo *Flormaleva* y uno de los sonidistas más importantes del nuevo cine argentino.

[39] En los documentales tradicionales en los que un viajero o expedicionario se interna en la naturaleza, la cámara suele acompañarlo desde atrás dándole al espectador la sensación de que *descubre* el entorno con él y que éste puede reservarle cualquier sorpresa (algunas películas de ficción, como *Apocalypse Now* de Francis Ford Coppola sacan inmensos provechos de este efecto). En *Los muertos*, en cambio, la cámara suele esperar al protagonista como si el espacio recorrido estuviera desprovisto de sobresaltos.

el título (prerrogativa del realizador) que potenciaba la indeterminación de sentido de la historia del hachero. La función que en la primera película tiene el título, es cumplida en *Los muertos* por la primera secuencia, una suerte de prólogo o preludio. Se trata de una imagen descentrada, fluida, algo ebria, que gira sobre sí misma y alcanza a registrar la totalidad del espacio, anverso y reverso. En su recorrido llega a mostrar, al sesgo, un brazo con un machete (después se entenderá que es el de Argentino Vargas) y el de dos cadáveres degollados (después se sabrá, sin mayores precisiones, que son sus hermanos). El plano secuencia termina con un fundido en verde y puede incorporarse al resto de la historia como un sueño del protagonista.[40] Pero esta motivación no debe borrar la singularidad de esta secuencia si uno se atiene a su gramática, tan diferente a la del resto de *Los muertos*. En el "prólogo", al contrario de lo que sucede en el resto del film, el punto de vista se muestra absolutamente evanescente, vertiginoso, sin anclaje, lo que hace de este prólogo un núcleo primigenio a partir del cual se define toda su poética. Es, en todos los sentidos, un plano inconmensurable e incorpóreo que abre a la indeterminación de sentido.[41]

Si el plano secuencia pertenece al acervo de los procedimientos del cine moderno, la indeterminación se coloca un poco más allá: como el jugadorcito que toma Vargas entre sus dedos, es el fragmento (las "sobras") que no pueden circular sin hacer colapsar los modos de intercambio abstracto que propone la mercancía y de intercambio delimitado que impone la supervivencia. Frente a un mundo de medidas, lo indeterminado no llega a configurar una redención o una liberación pero abre el camino para reconocer el carácter precario y poderoso de ambas experiencias. En este punto, *Los muertos* va más allá de *La libertad*, porque si en ésta era posible la ilusión de reciprocidad (la libertad, en soledad, del hachero y del realizador), en la nueva película hay un umbral que no se llega a atravesar: los otros están muertos y esperar su retorno carece de sentido. La inteligencia del film, en todo caso, consiste en tomar esos fragmentos de las ruinas de los muertos y hacerlos circular, dejándolos indeterminados y con su propia luminosidad.

---

[40] La secuencia inicial de *Los muertos* se corresponde de alguna manera con la escena del "sueño" de *La libertad*. Desde *Vértigo (De entre los muertos)* de Alfred Hitchcock, el verde siempre ha connotado muerte y rememoración. Como han demostrado innumerables estudiosos del color, el significado que le asignamos a cada uno de los colores es arbitrario y depende de los contextos culturales. La importancia de la obra hitchcockiana permite suponer que, en el dominio de la imagen cinematográfica, el verde puede ser reutilizado con estas connotaciones (así, *La chambre verte* de François Truffaut basado en un relato de Henry James y en otros films).

[41] La secuencia, además, causa cierta admiración por la habilidad manual de Alonso y ha llevado a uno de sus críticos a preguntarse si se trataba de una *steady-cam* (ver "Los olvidados" de Mauricio Teste en www.otrocampo.com). Se trata, de todos modos, de la habilidad de un cuerpo transformado por la tecnología (sea o no una *steady-cam*) y no de un cuerpo hábil 'natural' como en el caso del protagonista.

Silvia Prieto o el amor a los treinta años

La relación entre mercancía y experiencia también es central en el cine de Martín Rejtman pero no se trata acá de una oposición o una huida como en Lisandro Alonso sino de algo muy diferente: la mercancía es el ámbito amenazante en el que la experiencia deberá abrirse paso. Como en Lisandro Alonso, también estamos en un mundo de cantidades: "serví cuarenta y ocho cafés, veinte cortados y quince cafés con leche", dice Silvia Prieto. Pero si en *La libertad* y *Los Muertos* esta cuantificación forma una exterioridad (algo de lo que personajes y film tratan de huir) en Rejtman es el espacio en el cual los personajes se mueven.[42] Si algo caracteriza a *Silvia Prieto* son esos *inserts* de encuadres muy cerrados sobre signos urbanos, generalmente carteles de negocios o publicidades que enmarcan la vida de los personajes y en los que éstos deben transitar. Un plano de la vidriera de una farmacia en la que se ven diferentes productos (Yastá, Fanta, Rexina, Seven Up) adquiere una nueva cualidad cuando Silvia Prieto (Rosario Bléfari) y Brite (Valeria Bertuccelli) aparecen con las remeras de un jabón en polvo y sus muestras gratis. Ellas mismas se transforman en vidrieras y en mercancías: de hecho, el jabón en polvo se llama Brite como la amiga de Silvia, ¿o es al revés?[43] Nuevamente, el carácter global se inscribe en la mercancía y captura el cuerpo de los personajes como un guante "multitalle" lo hace con las manos. Hay una verdadera magia en las mercancías desde el momento en que permiten las metamorfosis de los objetos y de los cuerpos.[44] En ese mundo de signos (marcas, logos, nombres, carteles) se desplazan los personajes de *Silvia Prieto* y en ese mundo es donde deben elegir un modo de vida.

Las relaciones afectivas, además, suelen iniciarse como una transacción económica: en *Rapado*, Damián se encuentra con una chica que le pregunta si no tiene algo de plata para darle; acto seguido, Damián no le da plata sino un beso. En *Los guantes mágicos*, Valeria dice que su noviazgo con Alejandro

---

[42] La contabilidad en un mundo de intercambios de objetos está presente también en las otras películas de Rejtman. En *Rapado*, el dueño del local de video juegos dice de las fichas: "Una por cinco, diez por cuarenta y cinco, cien por cuatrocientos veinte". Y en una escena posterior (la inflación apremiaba): "Una por diez, diez por noventa, cien por ochocientos". En *Los guantes mágicos*, Alejandro hace estas cuentas sobre un viaje en remise: de la suma total de 23 pesos, Alejandro se queda con 4 pesos, 6 van para Luis que compró el auto, 10 para la remisería y 3 para Susana que consiguió el viaje.

[43] Al hombre al que Silvia conoce en Mar del Plata se lo llama Armani, en referencia a la marca de su saco. Otro de los personajes secundarios aparece con una remera de los supermercados Disco, donde trabaja.

[44] En ningún lugar se ve mejor esto que en los actores rusos de cine porno de *Los guantes mágicos* que viven en Canadá, vienen a filmar a la Argentina y usan su cuerpo como mercancía.

83

"empezó con un arreglo económico". No se trata entonces de que dinero y afecto se oponen sino que se trata de detectar la química por la cual una cosa se transforma en otra. Los personajes no se liberan por huir de la mercancía sino por seguir, incorporar y resignificar sus transformaciones y adelantarse a ellas.

La decisión de cambiar la vida

La historia de Silvia Prieto comienza con la afirmación rotunda del personaje de que "nada iba a volver a ser como antes", y termina con otra, no menos contundente: "a esa altura ya no me importaba nada". Al modo de los críticos estructuralistas que recomendaban leer el principio y el final de los relatos para interrogarse sobre la naturaleza de la narración, la puesta en relación de las dos frases revela las transformaciones de la protagonista, en una secuencia que se inicia con una elección fuerte (la decisión de cambiar la vida), se continúa con un despojo repentino (la protagonista descubre que otras se llaman como ella) y termina en un desprendimiento absoluto.

Algo acerca el cine de Martín Rejtman al de sus admirados Eric Rohmer y Robert Bresson y ese algo se llama la *elección*. "Rapado", el relato que dio origen al primer film de REJTMAN, comienza así: "Lucio toma una decisión repentina: entra en la peluquería —son las seis y media de la tarde, casi verano— y decide hacerse rapar" (1992: 87). Y un poco después, "decide, otra vez casi repentinamente, que va a robar una moto" (87). Son dos decisiones que, de todos modos, no hablan de una voluntad absoluta encarnada en un sujeto, sino de pequeñas estrategias, un poco obligadas, un poco precipitadas, que alguien toma para seguir adelante. Nada cambia mucho para Lucio una vez que se cortó el pelo y el robo de la moto tiene como fin restituirle la que antes le habían robado a él. "Uno no elige nada" dice Fabián, uno de los personajes de "Algunas cosas importantes para mi generación", también de *Rapado*. Pero si esto es así lo es porque la elección de los personajes de la literatura de Rejtman nunca es lo suficientemente significativa ni trascendental (y acá su poética se separa de la de Bresson o Rohmer). Son, como la decisión de Lucio en "Rapado", repentinas, caprichosas, inesperadas, aun hasta para aquel que elige. Las elecciones, además, nunca son heroicas ni comprometen lo sobrehumano (o lo trágico): Silvia Prieto decide trabajar en un bar, mientras Alejandro, de *Los guantes mágicos*, opta por tener como remise un Renault 12, un auto poco agraciado o un "auto pantalla" como lo llamó Alan PAULS (2004). Así comienza la *voz-en-off* de la protagonista en *Silvia Prieto*: "El día que cumplí veintisiete años *decidí* que mi vida iba a cambiar [...] Al mediodía conseguí trabajo en un bar. Estaba totalmente decidida. Nada iba a volver a ser como antes" (REJTMAN, 1999: 13, subrayado mío).

Estas elecciones no se producen en el vacío sino en un mundo que ya está mercantilizado (donde no hay objetos que nos lleguen sin contaminación). Antes que iniciar un sistema, las elecciones se insertan en uno preexistente, salvo, como vimos, en el caso de *Rapado*. Esto que se aplica a los personajes

84

vale también para la puesta en escena: los componentes del plano son objetos o lugares que ya circularon con anterioridad, desde los restaurantes chinos a las frases hechas, desde las baratijas a las ropas. El afecto no desplaza a la mercancía, así como la elección no anula la serie: simplemente, les otorgan una coloración transitoria, afirman una singularidad que el mundo serial intenta negarles, no cambian la economía de las cosas pero la resignifican.

La elección y la serie constituyen este doble sistema que se define según los sujetos y los objetos que estén implicados: Silvia Prieto y su vida, Silvia Prieto que decide que su vida va a cambiar, la vida que cambia a Silvia Prieto. Los objetos son esas cosas que pueden circular y que pueden ser el trabajo, el cuerpo, la ropa, los nombres y hasta la vida misma.[45] Este doble sistema, entonces, inicia por el lado de los sujetos la decisión de tomar o de hacer algo para *apropiárselo, intercambiarlo* o *donarlo* (raparse, robar una moto, conseguir trabajo, regalar un *pullover*) y por el lado de los objetos instaura la *serialidad* (las motos, cualquier moto, la vida, cualquier vida). La serie, que se basa en la reproducción, le otorga cierta *neutralidad* –que viene del intercambio– a los objetos como la muñequita que compra Gabriel (Gabriel Fernández Capello) en Los Ángeles. *Souvenir* de viaje, pieza falsamente artesanal adquirida en un negocio de baratijas, es igual a tantas otras que esperan neutras en el negocio a que nuevos turistas las elijan como *souvenir*. No hay objetos no seriados en el mundo de Rejtman.[46] La apropiación, el intercambio o la donación dotan de nuevos sentidos a esos objetos neutros y los extraen de la serie para volver a insertarlos en otra. Gabriel le regala la muñequita a Brite (donación), pero Brite dice que es igual a Silvia Prieto y se la da a ella; Silvia la arroja a la calle, Santiago la recoge, la lleva a su cuarto, la saca de circulación (apropiación) y la pone en su repisa de *objets trouvés*. La serie, como una pantalla, tiene esa neutralidad que sólo se quiebra cuando las elecciones de los sujetos proyectan algún sentido. Algo similar sucede con la serie de los nombres como el de Silvia Prieto, porque ¿hay algo más y menos neutro a la vez que un nombre, que no tiene significado pero que es a la vez muy significativo?

A medida que se narran, ambos sistemas se reenvían recíprocamente. El modo en que circulan los sujetos también comienza a reproducirse en serie: "Oye pasos que se acercan corriendo –se lee en *Rapado*–. Ve al dueño de la moto. Tienen la misma edad. Los dos tienen la cabeza rapada. Se para delante de Lucio. Ambos tratan de recuperar el ritmo normal de la respiración" (1992:

---

[45] Esta circulación se basa en una sustitución que puede llegar a ser disparatada, pero no carece de cierta lógica, que hace al humor tan curioso de Rejtman. Un caso extremo lo representa, justamente, la chica que reparte muestras de Brite, muere atropellada por un colectivo y es sustituida por Silvia, quien, para trabajar, usa sus ropas.

[46] En *Silvia Prieto*, cada objeto que se percibe entra en la serialidad: la muñequita, los dólares del ex-marido, las pechugas de pollo trozadas, los cafés del bar, la vestimenta (la película comienza con el malentendido del lave-rap), las parejas, los nombres (Armani, Brite, Silvia Prieto). Todo se duplica como si se tratara de un *happy hour*, uno de los motivos que articula la narración de *Los guantes mágicos*.

85

89). Silvia Prieto, que es quien toma la decisión, descubre que ella también forma parte de una serie: las otras Silvia Prieto. Mediante la decisión, la serialidad se detiene por la fuerza de una apropiación y adquiere individualidad: "Pasa un tiempo prudencial y la moto, cree Lucio, está irreconocible. Con la pintura nueva está completamente cambiada, en un bosque pasaría totalmente inadvertida. Además, le pegó una calcomanía de Ángelo Paolo en el tanque de nafta. Entonces decide sacarla a la calle" (1992: 90-91).[47] La moto, a partir de entonces, es reconocible como una pertenencia de Lucio.

Nada muestra mejor el hecho de que estas apropiaciones deben actuar en un campo reducido y con un alcance temporal más o menos inmediato que los dos límites que la cercan. Por un lado, las decisiones que tomaron otros antes: como el nombre propio de una persona. Porque, ¿cómo apropiarse de un nombre propio? Por otro lado, por el azar que rige las series y que muestra la contingencia de toda elección: ¿por qué Gabriel y Silvia están juntos sino como efecto del noviazgo de Brite y Marcelo? ¿Cómo explicar el encuentro casual con Armani o el recorrido de la muñequita? La decisión, entonces, no es algo puro e incontaminado sino que se aplica a lo preexistente.

No es muy difícil darse cuenta de que nos encontramos ante un régimen narrativo: Rejtman toma o construye un hecho y lo somete a los dos sistemas: la serie y la decisión. Con este doble sistema, Rejtman además logra dejar afuera una determinada idea de la narración basada en la *excepcionalidad* y en la *aventura*. De ahí que no haya jerarquía entre los personajes y que todos tengan un mismo nivel de discernibilidad: la experiencia y el valor, nos parece decir el cine de Rejtman, se encuentran en la serie, en elecciones cualquiera, en el azar y no en la excepcionalidad de la aventura (en su narrativa, el estilo parco y conciso subraya el carácter neutro antes que insólito de los hechos). Los dos procesos, entonces, ponen en funcionamiento una máquina de narrar.

Pero sería un error considerar este régimen sólo bajo el punto de vista de su capacidad para producir historias o alentar procedimientos narrativos. Si este régimen tiene un interés radica en que con esta máquina narrativa, Rejtman habla de muchas, muchísimas cosas. Sobre todo de la contemporaneidad. Como Rohmer, también Rejtman es un arqueólogo de capas del tiempo: ¿quiénes serán capaces de comprender los alcances profundos del nombre Ángelo Paolo? ¿Cuántos recordarán sus publicidades con pantalones campana y sus jóvenes contentos de la otrora famosa clase media baja en ascenso? ¿Qué es lo que hizo tan atractivos en un determinado momento a los restaurantes chinos? ¿Por qué el tapado de la madre de Silvia sugiere clase y distinción? ¿Quiénes son los que se identifican con la canción de *New Order* que baila Alejandro en *Los guantes mágicos* o con "Hombres de hierro" de León Gieco que Cecilia descubre en la televisión? Cada contemporaneidad tiene sus "lugares típicos" (la expresión es de *Los guantes mágicos*) y las películas de

---

[47] Algo similar sucede con el Renault 12 que amenaza con una picada en *Los guantes mágicos*: tiene calcos que lo diferencian de todos los otros Renault 12.

Rejtman tienden a trabajar con los rasgos de cada mundo (la tipicidad) según el ciclo biológico de los personajes. En *Rapado*, por ejemplo, la familia es el ámbito en el que las decisiones encuentran sentido, mientras en *Silvia Prieto* las familias ya no existen (salvo en los únicos dos personajes que tienen veinte años: Santiago, el chico que se queda con la muñequita, y la bajista de *El otro yo*, hija de la segunda Silvia Prieto). Ya Ezequiel Acuña, el director de *Nadar solo*, ha hablado de este carácter situado y generacional de la experiencia de Rejtman: "Volviendo al tema de *Rapado* de Rejtman, en mi caso tuvo que ver con una experiencia importante de cierta edad mía vinculada a la adolescencia, además de que ése, en un punto, es el tema de la película. Por eso no me interesan tanto *Silvia Prieto* o *Los guantes mágicos*, que son películas que no tienen, digamos, ese *silencio* y algo personal que yo encuentro en *Rapado*" (ACUÑA, 2004: 155). Cada generación se encuentra con una época en la que deberá buscar los medios para acceder a una experiencia.

Silvia Prieto es una película de personajes que llegan a los treinta años y que saben que algo va a cambiar, así como *Rapado* es una historia de chicos que tienen casi veinte años y *Los guantes mágicos* trata sobre personajes que están más cerca de los cuarenta. Los personajes están desfasados, porque siempre son un poco menos de lo que pensaban que irían a hacer: en Rejtman, nunca deja de aparecer el ex-compañero de la secundaria que nos recuerda que las cosas no salieron como las habíamos imaginado. Son los encuentros casuales en los que los personajes se vuelven a conectar con un mundo en el que las posibilidades de las elecciones *parecían* ser ilimitadas.[48] Por eso siempre son un poco menos: "Lo único raro −comenta Silvia Prieto− es que tengo menos de todo; pero las proporciones son las que tienen que ser. Menos pulso, menos presión, menos glóbulos rojos, menos glóbulos blancos, todo menos" (REJTMAN, 1999: 96). En el proceso de descubrir lo que le falta, lo que ya no tiene o lo que le quitaron, Silvia pasa de la decisión al despojo al que, finalmente, logra convertir en desprendimiento. Esta vía ascética salva a la protagonista en un mundo en el que parecía no tener lugar.

Ritmo de comedia (Neutralidad de la serie)

Según la crítica, se detectan dos influencias fuertes en el cine de Rejtman: la *screwball comedy* y el cine de Robert Bresson. Se ha hablado poco, sin em-

---

[48] Se lee en el cuento "Quince cigarrillos" de *Velcro y yo*: "Qué pena que no me cruzo con ninguno de los amigos de Mariano de la adolescencia. Estoy recién llegada y quiero volver a conectarme. Siempre es mejor un encuentro casual alrededor de una circunstancia como ésta [Mariano está internado], que une, a una llamada telefónica cualquiera" (REJTMAN, 1996: 95). La melancolía de estos encuentros nunca es totalmente negra sino que está matizada por la distancia irónica del absurdo: en *Los guantes mágicos* no se trata de un compañero de la secundaria sino del hermano de un compañero de la escuela primaria (finalmente se encuentran pero no se reconocen); en *Silvia Prieto*, Garbuglia se confunde los nombres de los ex-compañeros.

bargo, de Max Ophuls, tal vez el director al que Rejtman más se asemeja: la circulación de los objetos en sus historias recuerda a la de los aros en *Madame de...* (1953) y a las parejas engarzadas de *La ronda* (*La ronde*, 1950).[49] Como la puesta en escena de sus films es muy estilizada y elaborada, parece natural que los críticos se hayan sentido inclinados a encontrar filiaciones mucho más deliberadas que en otros directores del nuevo cine argentino. Sin embargo, la parquedad y la neutralidad del punto de vista de Rejtman está muy lejos de sus fuentes de inspiración y es esta diferencia la que permite pensar la peculiaridad de su cine.[50]

Silvia Prieto no tiene clímax ni sobresaltos, y pese a que no dejan de pasar cosas (muchísimas cosas) hay un ritmo regular y una puesta en escena sin énfasis. Es bastante curioso que este ritmo uniforme sea el sostén de una comedia, género que convencionalmente se rige por el *crescendo* de las tramas y por lo que se conoce como 'remates'. El ritmo es lo más original de Rejtman: no es ni la sucesión alocada de situaciones de la *screwball comedy* ni los soplos intensos de Bresson ni la melancolía decadente de Ophuls. Como ellos, mantiene la distancia imperturbable y observadora y, también como ellos, hace que los objetos circulen dándole sentido y forma a la narración; pero donde en los otros hay *subrayados* que funcionan como claves de lectura, en Rejtman la *neutralidad* se reinstala una y otra vez.

Esta neutralidad se basa en que la planificación y el tono de Rejtman tiende a suspender cualquier juicio de valor. En Ophuls, en cambio, el objeto que circula es el testimonio de un deseo y la evocación de un pasado, como los aros de *Madame de...*, que tienen un valor afectivo, económico y rememorativo en sí mismo. No son una baratija. También en las historias de Robert Bresson encontramos objetos que, puestos en circulación, van construyendo la historia, como el asno que pasa por diversos dueños en *Al azar Baltasar* (*Au hasard Balthazar*, 1966) o el billete en *El dinero* (*L'Argent*, 1983), basado en el cuento "Billete falso" de Tolstoi. Pero en este azar de la circulación, hay una *creencia* que organiza toda la poética de Bresson y que podría sintetizarse en la frase de uno de los personajes de *El dinero*: "si fuera Dios perdonaría a todos".

---

[49] La historia narrada por Ophuls cuenta la historia de Madame de... quien vende unos aros con forma de corazón que le había regalado su marido (Charles Boyer). Posteriormente, éste descubre el hecho y recupera los aros para regalárselos a su amante. Ésta viaja a Constantinopla y se desprende de los aros que van a parar a una joyería donde los compra un diplomático italiano (Vittorio de Sica). El diplomático viaja a París y se enamora de Madame de..., a quien le termina regalando los aros. Su marido descubre el engaño y reta a duelo al diplomático a quien finalmente mata. En su texto "Postproducción", REJTMAN menciona *Madame de...*, *La ronde* y *Le plaisir* de Ophuls (1999: 144, 152). También se refiere varias veces a Guy de Maupassant, escritor en el que se basan los episodios de *Le plaisir*.

[50] Silvia SCHWARZBÖCK, en su sagaz reseña de *Silvia Prieto*, habla de "residuos" de los clásicos y comienza su artículo afirmando que "si una película puede parecerse o bien a otras películas o a la realidad extracinematográfica, *Silvia Prieto* es extraña a ambas posibilidades" (1999: 9).

El *perdón* ofrece una perspectiva de lectura posible que puede ser religiosa, política, social o cinematográfica.[51] El relieve que el objeto imprime sobre la pantalla está lejos de la utopía rejtmaniana de "un mundo donde todo tiene un mismo valor".

Donde este contraste se hace más evidente es en la confrontación de *Silvia Prieto* con la *screwball comedy*. En *La búsqueda de la felicidad*, Stanley CAVELL denomina a su corpus de comedias "de rematrimonio", ya que todas comienzan con una pelea y terminan con un segundo casamiento de la misma pareja.[52] La libertad que "se anuncia en estas comedias en el concepto de divorcio", es complementaria con el amor que se cumple cuando la pareja decide volver a casarse (1999: 110). En *Silvia Prieto* también hay dos casamientos. Uno es el de Silvia con Marcelo, que pasó hace muchos años y que reviven junto con Brite en el video casero que miran en el televisor de la casa de Silvia. El segundo es el de Mario Garbuglia con Marta, producto de su participación en el programa casamentero de televisión y que se concreta con una gran fiesta que paga el canal y que es aprovechada por Marcelo y Brite para casarse y festejar también. Cuando Silvia recibe al preso que sustituye a Gabriel, le muestra el video de su casamiento y le dice que es el de Garbuglia.[53] ¿Cómo hacer reír con las pasiones de hoy, tan diferentes a las de la *screwball comedy*? ¿Cómo hablar de libertad o amor cuando el casamiento ya es en sí mismo una transacción económica, como lo muestran la pareja televisiva de Mario y Marta (cuyo casamiento es televisado y está organizado alrededor de canjes publicitarios)? ¿Qué es lo que hace que Silvia engañe a alguien a quien no conoce y le muestre un video falso mientras afirma en *off* "a esa altura ya no me importaba nada"? Lo que Silvia hace en ese gesto, con el fin de no "decepcionar" al ex presidiario, es jugar con la serie de los casamientos y de los videos de casamientos: escenas típicas que sirven tanto para unos como para

---

[51] Por supuesto que llevo las comparaciones a un terreno al que no se refiere estrictamente la crítica cuando habla de Bresson y de la rigurosidad de la puesta en escena, lo que David BORDWELL denominó, tomando un término de Noel Burch, "narración paramétrica", es decir, "otro tipo de narración en que el sistema estilístico del filme crea pautas *diferentes a las demandas del filme argumental*" (1996: 275). En este sentido, Ophuls tiende a orquestar sus puestas en escena a partir de formas espiraladas, buscando permanentemente la superposición de planos a través de marcos, vidrios, barandas y otros objetos. En este sentido, Rejtman se acerca más, si se quiere, al ascetismo de Bresson. Ver, en este sentido, las comparaciones que hace Beatriz Sarlo en BIRGIN, 2003.

[52] Las películas que analiza Cavell son las siguientes: *Las tres noches de Eva* (*The Lady Eve*, 1941) de Preston Sturges, *Sucedió una noche* (*It Happened One Night*, 1934) de Frank Capra, *La fiera de mi niña* (*Bringing Up Baby*, 1938) y *Luna nueva* (*His Girl Friday*, 1940) de Howard Hawks, *Historias de Filadelfia* (*The Philadelphia Story*, 1940) y *La costilla de Adán* (*Adam's Rib*, 1949) de George Cukor.

[53] En la *screwball comedy* la escena del casamiento siempre es especial, única, alocada. Los novios se casan después de hora y deben despertar al sacerdote o llegan tarde a la ceremonia, etc. En *Silvia Prieto*, en cambio, el casamiento es como cualquier otro y sigue las convenciones.

89

otros. Si en la *screwball comedy* lo que hacen los personajes en el proceso de aprendizaje es afirmar su amor irremediable, lo que Silvia hace acá es un acto de desprendimiento: deja que la serie haga sus cosas mientras ella se declara prescindente. Si la circulación de los objetos funda la evocación en Ophuls, el perdón en Bresson y la afirmación del amor *y* la libertad en la comedia de *remarriage*, en *Silvia Prieto* lo que funda es la apertura al vacío del desprendimiento. ¿Pero cómo fue este camino que comenzó con una decisión tan ambiciosa ("cambiar la vida") y desembocó en el reconocimiento del despojo y en la revelación del desprendimiento?

El don: del despojo al desprendimiento

"Un tema del que siempre hablo: la economía.
Mis películas no hablan de otra cosa".

Martín Rejtman

Un extenso fundido en negro antecede al encuentro de Silvia Prieto con su sosías (Mirta Busnelli) en un bar. Ellas no se parecen, no comparten conocidos en común, nada de lo que hicieron las une. Son *dobles* en un solo aspecto: llevan el mismo nombre. Como se sabe, el nombre, en principio, es un signo que no sugiere ninguna indicación o descripción precisa: "Silvia Prieto" puede ser joven o madura, alta o baja, buena o mala. Pero esta autonomía del significante no llega a dar cuenta de la experiencia del despojo de Silvia Prieto porque lo que le sucede es todavía mucho peor. En definitiva, todos (o casi todos) tenemos un nombre que nos designa de un modo contingente.[54] En realidad, lo que le pasa a Silvia Prieto es que los nombres *designan a alguien* en un mundo determinado y lo que ella descubre −a partir de un comentario que le hace Armani, el hombre que conoce en Mar del Plata− es que ese nombre ya no la designa solamente a ella sino también a otras. El nombre que extrae a las personas de la serie vuelve a hundir a la protagonista otra vez en ella. Este despojo −real o simbólico, eso no importa− echa por tierra el mundo basado en sus decisiones, que Silvia se había construido hasta ese entonces. "Decidí que mi vida iba a cambiar" afirma al comienzo de la película. Algo (un *nombre*, no una persona) decidió que mi vida cambió, parece escucharse en el fundido en negro. Frente a la apropiación y el despojo que regularon la economía de la primera parte de la película, comienza a articularse el don, es decir, ese desprendimiento con el que Silvia se hace de una experiencia no

---

[54] Obviamente, en el contexto un nombre puede acumular ciertos significados. Ponerle a un hijo "Juan Domingo" puede estar, en la Argentina, cargado de connotaciones, no así en otros países. También existen los nombres que tienen significado, como Soledad, Violeta, Amparo, Libertad y los que se ponen para recordar a un pariente o un acontecimiento. Pero más que el significado, lo que caracteriza al nombre propio de una persona es el carácter absolutamente contingente de aquello que designa.

por aquello que decide sino por aquello que hace circular, que regala o que mira desinteresadamente.

Un regalo puro produce un desequilibrio en el mundo. Extraer una mercancía de la circulación, desplazarla a la zona de los afectos y no esperar nada a cambio son los rasgos de una de las actividades más antiguas y más antieconómicas: obsequiarle algo al otro. Por supuesto que aun en el regalo —ese don con algo de violencia, por el que nos instalamos en la vida de otra persona— puede todavía llevar a las mercancías las marcas del capital simbólico, en manifestaciones de *status* social, de poderío, de riqueza económica o de una generosidad que crea obligaciones. En un ensayo de su libro *Meditaciones pascalianas*, Pierre BOURDIEU cuestiona la gratuidad y el desinterés que se le asigna al regalo y muestra cómo el acto de obsequiar supone un intervalo de tiempo que anuncia la recompensa o la devolución transformada (el gesto hecho con miras, no siempre confesadas, a obtener algo material o simbólico a cambio) (1999: 257ss.). La discusión, que en el campo de la sociología tiene infinitas derivaciones, debe restringirse al hecho de que en el mundo que construye Rejtman el obsequio desinteresado o puro es posible. Y eso pese a que en sus películas no hay ninguna ingenuidad en relación con el acto de regalar. La fiesta de cumpleaños de Alejandro en *Los guantes mágicos* exhibe el regalo como variante del intercambio económico: Piraña y Susana le regalan al perro Luthor, el paseador de perros le regala los paseos, Cecilia los viajes en taxi del paseador para ir a buscar a Luthor.[55] La excepción en este intercambio generalizado la constituye Valeria, que le regala un *jacquard* (un *pullover* con rombos). Como Alejandro sólo usa ropa lisa, eso provoca un desequilibrio en sus hábitos que se reestablece en la siguiente escena: Alejandro no deja de usar ropa rayada en lo que resta de la película. Valeria hace lo que ninguno de los otros: logra agregar un objeto a ese mundo e instalarse en el cuerpo del remisero, en un gasto sin retribuciones. Para decirlo sin rodeos: un acto de amor y de generosidad. También sucede lo mismo con Alejandro y su amor por los autos o por los Renault 12: cuando logra subirse a uno, lo toma "prestado" y lo lleva a un *car wash*. Deja el auto donde estaba, eso sí: ahora está limpio e impecable.

La serie de regalos en *Silvia Prieto* no es menos profusa: un *tupper* con mil doscientos dólares que le entrega a Silvia su ex-marido, el contestador que le regala Devi (su *dealer*), la muñequita que Gabriel le trae a Brite de Los Ángeles, el shampoo que Silvia Prieto le regala a Silvia Prieto[56] y, finalmente,

---

[55] El intercambio tiene en Rejtman una dinámica disparatada de comedia en el que los valores de cambio son impredecibles y pasan de lo afectivo a lo económico y viceversa. Sería un error, de todos modos, creer que este valor de cambio arbitrario se recorta sobre un valor de uso más genuino o verdadero. Hablar, a propósito del cine de Rejtman de valor de uso, es restituir una noción de profundidad y de verdad oculta a desenmascarar totalmente ajena a su estética.

[56] Cuando Silvia Prieto va a comprarle un regalo a su sosías (a quien todavía no conoce) tiene que elegir entre diversas marcas de shampoo ("Revlon, Helena Rubinstein,

la lámpara de botella que Silvia le regala a Gabriel. De estos regalos, los más desinteresados son los dólares del ex-marido y el contestador que le regala Devi. Silvia y Brite, de hecho, *trabajan de regalar* cosas: entregan muestras gratis de jabón en polvo a los transeúntes.

Si el primer desequilibrio de la historia lo constituye un obsequio (Marcelo le entrega 1200 dólares a Silvia sin pedirle nada a cambio)[57], el retorno al equilibrio final se consigue mediante el desprendimiento que lleva a cabo Silvia. Frente al regalo que agrega un objeto al mundo y que es el producto de una decisión, el desprendimiento, en cambio, deja que un objeto ya existente siga su camino sin la intervención de una coloración personal, afectiva, pasional o valorativa. La apatía a la que llega Silvia, el retiro para observar distanciadamente la circulación de los objetos sin establecer valores, no es una actitud pasiva sino que tiene algo que produce un tipo particular de experiencia. Silvia se desprende del pajarito, de su tapado, de la marihuana, del dinero que le da su ex-marido, de la muñequita que le regala Brite, de su nombre (se hace llamar Luisa Ciccone), de sus documentos y, en la última escena, de su casamiento: "a esa altura ya no me importaba nada". La frase es típica (circula como frase hecha) pero llega a instaurar una experiencia. Una suspensión de los valores que es homóloga a la que practica el propio director, quien ha logrado suspender a tal punto las valoraciones de las cosas que se intercambian y circulan por la pantalla, que las interpretaciones están obligadas a subrayar un elemento sobre otro para desencadenar sentido.[58] Es

---

Sedal, Wellapon, Plusbelle, Springtime…"), entre diversos tipos ("normal, seco") y también entre diferentes tamaños. Se introduce en la serie de las mercancías y se apropia de algo para regalárselo a alguien que no conoce y que la acaba de hacer ingresar en el mundo del despojo.

[57] Esta pureza se acentúa por el hecho de que Silvia saca los dólares de circulación y los entierra en una de las macetas de su balcón.

[58] La *falta de relieve*, que es una de las marcas más personales del cine de Rejtman, lleva a los espectadores y a los críticos a apropiarse de un momento del film y a leerlo como clave, en un gesto que siempre resultará violento. Beatriz Sarlo, por ejemplo, en su excelente lectura de la película, sostiene que "el único acto profundamente personal que realiza Silvia" es mandarle el canario a su madre en Mendoza, lo que resulta más de una proyección de la propia crítica que un efecto que se derive del film. Y una de las participantes del seminario del Centro de Pedagogías de Anticipación, como comentario a la ponencia de Sarlo, hace una interpretación muy argumentada de *Silvia Prieto* como "una película feminista… porque en definitiva son las mujeres las que hacen circular a los varones. Me parece que es interesante porque hay un imaginario en el que las mujeres se pelean por los varones y se los pasan, como antes los hombres hacían con las mujeres. Es una circulación más justa, ¿no?" (las dos interpretaciones en BIRGIN, 2003: 137, 148). Alejandra Portela, en su reseña "Corazones geométricos" que publicó en el sitio www.leedor.com, sostiene que el "país Silvia Prieto" es una "metáfora cinematográfica sobre la identidad" en la Argentina. La neutralidad de *Silvia Prieto* nos pone entonces, como espectadores, frente a un desafío: ¿de qué parte de la superficie nos vamos a apropiar para hacer una lectura? ¿Qué pistas seguir si todas las pistas son falsas y ninguna verdadera? (*Pistas falsas* es el título del libro de poemas de Gabriel) ¿Sobre qué trata, para nosotros, *Silvia Prieto*?

92

lo que BARTHES ha denominado, en uno de sus últimos seminarios publicados póstumamente, *lo neutro*: "todo aquello que desbarata el paradigma" que es el "motor del sentido" (2004: 51). Frente a "la obligación de elegir" que, según Barthes, es la "expresión pura de lo anti-Neutro" (2004: 246), Silvia termina adoptando una mirada similar a la de la película en la que importa observar distanciadamente los mecanismos de intercambios antes que, a través de decisiones y afirmaciones, inmiscuirse en ellos.

El carácter apático al que accede Silvia está en contraste con el de Brite, sobre todo hacia el final de la historia: Brite se embaraza, Silvia finge que lo está (pero arroja el Evatest que ie da Brite en el inodoro); Brite se queda con Marcelo, Silvia se queda sin pareja; finalmente, Silvia deambula por la ciudad con un as de bastos que es la carta que le entregaron en la disco a cambio de los documentos y es con esa misma baraja que Brite la vence al truco en un "quiero vale cuatro". Parece que Silvia Prieto se quedó sin nada. Pero vistas las cosas más en detalle, una vibración particular se agita en ese personaje que se quedó sin rostro, sin pasado y sin futuro. Ahora puede observar a la distancia y mirar las cosas con cierto desapego: una suerte de ascesis y de retiro que no se diferencia mucho de la propia mirada que sostiene la película. En un mundo en el que todas las cosas tienen su precio y están para ser intercambiadas, Silvia Prieto puso algo que antes no estaba: alguien que ha decidido correrse del mundo para observar, sin miedo ni esperanza, cómo funciona.

El sonido, banda aparte

Quizás se obstina usted en pensar que el cine es "imágenes y sonidos". ¿Y si fuera al revés? ¿Y si fuera sonido *e* imágenes? ¿Sonidos que dan a imaginar lo que se ve y a ver lo que se imagina? ¿Y si el cine fuera también la oreja que se alza –al modo de aquella otra, eréctil, del perro– cuando el ojo se ha perdido? Andando a campo raso, por ejemplo.

Serge DANEY (2004: 130)

De entre todos los aspectos que hacen diferentes a las películas del *nuevo cine argentino*, uno de los más cruciales es el tratamiento de la *banda sonora*. Aun en los más celebrados filmes de la década del ochenta (*Últimos días de la víctima*, *La historia oficial* o *Camila*), la banda de sonido recibía un tratamiento diferenciado según se tratara de la musicalización, de los diálogos o de los sonidos ambientales. La sonorización estaba subordinada a la tarea de completar la narración y lograr el mejor acabado técnico y expresivo del film. En varias de las películas de los años noventa, en cambio, el sonido adquiere mayor autonomía y un tratamiento que no está necesariamente destinado a ir detrás de las imágenes. En la planificación de sonido, las historias adquieren nuevos sentidos y los directores tratan de buscar una marca estilística en el uso de la banda sonora. Por supuesto que nada de esto constituye una novedad (ya Hitchcock le había pedido a Bernard Hermann que tratara el sonido de las bandadas de *Los pájaros* como si se tratara de una musicalización; ya Ennio Moricone, impactado por la obra de un seguidor de John Cage, había hecho música con las pisadas, las goteras y el viento en la secuencia inicial de *Érase una vez el Oeste*, ya Hugo Santiago, en *Invasión*, había utilizado los laboratorios musicales del Instituto Di Tella para tratar el sonido como música concreta), pero no se trata acá de instaurar una lógica vanguardista por la cual las cosas se legitimarían por su grado de novedad, sino de detectar transformaciones que tienen la capacidad de potenciar diferentes aspectos del oficio del cine. Es decir, no estoy afirmando que *La niña santa* de Lucrecia Martel o *Los guantes mágicos* de Martín Rejtman renueven el tratamiento del sonido en el cine, sino algo diferente (más modesto pero no por eso menos significativo): todos estos filmes trabajan el sonido como una materia significante que tiene una relativa autonomía respecto de la imagen o que la dota de nuevas dimensiones.[59]

---

[59] Otra vez, los avances tecnológicos ponen cada vez más de relieve la artificialidad de los lenguajes artísticos como sucede, por ejemplo, con el doblaje. En los últimos años, el mejoramiento de las salas, el uso generalizado del sistema *Dolby* ("optical stereophonic sound on film"), creado en 1975, y la posibilidad de manipular los ruidos con las computadoras (empalmar diferentes tramos, temporalizar los sonidos, reforma-

El sonido en las películas del nuevo cine no está tan estratificado (música, diálogo, sonidos ambientales) sino que se genera una verdadera red, una masa sonora en la que lo indiscernible está en tensión con la diferenciación. Así, por ejemplo, los diálogos son tratados como bandas de sonido y muchas veces su textura sonora tiene tanta o más importancia que la comprensión del significado de las palabras. En *Los muertos*, el protagonista dialoga a orillas de un río, intercalando términos en guaraní, incomprensibles para el espectador pero que tienen como fin internarnos en la tonalidad de las voces de los personajes y en su *otredad*.[60] En *La niña santa*, los murmullos y los diálogos a media voz crean una dimensión sonora significante que no tiene nada que ver con el sentido de las palabras. La eficacia de los diálogos de Rejtman, finalmente, no reposan tanto en lo que los personajes dicen, sino en el carácter repetitivo, indolente y automático de sus dichos. "Otro de los ítems de 'Mi método' —escribe un poco en serio y un poco en broma Rosario Bléfari en su texto "Rodaje"— es lo que podríamos llamar la piedra fundamental o el eje principal de la teoría: la insistencia casi maniática en escuchar de todas las palabras que se dicen el tono indicado. No hay algo que enfurezca más a Rejtman que una cadencia mal entonada" (en REJTMAN, 1999: 115). Las repeticiones maniáticas de *Sábado* de Juan Villegas y las voces indolentes de los personajes de *Nadar solo* de Ezequiel Acuña crean una masa sonora que dota a estas películas de un estilo reconocible y original. Finalmente, dos películas tan diferentes como *Pizza, birra, faso* y *La ciénaga* coinciden en que ambas utilizan los diálogos como bandas de sonido. Los diálogos no son sólo lo que los personajes se dicen, sino una tonalidad, un ruido o una musicalidad que recorre transversalmente las historias. Apenas coinciden en este punto, ambas películas vuelven a separarse. La banda sonora de los diálogos en la película de Adrián Caetano y Bruno Stagnaro es el insulto crispado y rabioso de un grupo de jóvenes marginados que está afuera del mito burgués del lenguaje, esto es, de la palabra como moneda de intercambio útil (en Caetano-Stagnaro, las palabras no sirven para decir algo sino para llamar la atención). *La ciénaga*, en cambio, investiga todos los pliegues de la voz de la burguesía provinciana y sus matices delirantes de mando y sometimiento; el reverso de esta voz es el cuerpo casi silencioso de la

---

tearlos, etc.) hicieron de la elaboración del sonido algo tan arduo como el trabajo con la imagen. Francis Ford Coppola, por ejemplo, empleaba tanto tiempo en el rodaje como en la sonorización (STAM, 2001: 212-213). Por contraste, a veces las deficiencias técnicas llevan a los realizadores a verdaderos desafíos, como sucede en *Bolivia* de Adrián Caetano. Según Carolina Duek, en el trabajo que presentó en el seminario "Las astucias de la forma cinematográfica", "es notorio el rol de la música en el montaje. Como no tenían dinero para grabar con dos bandas de sonido tuvieron que hacerlo con una sola. Eso significó que el sonido ambiente no podía "superponerse" con la música. Por este motivo, los diálogos en la película parecieran no sólo formar parte de la trama argumental sino, también, del sonido ambiente que en otros casos es ocupado con bandas de sonido".

[60] Algunos films que incluían estas lenguas indígenas —como *Shunko* (1960) de Lautaro Murúa— subtitulaban estas partes para una mejor comprensión.

mucama que arrastra el deseo de Mumi, de Mecha y de José, sin entrar nunca en diálogo con ellos.

Aunque cualquiera de estas películas serviría para reflexionar sobre la dimensión sonora del nuevo cine argentino, pocos realizadores han hecho un uso tan intensivo del sonido en tanto materia significante como Lucrecia Martel en *La niña santa* y Martín Rejtman en *Los guantes mágicos*. Curiosamente (sólo cabe atribuirlo a la casualidad), los protagonistas de ambos films —estrenados casi simultáneamente— tienen problemas de audición.[61] Un ruido sin origen se instala en ellos, conmoviéndolos e impidiéndoles dormir. La banda de sonido se tematiza y ya no sólo es un rubro técnico-expresivo, sino que pone en movimiento la historia misma.

---

[61] Más allá de la casualidad, ¿no podría verse en la escena de final de *Los guantes mágicos*, que transcurre en Salta, un homenaje a Martel y a toda la movida cinematográfica que se dio en esa provincia donde jugó un importante papel el crítico Edgardo Chibán y de donde salieron además de Martel y Rodrigo Moscoso (el director de *Modelo 73)*, el montajista de Rejtman, Martín Mainoli?

Espacio desacralizado, espacio inerte: la cámara no avanza con el personaje descubriendo el entorno, como en los documentales de aventura, sino que espera al personaje en un lugar ya descubierto.

La ciénaga

La pulsión de parasitismo pasa, en *La ciénaga*, por los espacios, especialmente los acuáticos: la pileta, los vidrios, los espejos, las nubes, el tanque de agua y su mancha, el río y su desagüe, la ducha y el mismo aire convirtiéndolo en una capa pringosa y viscosa.

Pizza, birra, faso

Mientras que *La ciénaga* de Lucrecia Martel se erige en la representante más contundente del cine de la descomposición, *Pizza, birra, faso* de Caetano y Stagnaro sintetiza las coordenadas del cine nómade.

Silvia Prieto

Frente a los rostros contorsionados y extasiados del cine político, la marcha de *Silvia Prieto* está signada por el vacío y los cuerpos inmóviles en posición de descanso.

Orfeo Femenino, Amalia se atreve a mirar hacia atrás y a enfrentarse con su misión o su deseo. En palabras de Carlos Belloso: "Para mí, el guión tiene un montón de mitos. El primero que pensé es en Caperucita y el lobo, Jano es la inocencia de la maldad, y la niña es la maldad de la inocencia".

Tan de repente

La comedia retorna pero combinada con la redefinición de las costumbres y de los afectos y los tiempos muertos propios del nuevo cine.

El bonaerense

Cine de exportación, *El Bonaerense* fue conocida en Brasil con el título de *Do outro lado da lei* y promocionada como "Uma poderosa mostra de neo-realismo argentino".

La libertad

Misael, el hachero que vive en la pampa, se retira del mundo y encuentra la soledad y la calma de una libertad negativa sin comunidad posible.

Los guantes mágicos

Resulta difícil determinar de qué habla *Los guantes mágicos*. Aparecen los leitmotivs de la narrativa y del cine de Rejtman, pero presentados en una misma superficie sin relieves ni énfasis.

Los rubios

Pocas obras generaron tanta polémica en los últimos años como *Los rubios* de Albertina Carri, tal vez porque tocó ciertas zonas sensibles de la cultura y se negó a repetir mecánicamente anquilosados lugares comunes.

Ciudad de María

El cine presenta a la ciudad moderna, los trabajadores y el acero, mientras la televisión aparece vinculada a la ciudad posmoderna, a los fieles y a las supersticiones. En la nueva ciudad la materia prima ya no es el acero sino las creencias religiosas.

Lesbianas de Buenos Aires

Tradicionalmente propiedad exclusiva del machismo, los estilemas de lo popular reaparecen, en la película de Santiago García, en un ámbito en el que adquieren un sentido radicalmente distinto.

Una semana solos

Una semana solos es una película sobre la propiedad y las leyes; o, mejor, sobre cómo la relación entre la propiedad y la ley es inseparable. La ley aparece en la película bajo la forma inmediata del *reglamento*, esto es, las normas que la propia comunidad del country se ha dado para la convivencia y la seguridad de los vecinos.

Castro

En *Castro* no sólo los personajes se desplazan por la ciudad como en un gran baile sino que la medición de los planos está trabajada en una progresión geométrica y como una línea melódica con sus armónicos, contrapuntos y *ritornellos*.

Historias extraordinarias

Historias extraordinarias es un relato sobre el vaciamiento de la identidad, sobre la capacidad de metamorfosis de la palabra y el hechizo de la imagen.

Salas de cine

Anteriormente, las grandes salas de cine eran palacios de fantasía incrustados en la ciudad. En los noventa, las salas de las grandes cadenas uniformizaron y globalizaron las salas que no se comunican con la calle sino con los patios de comida. Las grandes salas se convirtieron, en su gran mayoría, en iglesias evangelistas, en bancos o en casas de juego.

La niña santa
y el cierre de la representación

Deseoso es aquel que huye de su madre.

Lezama Lima

La niña santa comienza donde termina *La ciénaga*: "no vi nada" le dice Verónica a Mumi después de haber peregrinado hacia el tanque de agua en el que, supuestamente, se dibujaba la Virgen. El conflicto entre deseo y creencia en *La ciénaga* estaba apenas esbozado, ya que la creencia estaba siempre afuera (en la televisión y en los devotos que se reunían alrededor del tanque). En *La niña santa*, en cambio, la creencia es el tema central de las dos niñas, casi adolescentes, que se debaten entre los arrebatos místicos y la doctrina religiosa, entre el deseo de querer interpretar su desajuste con el mundo y las reglas que el catecismo les ofrece sobre cómo administrar ese deseo. Estas dos niñas son primas y se llaman Amalia (María Alché) y Josefina (Julieta Zylberberg). Amalia vive con su madre Helena (Mercedes Morán) y su tío Adolfo (Alejandro Urdapilleta) en un hotel y sus vidas cambian cuando se organiza allí un congreso de medicina. Además de asistir a los cursos de catecismo (y preguntarse sobre su misión dentro del plan divino y del mundo), Amalia tiene una experiencia extraña: uno de los médicos del congreso, el Dr. Jano (Carlos Belloso), se ubica a sus espaldas y acerca su cuerpo a la chica hasta tocarla, mientras ella observa una demostración musical de thereminvox.[62] Jano no sabe que se trata de la hija de Helena, con quien traba una relación de mutua seducción, y sólo lo sabrá hacia el final del film. Aunque la película tiene una cantidad de personajes que van dándole matices a una historia muy compleja, esta tríada protagónica (Amalia, Jano, Helena) puede ser la base para iniciar una lectura del film.

El personaje interpretado por Carlos Belloso tiene un nombre tan evidentemente simbólico que resulta difícil no advertirlo. De hecho, ya había aparecido mencionado en la anterior película de Martel. En *La ciénaga*, dos niñas cantan frente al ventilador, deformando sus voces, la siguiente canción infantil: "Doctor Jano, cirujano / hoy tenemos que operar / en la sala de emergencias / a una chica de su edad / Ella tiene veintiún años / Usted tiene un

---

[62] El thereminvox es un instrumento inventado por un músico ruso que fue un pionero en el campo del sonido y la electrónica. El instrumento tiene además la peculiaridad de incorporar con fuerza la dimensión visual ya que las manos no tocan la vara de metal sino las ondas electromagnéticas que emiten (una mano regula el volumen y la otra la altura) y el músico parece estar haciendo magia. Para interpretar el papel del músico, Lucrecia Martel en lugar de poner a un actor se inclinó por Manuel Schaller, uno de los intérpretes más renombrados de Thereminvox en la Argentina, quien logra transmitir con su cuerpo una rara sensación de hieratismo y misterio.

año más / Doctor Jano, cirujano / No se vaya a enamorar".[63] En la mitología romana, Jano era el dios de las puertas, los límites y los umbrales. Se lo llamaba "bifronte" porque tenía dos caras, una mirando hacia la paz y otra hacia la guerra. En *La niña santa*, el significado mítico del nombre admite varias lecturas: su bifrontalidad remite a las relaciones que traba con Helena y su hija Amalia sin saber del lazo que las une, o se vincula con su doble vida, como padre de familia y como hombre perverso que acosa a las adolescentes por la calle o, en definitiva, con el hecho de que Jano es la ambivalencia del umbral de la iniciación de Amalia. El actor lo definió con estas palabras: "Para mí, el guión tiene un montón de mitos. El primero que pensé es en Caperucita y el lobo. Jano es la inocencia de la maldad, y la niña es la maldad de la inocencia" (en LERER, 2003). El actor acierta con la característica dominante de los personajes de *La niña santa*: su ambivalencia.

La ambivalencia atraviesa a todos los personajes, aun aquellos denominados *secundarios*, a los que Martel retrata con un solo trazo sutil. La maestra de catequesis (Mia Maestro) trata de enseñarles a sus alumnas a ser castas y a reconocer el llamado divino, pero está perdidamente enamorada de un hombre que la inicia en los caminos del sexo (la culpa la hace llorar en la primera escena de la película cuando canta "pues del todo me rendí"). Justamente la maestra, que quiere eliminar la ambigüedad y que no soporta los relatos truculentos que le llevan sus alumnas, no incluidos en el programa. O Miriam (Miriam Díaz), que es obligada a trabajar como cocinera por su madre Mirta (Marta Lubos), pero que en realidad es kinesióloga y uno de los personajes más sensuales del film. En un registro más televisivo (y así está compuesto excelentemente el papel por Mónica Villa), la madre de Josefina habla permanentemente de los "buenos modales", pero dice "china inmunda y atrevida" cuando se entera de que la mucama se lavó los dientes en la pileta de la cocina. Algo similar sucede con los protagonistas. Jano, profesional y padre de familia respetable, sale a las calles para acosar a una adolescente. Después, hacia el final del film, amenaza a Amalia con avisarle a la madre y va a su cuarto, pero termina no diciéndole nada y, besándola, en cambio, apasionadamente. Algo similar sucede con Josefina que, como no quiere "relaciones prematrimoniales" (repite el sintagma que aprendió en catecismo como lo hace también Amalia cuando le dice "qué refulgente tenés el pelo"), se deja penetrar analmente por su primo y, cuando es descubierta por su madre, recurre a la historia de su prima y a su relación equívoca con Jano que había prometido no revelar. No es tanto que la traicione sino que se salva a sí misma. Comprendió, a diferencia de Julieta, que hay que aprender a vivir con esa dualidad ("tengo el don del aprendizaje", afirma). Finalmente, Helena utiliza el hotel como escenario de la seducción de Jano y termina representán-

---

[63] Agradezco a Jimena Rodríguez que me haya llamado la atención sobre este pasaje. Según LERER, 2003, se trata de una rima que cantaban los chicos en España, inspirados en el buen mozo Dr. Gannon de la serie de TV Centro Médico y no estaba en el guión original sino que fue un aporte de una de las niñas durante el *casting*.

dose a sí misma en la dramatización que cierra el congreso. Es, de todos los personajes, el más pendiente de la mirada ajena y de ahí su duplicidad.[64] La ambivalencia que fundan con sus actos estos personajes tiene que ver con la necesidad de sostener el orden de la representación social, es decir, de aquello que debe ser visto por los demás y aquello otro que debe quedar oculto. Pese a ser una ficción protagonizada casi exclusivamente por mujeres, la mirada masculina (y de ahí la importancia de Jano) es fundamental para distribuir los roles de los demás personajes, principalmente el de la madre y la hija.

Los únicos dos personajes en quienes esta ambivalencia no se presenta son el doctor Vesalio y Amalia. El doctor Vesalio recorre el hotel como un fauno persiguiendo ninfas. Además de encarnar una típica obsesión masculina, las actitudes de Vesalio lo llevan finalmente a ser expulsado del Congreso. En sus correrías, en su velocidad y ansiedad que han convertido al mundo en algo despojado de toda densidad, lo que este hombre pierde es el vínculo entre el misterio y el deseo. El otro personaje es Amalia, quien, como dice Belloso, encarna la "inocencia" o la santidad: en su integridad y en su candor, esta niña se interna en la lógica trágica del deseo una vez que se arroja a lo social. Se masturba, persigue al hombre que la acosó, o se besa en la boca con su prima con la misma pureza con la que asegura que la caída de un hombre es un milagro, con la que canta una canción religiosa y con la que sostiene que ya tiene una misión en el plan divino. Amalia cree en lo que ve y en lo que oye, y es la única que gira la cabeza hacia atrás para ver más, para ver todo, para comprender en qué consiste la llamada divina.[65]

Esta ambivalencia dominó las representaciones tradicionales que se han hecho de la figura femenina a lo largo de la historia con la polaridad mujer-amante y mujer-madre.[66] En *La niña santa*, la mujer-madre es la madre de Josefina, mientras la mujer-pasión es Helena, quien arma el juego de seduc-

---

[64] La primera visión que tiene Jano de Helena se da a través de un espejo, como si no se encontrara con su cuerpo sino con su reflejo. Es, además, el reflejo de su espalda, así como él también percibe la espalda de Amalia (cuando se apoya sobre ella) y la cámara insiste en mostrar permanentemente la nuca de Jano. *La niña santa* encuentra así uno de sus temas: aquello que los cuerpos hacen más allá de la mirada simbolizado por las partes de nuestro propio cuerpo que no podemos observar.

[65] El cartel de la película la representa, justamente, en el momento en que gira la cabeza hacia atrás para enfrentar a Jano, su acosador, que huye.

[66] Esta polaridad también está presente en los relatos sobre la vocación que se narran en catequesis. En uno, "una madre" le avisa a un camionero que hubo un accidente en la ruta y cuando el camionero llega al lugar del accidente, descubre que quien le avisó fue la misma madre que yace muerta, al lado de su hijo al que, con este aviso, le salvó la vida. El otro relato es el de una "mujer de vida mundana" que ve morir a sus amigos en un accidente y entonces decide dedicar su vida a cuidar a los desesperados. Paradójicamente, la primera muere (aunque salva a su hijo) mientras la segunda se salva. Sean cumplidoras o transgresoras, los relatos castigan a ambas y las mujeres, como dice la letanía que cantan en las clases de catequesis, son siempre las que están "perdidas".

99

ción con el doctor Jano, es observada admirativamente por los hombres en la piscina y, según el hermano y Jano, debería ser actriz ("tendrías que dejar todo y dedicarte a la actuación").[67] La casa de la madre de Josefina, como ella misma lo recuerda a lo largo del film, es lo opuesto al hotel, lugar de tránsito y en el que ninguna familia es posible. Amalia, la niña santa, viene a romper ambas lógicas, porque en el plan divino que ella imagina su figura perturbadora no remite a ninguno de los dos modelos o, mejor, impugna lo central de ellos: ser vista y ser representada. En esta visión de la mujer, los hombres imponen su lógica con una mirada de exterioridad y disciplinamiento que se transforma en social y totalizadora (divina) (CAVARERO, 1998: 303).[68] Por eso Amalia escapa a la mirada y se interna en los laberintos de la audición, el tacto y la voluntad divina. Amalia no se somete, como la madre, a la mirada del hombre, al orden de la representación, al juego del paciente que enamora al doctor ("Doctor Jano, cirujano / No se vaya a enamorar"), sino que toca y escucha el llamado.

El aprendizaje de los personajes, como sucede con la precoz Josefina, es comprender que viven en un mundo de apariencias, es decir, en un mundo en el que hay que desempeñar un papel (DANEY, 2004: 192). De allí que la película termine en un escenario, en el momento mismo de comenzar la representación. La representación, como se dice más de una vez, es el *cierre* del congreso. Sin embargo, la película termina antes de que ese cierre se produzca, en el umbral en el que comienza la representación de Jano como médico y de Helena como paciente. Martel muestra que el deseo, en esa sociedad, no se puede representar, y que cada vez que se lo pone en escena, la visión le impone sus órdenes, sus jerarquías y le imprime el dominio ocular masculino. Por eso Amalia es la única en la que el deseo puede expresarse sin ser sometido: no sólo porque huye de los ordenamientos visuales sino porque en su mundo, en su plan divino, no hay pecado.

La niña santa: una acusmática de la creencia

En el triángulo que domina *La niña santa*, la competencia entre la madre y la hija establece un verdadero contrapunto que gira alrededor de la figura deseada de Jano, personaje encarnado de un modo poco sensual o poco seductor por Belloso. Este contrapunto erige dos zonas totalmente diferenciadas en relación a la dimensión sonora: el ruido que hostiga a Helena se opone al

---

[67] A su vez, Helena recibe llamados de la mujer de su ex-marido que le recuerdan su papel de madre y esposa, pero ella no los atiende.

[68] Según Adriana CAVARERO, se representa "la naturaleza de las mujeres como específica naturaleza pasional. La cual es considerada desordenadora, peligrosa y autónomamente incapaz de enmendarse desde el *interior*, y por lo tanto se ve necesitada de que se la discipline desde el *exterior*, lo que en general suele estar a cargo de hombres" (303).

llamado, también difícil de interpretar, que acosa a su hija. La madre sufre del Síndrome de Ménière, una enfermedad misteriosa cuyas causas todavía se desconocen y cuyos efectos son devastadores: un ruido ensordecedor y molesto que puede llevar a la locura. La persistencia de estos "acúfenos" (ruidos) convierte a Helena en un *caso* y en un candidato ideal para la representación final del Congreso.[69] Amalia, en cambio, no es presa de ningún ruido sino del *llamado*, una voz sobrenatural e inaudible que la alerta sobre su papel en el plan divino. Algo de la omnipotencia divina que hace que Amalia busque a Jano (haciendo aparecer el encuentro azaroso como providencial) se repite modificado en el encuentro de Helena con Jano o de la paciente con su médico, ya que el Dr. Jano se especializa en este síndrome (el encuentro azaroso es providencial). Así también madre e hija se oponen en las composiciones que eligen como emblemas: la canción sensual que baila frente al espejo y el poema del Romancero que baila y recita Helena, frente a los villancicos y las letanías a la Virgen María que canta y recita Amalia.[70] Más allá de estas diferencias en el perfil sonoro de los personajes, los ruidos de Helena hablan de una deficiencia que se compensa con una exuberancia visual: su imagen está atrapada en el espejo, y ahí la vemos cuando la descubre Jano o cuando baila en su cuarto. Con su obsesión por cómo es percibida (lo que se llama *ser coqueta*), Helena encuentra placer en el campo visual dominado por la mirada masculina.[71] Amalia, en cambio, se interna en el laberinto sonoro y usa los sonidos, el tacto y hasta el olfato para atrapar a Jano, el hombre al que quiere salvar. Sale del orden visual para moverse en otro, hecho de sonidos, olores y superficies.

---

[69] Por las noches, Helena siente esa molestia que es la misma que sufre el personaje de la película que está viendo por televisión: Graciela Borges en *Heroína* (1972) de Raúl de la Torre. En vez de invocar a Torre Nilsson (el director con quien se la comparó a propósito de su primer film), Martel recurre aquí a Raúl de la Torre, el primer director argentino con una temática exclusivamente femenina con, además de *Heroína*, *Juan Lamaglia y Sra.* (1970), *Crónica de una señora* (1971) y *Sola* (1976), todas ellas con Graciela Borges.

[70] Helena le recita a su hija unos versos del Romancero ("A cazar va el caballero, / a cazar como solía; / los perros lleva cansados, / el falcón perdido había") para que deje de recitar sus letanías ("Madre de la divina gracia / Madre purísima / Madre castísima / Madre virginal /Madre sin mancha [...] Salud de los enfermos / Refugio de los pecadores / Consuelo de los afligidos / Auxilio de los cristianos / Reina de los Ángeles [...] Reina de las Vírgenes / Reina de todos los Santos / Reina concebida sin pecado original"). El poema que recita Helena es el "Romance de la infanta", una cruel y bella historia en la que un caballero deja a su niña enamorada y le promete volver después de pedirle autorización a su madre. Cuando vuelve, ella ya no está y él mismo se castiga cortándose pies y manos. Como también sucede en Martel, la madre se interpone entre el deseo y su objeto.

[71] La posición fundamental de la mujer en relación al deseo radica en el hecho de que –según palabras de Pierre BOURDIEU– "está condenada a ser vista a través de las categorías dominadoras, es decir, masculinas" (1998: 89).

En la creencia religiosa católica siempre ha desempeñado una importante función el conflicto entre lo visual y lo sonoro. "Quien quiera oír que oiga", decía Jesús al terminar sus parábolas, y casi todo el misterio de la religión gira alrededor de las palabras que el Ángel le dice a la Virgen en la Anunciación. De tal modo que hasta hubo teólogos que sostuvieron que la Virgen había procreado por el oído.[72] En La Biblia se lee que "la fe viene por audición y la audición por la palabra de Cristo" (Romanos X: 17). La imagen visual también ha tenido un carácter persuasivo en la religión, sobre todo en la propaganda católica, pero parece recurrir a un funcionamiento de la creencia diferente al de los sonidos.[73] Mientras los sonidos tienen que ver con la presencia, lo interior, el recogimiento, la imagen impone la distancia, la exterioridad, la distinción de los elementos. La visualidad impone una relación de poder y dominio diferente a la de la audición: "el doctor tuvo muy buen ojo", dice Vesalio para referirse al hecho de que Jano haya elegido a Helena para la representación final.

Frente a este mundo de la claridad visual, se erige el de la confusión sonora en el que las relaciones causales están trastrocadas: el origen del sonido puede aparecer después o esconderse en los pliegues del espacio. Un término de la teoría cinematográfica tal vez nos ayude a recorrer este laberinto del oído: "acusmática" es la palabra que designa a un sonido sin fuente visual reconocible ("que se oye sin ver la causa del sonido").[74] Pero el término tam-

---

[72] "Did Mary conceive through the ear, as Augustine and Adobard assert?" se pregunta Beckett en *Molloy*. Según Lucas Margarit (uno de los especialistas en Beckett en la Argentina), no hay registros sobre quién es Adobardo (hay un Agobardo de Lyon que vivió en el siglo VIII pero es más probable que se trate de una invención de Beckett). En cuanto a San Agustín, se trata de todas las reelaboraciones que hizo en sus Sermones de la frase "la Palabra se hizo carne" (sermones 72 / A, 7; 215 - 4 y 293 B, 4). En *La Biblia* también se encuentran algunas referencias a esta concepción por el oído: Lc, I, 5-17: "María concibió la Palabra" y Rom, X, 7: "La fe viene por audición y la audición por la palabra de Cristo".

[73] Escribe Roland BARTHES a propósito de Ignacio de Loyola: "Al comienzo de la época moderna, en el siglo de Ignacio, un hecho empieza a modificar al parecer el ejercicio de la imaginación: un cambio en la jerarquía de los cinco sentidos. En la Edad Media, nos dicen los historiadores, el sentido más fino, el sentido perceptivo por excelencia, el que establece un contacto más rico con el mundo, es el oído; la vista llega en tercer lugar, tras el tacto. Luego se realiza una inversión: el ojo se convierte en el órgano principal de la percepción (el barroco, que es el arte de la cosa vista, lo demuestra). Este cambio tiene una gran importancia religiosa. La primacía del oído, muy fuerte todavía en el siglo XVI, estaba teológicamente avalada: la Iglesia funda su autoridad en la palabra, la fe es audición: *auditum verbi Dei, id est fidem*; sólo el oído, dice Lutero, es el órgano cristiano. Una contradicción puede aparecer entre la percepción nueva, dirigida por la vista, y la fe antigua, basada en el oído. Ignacio se ocupa precisamente de reducirla: quiere fundar la imagen (o 'vista' interior) en la ortodoxia, como unidad nueva de la lengua que está construyendo" (1997: 81).

[74] Las clasificaciones del sonido en cine siempre han sido muy problemáticas y casi todas realizadas en función de lo visual. Para el sonido cuyo origen no es perceptible en

102

bién evoca –en palabras de Robert STAM– "asociaciones intrafamiliares muy personales. Para el niño que aún está dentro del vientre materno, la voz de su madre le resulta extrañamente acusmática. En la historia de la religión, el término evoca la voz de la entidad divina que a los simples mortales les está *prohibido* ver" (2001: 252). CHION sostiene que el sonido acusmático o que no revela su fuente es "mágico o inquietante" y "simboliza el doble no corporal del cuerpo" (1999: 173). En *La niña santa* la relación entre causa y efecto se invierte y sólo después de escuchar el sonido vemos la fuente que lo produce: los estallidos que escuchan Amalia y Josefina al costado de la ruta provienen, la imagen lo muestra, de unos jóvenes que están cazando; el ruido del cuerpo que cae en la casa de Josefina es, la imagen lo muestra, el de un hombre desnudo que se cayó del segundo piso; los ruidos misteriosos que se escuchan en la piscina de aguas termales del hotel son, la imagen lo muestra, los que hace Amalia para llamar la atención de Jano. Pero este develamiento no logra disipar el misterio del mundo de los sonidos, que tiene una lógica propia y continua: en estas oscuridades encuentra Amalia su fortaleza para escapar del orden del dominio visual.

La perturbación de los personajes aparece cuando la causa del sonido se oculta. Así le ocurre a Jano cuando Amalia lo perturba golpeando una de las barandas de la piscina. La primera escena en que esta perturbación causal se hace evidente (visual) es en la escena del thereminvox. Mientras el músico hierático toca el instrumento en la vidriera de un negocio, los espectadores, entre quienes está Amalia, miran fascinados desde la calle cómo se produce ese sonido misterioso sin origen. Hasta ese momento la historia había avanzado en un contrapunto entre el hotel y la seducción de Helena sobre el recién llegado Jano y las clases de catequesis de Amalia y Josefina. La escena del thereminvox viene también a perturbar este contrapunto porque ahí se encuentran (se tocan) Jano y Amalia. El instrumento, además, vuelve a narrar, con música, el conflicto que atraviesa la protagonista entre la creencia (la música de Bach) y la seducción del amor carnal (*Carmen* de Bizet). Ella se interna en ese "llamado" que confunde las dos cosas en una misma: hacerle conocer el amor a Jano (ofrecerle la otra mejilla) es su salvación cristiana. Para Amalia, el deseo no establece un sistema de prohibiciones y jerarquías sino que es una energía que atraviesa todo sin culpas ni convenciones: desde el largo beso que le da a Josefina hasta sus persecuciones a Jano. Amalia no se entrega a la mirada del otro sino que sigue un sonido.

---

la imagen (el que no es *in*), se utilizaron dos denominaciones: sonido fuera de campo (cuando es diegético) y *off* cuando está fuera de la diégesis. Como pudo verse por los ejemplos anteriores, en *La niña santa* el sonido se presenta en un fuera de campo para después transformarse en un sonido *in*. Para este tema ver los indispensables libros de Michel CHION (1999, entre otros) y la sucinta pero a la vez exhaustiva exposición del término "Sonido" en RUSSO, 1998.

Entre el llamado y la representación

Frente a la lógica visual y masculina de la dominación, las teóricas del feminismo han imaginado varias alternativas posibles, ya sea dentro del mismo campo visual, ya sea en la potencialidad de otros sentidos, principalmente el tacto y el oído.[75]

La "representación como cierre" del congreso es un sintagma que se menciona varias veces a lo largo de la historia. La película, justamente, finaliza con la representación escénica que se suspende como si hubiera algo que no se pudiera ver o que no se pudiera representar para la lógica del film: la representación "cierra" tanto la historia de Jano y Helena como la del congreso.[76] Después de frustrar la posibilidad de verlos en escena finalmente a Jano y a Helena, en una concreción desviada del deseo amoroso, la película inserta otro final, el de Josefina y Amalia nadando en la piscina mientras ésta última pregunta: "Hola, hola, ¿escuchás?"

La representación final entre Jano y Helena, en la que él hace de médico y ella de paciente, viene a concretar, de un modo sublimado, la relación amorosa entre ellos, siempre anunciada pero nunca llevada a cabo. Finalmente parece que se va a representar el deseo de ambos aunque sea en las formas

---

[75] Es inmensa la bibliografía sobre la relación entre privilegio de la visión (ocularcentrismo), dominio masculino (falocentrismo) y preeminencia de la razón (logocentrismo) en la cultura occidental, principalmente en el ámbito del feminismo francés postestructuralista. Puede verse un lúcido análisis de estas posiciones en el ámbito que aquí nos interesa (el campo de la crítica cinematográfica) en el libro de Martin JAY (1993). En su ensayo "La tecnología del género", Teresa de LAURETIS propone –siguiendo en este punto a Foucault– que el cuerpo de la mujer saturado de sexualidad es "percibido como un atributo o propiedad del varón" (1996: 21) y que en una cultura patriarcal "la mujer es irrepresentable excepto como representación" (1996: 27). Es decir, que el orden de la representación, al que pertenece el aparato cinematográfico, está constituido por la mirada masculina.

[76] Ricardo Vallarino (h) en una nota publicada en www.bazaramericano.com hace otra interpretación de este final, en la que desliza un fuerte juicio de valor sobre la película: "El problema del film reside en que, con una narración que tiende a un clímax, no lo satisface. De hecho es propicio: Jano está acorralado y arriba del escenario, todo está listo para el desenlace patético, y sin embargo Martel nos lo niega ¿Por qué? ¿Por qué Martel omite ese final inminente? Mi hipótesis es que, recurriendo a una potente identificación, Martel quiere privarnos de una catarsis sin recurrir a una distancia brechtiana. Esta incomodidad es manifiesta en lo tocante a lo sexual: toda escena sexual es interrumpida, nunca se nos muestra un orgasmo, un éxtasis. La sensación de insatisfacción, de frustración, es lo que se busca. Siendo grave en su relato, la directora determina a sus criaturas (y a su mundo) por fuerzas oscuras, inconscientes, y, para bien o para mal, decide mantener el carácter de "apertura" dejándonos con un plano (otra vez) de la pileta. Todo está casi absolutamente cerrado, y a la vez abierto, todo está absolutamente determinado; y a la vez, todo es posible". Sin embargo, Vallarino parece dejar de lado tanto la escena de la masturbación de Amalia como el prolongado beso que se da en la boca con Josefina.

tradicionales del hombre que sabe y de la mujer que es paciente y se deja "observar". Ya la conquista se había anunciado en la discusión sobre los colores de la vestimenta de Helena (otra vez lo visual como modo de seducir) y con el beso, producto de un malentendido, que debe supenderse para dar paso a la representación. Allí, la mujer-amante deviene actriz y paciente a un mismo tiempo y se convierte de mujer que seduce en mujer que se subordina a la mirada y al saber del otro, un hombre. Helena presta su oído para que Jano lo ausculte y termina amoldándose al rol al que la somete la mirada masculina.

Frente a la oposición mujer-madre y mujer-amante, Amalia —la niña santa— plantea el desequilibrio de la *entrega absoluta*. Los relatos leídos en el seminario de catequesis ponen en escena un tercer modelo que cuestiona y desbarata a los otros. La maestra de catequesis, es verdad, apenas puede tratar los relatos de la mujer que muere en el accidente y el de la mujer de vida mundana que abandona todo para cuidar a los desesperados. Pero más allá de su truculencia, estos relatos se encuadran dentro de una lógica del sacrificio que no cuestiona la doctrina. El fantasma de la madre muerta salva la vida del hijo y la mujer mundana abandona todo para dedicarse a la beneficencia. ¿Pero qué hacer con el relato que lee Amalia y después vuelve a leer Josefina en el que una mujer, "vestida de la Divina Caridad", sostiene que es "preferible sufrir más en nuestro mundo por la salvación de un alma antes que estar en la gloria con Nuestro Señor"?[77] Y más todavía —aunque la maestra no sabe esto— si este desequilibrio lleva a Amalia a impregnarse del cuerpo del varón al que quiere salvar (aspira con fruición su espuma de afeitar, que se colocó en la remera) y a perseguirlo con propósitos sexuales. Amalia encuentra su *misión*, pero ésta se coloca más allá de los preceptos de la religión que le sirven de punto de partida. La niña-adolescente elige el mundo, 'nuestro mundo', con toda su pasión y todos sus sentidos. Sujeto deseante y no objeto deseado producido por la mirada de los otros.

Amalia vence: es niña y es santa, está más allá de la representación en un mundo en el que la representación frustra toda posibilidad de deseo.

---

[77] Se trata de un texto fotocopiado cuya autoría pertenece, según dice Josefina, a "M.D.V." y es del siglo XVII. Tal vez la lectura completa del texto permita ver mejor su extraña lógica: "Estaba un día vestida de la Divina Caridad y entonces vi al Señor que tenía en brazos a un enemigo mío que estaba muerto y por el que yo había rezado. Me dijo: 'Aquí está nuestro hijo, ¿a quién amas más? ¿A mí o a nuestro hijo?' Yo respondí que amaba más a nuestro hijo, es decir, que prefería sufrir más en nuestro mundo por la salvación de un alma antes que estar en la gloria con nuestro Señor".

Los guantes mágicos: ruidos en la superficie

La acusmática le proporciona a la imagen de los films de Lucrecia Martel un relieve y una profundidad que se acentúan con la superposición y la fragmentación de los cuerpos, creando un *espacio estriado* por el fuera de campo (de sus ruidos o de lo no visto). En Rejtman, en cambio, los sonidos casi siempre están dentro de la imagen: ahí están los inmensos parlantes, o el motor del Renault 12 o el gimnasta que jadea y resopla, casi siempre en cuadro, casi siempre visibles.[78] Se trata de un *espacio alisado*. También en este aspecto se cumple el lema de REJTMAN: "El cine es superficie, nunca profundidad" (1999: 140). Los ruidos no están en otro lado (detrás, al costado, por debajo) sino que son signos que se inscriben en la imagen. También en las posiciones de los personajes y de los objetos se diferencian uno de otro: mientras en Martel un cuerpo siempre está detrás de otro, Rejtman los ubica en la misma línea, como si en vez de distribuirse en el espacio se dibujaran sobre la pantalla.[79] El enemigo de la puesta en escena de Rejtman es la perspectiva que crea la profundidad de campo porque tiende a crear un sistema de jerarquías abominable. En la entrevista con Alan PAULS (2004), Rejtman dijo que en sus películas había "una especie de utopía: un mundo donde todo tiene un mismo valor". Esta neutralidad y parquedad que ya eran perceptibles en *Silvia Prieto* se disemina tan vastamente en *Los guantes mágicos* que no cabe hablar ni de progresión dramática ni de clímax narrativos. Esto se extiende también a una puesta en escena que jamás privilegia a un personaje con un primer plano o que no utiliza el plano–contraplano para los diálogos y que no jerarquiza a los personajes a través de su ubicación en el espacio.[80] La escena de la nieve en Buenos Aires, por ejemplo, que podría haber suscitado una cierta demora, un subrayado del prodigio, se limita a una breve y bella escena del protagonista descendiendo de su auto. Un registro neutro para un hecho extraordinario.

---

[78] Hay, por supuesto, excepciones, pero son pocas y generalmente la fuente de sonido está al alcance de la mano, para decirlo de alguna manera. Se trata, casi invariablemente, de sonidos que emiten aparatos tecnológicos de reproducción: la radio del auto, las teclas del celular, la televisión de donde salen los sonidos de la película pornográfica, el ruido de la alarma del auto, la música de la disco.

[79] Esta diferencia en la composición del plano también puede extenderse a las elisiones, tan importantes en el cine de Martel como en el de Rejtman. La elipsis en Martel siempre tiene que ver con lo que se oculta, con la falta, con lo que se calla o no se puede decir o mostrar. En Rejtman, en cambio, la elipsis es salto, segmentación, paso de una cosa a otra.

[80] Es raro que en *Silvia Prieto* o en *Los guantes mágicos* un personaje aparezca detrás de otro. Un ejemplo interesante es el del plano de *Los guantes mágicos* en el que Alejandro aparece conduciendo el micro detrás de su copiloto. Después se produce un corte y, en el plano siguiente, aparece Alejandro en el lugar del copiloto y éste manejando.

106

Hasta resulta difícil determinar de qué habla *Los guantes mágicos*, cuál es su tema y cuáles sus definiciones. Aparecen los *leit motiv* de la narrativa y del cine de Rejtman, sin duda, pero todo presentado en una misma superficie, sin relieves ni énfasis.

Por la cantidad de acontecimientos que se suceden y por la deriva a veces disparatada, a veces impredecible, es tan difícil resumir la trama de *Los guantes mágicos* como la de *Silvia Prieto*. La historia comienza un día de lluvia en el remise de Alejandro (Gabriel "Vicentico" Fernández Capelli), un Renault 12. En el asiento de atrás viaja Sergio "Piraña" Romano (Fabián Arenillas), quien reconoce a Alejandro. Según le dice, el remisero había sido compañero de escuela de su hermano Luis (Diego Olivera), quien ahora vive en Canadá. Invita entonces a Alejandro y a su novia Cecilia (Cecilia Biagini) a cenar a su casa, pero como éstos se pelean, el remisero decide ir solo. Susana, la esposa de "Piraña", es agente de viajes y además, entrometida: para componer la relación, llama a Cecilia y le recomienda un viaje a un *spa* en Brasil. Cuando Cecilia regresa de su viaje, Alejandro va a Ezeiza a buscarla y conoce, por intermedio de su ex-novia, a Valeria (Valeria Bertucelli), una azafata con la que comienza una relación amorosa. Debido a su pelea con Cecilia, Alejandro termina viviendo en el departamento de Luis que le ofrece "Piraña". Cecilia conoce a Daniel, un paseador de perros (Leonardo Azamor) e inicia una relación que gira alrededor de las pastillas tranquilizantes que consumen. Después llega Luis de Canadá para filmar una película pornográfica y se instala en su departamento junto con Alejandro, donde monta un gimnasio y un estudio improvisado en el que filman algunas escenas con los actores rusos que han llegado con él. A partir de conversaciones que tiene con su hermano, a Piraña se le ocurre un negocio increíble: la importación desde Hong Kong de guantes mágicos para aprovechar la ola polar que se cierne sobre Buenos Aires. El primer cargamento es un éxito y Alejandro vende su auto para invertir en guantes y seguir con las importaciones. Este segundo cargamento, sin embargo, tarda más de lo previsto y cuando arriba al puerto de Buenos Aires, la llegada del calor frustra toda posibilidad de venta de la mercadería. Los personajes terminan así: Susana viaja a Brasil y no vuelve, Luis retorna a Canadá para proseguir su carrera de actor porno, Cecilia se vincula afectivamente con Hugh, uno de los actores porno ruso-canadiense (Pietr Krysav), "Piraña" sigue haciendo dinero, Alejandro —quien continúa su relación amorosa con Valeria— pasa de ser remisero a conductor de micros de larga distancia. Ah, me olvidaba: antes de separarse, Alejandro discute con Cecilia porque ella no quiere ir a bailar ("no quiero estar rodeada de chicos de dieciocho años"): la última escena muestra a Alejandro en una disco bailando la canción "Vanishing Point" de *New Order*.[81]

---

[81] *New Order* es el nombre que asumió *Joy Division* tras la muerte de su líder, Ian Curtis. Se trata de un grupo emblemático de fines de los ochenta que marca, de alguna manera, la perseverancia de la juventud en el hombre que está dejando de serlo.

Al abrigo de un mundo

Al final de *Rapado*, Lucio está esperando el colectivo que lo llevará de retorno a su casa. A su lado, pasa el hermano de su nuevo amigo con un grupo de adolescentes en *skate*. Lucio mira al grupo con interés y después se lleva la mano a la muñeca para descubrir que otra vez se olvidó el reloj en la casa de un amigo. La seducción que ejercen sobre Lucio los *skaters* avanzando en grupo, armoniosamente y a toda velocidad, se comprende mejor si se lee la escena a la luz del relato "Quince cigarrillos" de *Velcro y yo*: "En una especie de trance las seis [chicas *skaters*] dan vueltas en círculo alrededor del aparato de música, como si fuera un objeto de adoración en una cultura primitiva. Reconozco en estos círculos la construcción de un *mundo perfecto y cerrado* del que me siento excluido. Todo ese sudor en función de una abstracción, pienso; no sé si alguna vez voy a poder entrar en ese mundo" (REJTMAN, 1996: 89). El *mundo* es la capacidad de organizar con las series una idea de comunidad, una intensidad de la temporalidad, un goce del sentido. En definitiva, un abrigo en la acepción más integral de la palabra, un refugio que le da un equilibrio al movimiento perpetuo.

La idea de los guantes mágicos sumerge a los personajes en la fiebre económica y a Alejandro en los intercambios desopilantes y despiadados (termina perdiendo todo y pasa de ser remisero a conductor de ómnibus de larga distancia). Como en *Silvia Prieto*, el motivo argumental de la película (la confusión de los nombres, el negocio de los guantes) aparece cuando ya se presentaron los mundos por los que circulan los personajes (un fundido en negro marca, en una y otra, este viraje). Las series ya están en funcionamiento, sólo hay que preguntarse qué es lo que hacen los personajes con ellas. Ambos personajes tienen su mundo y a partir de ese fundido entran en la serie de los nombres o de los guantes mágicos con la que apenas pueden construir otro equilibrio.

Antes que aparezca el negocio de los guantes mágicos, la vida de los personajes transita por tres series: la serie de la salud, la del trabajo con los cuerpos y la del transporte.

La *serie del transporte de pasajeros* (como la denomina irónicamente Valeria) inicia la película y entra dentro de lo que la segunda Silvia Prieto (Mirta Busnelli) definió como "servicios para la clase media". Desde el escalafón más alto al que Valeria, la azafata de *charters*, nunca llega (los vuelos internacionales) a los dos escalafones más bajos: el manejo de micros de larga distancia y el paseo de perros, un verdadero servicio para la clase media. Dentro de los remises, a su vez, están los Renault 12, un auto tipo por el que Alejandro siente una relación afectiva especial: por el *suyo*, pero también cualquier por Renault 12.[82] Además, con unos pequeños arreglos (una bola de espejitos, las luces de colores y la *dance music*), el auto tiene la virtud de convertirse en una

---

[82] Existe, en efecto, un mundo del Renault 12 y se encuentra en http://www.renault12club.com.ar.

disco en miniatura, que es lo que más le gusta a Alejandro. En esta serie, hay una continuidad entre el juego y el placer y el lugar de trabajo: no sólo Alejandro disfruta de su auto sino que Valeria dice que es azafata porque los aviones le recuerdan a las casas de muñecas con las que jugaba de niña.

La *serie de la salud* se encuentra agazapada en los cuerpos de todos los personajes y se presenta con cierta consistencia a los cuarenta años. Alejandro tiene treinta y seis, y como le dice el médico, "está más cerca de los cuarenta que de los treinta". Es un momento extraño porque las enfermedades no suelen tener un origen orgánico, como suele pasar en la vejez, ni puramente emocional, como en la juventud. Es una mezcla de ambas y eso deprime más a los personajes: "¿la depresión es orgánica o emocional? ¿Los estados se suman o se neutralizan?", pregunta Daniel, el paseador de perros. Cecilia y Susana entran también en este mundo de deprimidos y comienzan a recorrer la serie de los ansiolíticos y sedantes. Un verdadero catálogo (el cine de Rejtman encuentra narraciones en los catálogos): Valium, Xanax, Melatol, Alplax, Halopidol y tantos otros.[83] "¿Lo tuyo qué es: orgánico o emocional? La depresión digo", le pregunta Cecilia a Daniel. Y éste responde: "Lo mío es cien por ciento emocional, no jodamos. Si tuviera algo que ver con lo orgánico me mato" (es decir, Daniel afirma que *todavía* es joven). La serie de la salud envía también a la cómica serie de los médicos: va por el oído a un oftalmólogo y termina en un oculista que le receta anteojos y le arroja su lema apenas entra: "primero receto, después reviso".

La *serie del trabajo con los cuerpos* viene de la mano de Luis y tiene cierta persistencia en la literatura de Rejtman. "Barras", uno de sus relatos más logrados incluido en *Velcro y yo*, cuenta la historia de una chica que trabaja en las cajas de un supermercado que, después de despedida, descubre las bondades de tener un gimnasio en su propio departamento. Pasa del código de barras a las barras para ejercicios físicos. El interés que le suscitan a Rejtman las costumbres de los gimnastas radica en que llegan a constituir un mundo propio con sus comidas, sus suplementos vitamínicos, sus rutinas y sus bebidas (cf. Beatriz Sarlo en BIRGIN, 2003: 131). Como los depresivos encuentran consuelo y tema de conversación en los que también sufren esa enfermedad, los gimnastas construyen entre ellos un mundo de pertenencia. Frágil, tal vez, pero no por eso desdeñable. Al final de "Barras" se lee: "Los cuatro [gimnastas] parecen haber alcanzado un *equilibrio* en sus vidas en donde la rutina se convierte en placer fácilmente y el placer en rutina" (REJTMAN, 1996: 65, subrayado mío).

El equilibrio como ideal del cine de Martín Rejtman. Pero hay algo más, porque esta fascinación por los gimnastas o por los actores porno está relacionada con el trabajo, con la producción de dinero y con una progresión verificable: el trabajo con el cuerpo tiene la peculiaridad de que es claramente percibido. La "tonificación" muscular (cada mundo tiene su propia jerga) hace que aquello que el trabajo ya no puede lograr más en la sociedad (el avance

---

[83] Algo similar sucede con las marcas de shampoo ("Revlon, Helena Rubinstein, Sedal, Wellapon, Plusbelle, Springtime...") entre las que se debe decidir Silvia Prieto.

sostenido y progresivo con resultados a la vista) pueda hacerse en el propio cuerpo. Zygmunt BAUMAN, en *Modernidad líquida*, hace algunas observaciones muy lúcidas sobre el hecho de que "la sociedad posmoderna considera a sus miembros en calidad de consumidores y no de productores" (2003: 82). Lo central en este cambio es que el consumo "debe arreglárselas sin normas" porque jamás puede considerarse satisfecho. Esto hace que "estar en forma" (como le dice el hermano de Piraña a Alejandro) sea un ideal que nunca puede cumplirse totalmente aunque tenga la ventaja de que pueda comprobarse a simple vista. En un mundo que cambia permanentemente y que nos niega el reconocimiento, llevar las huellas del trabajo en el propio cuerpo no es algo menor. Basta ver los cuerpos de Luis y de Alejandro y los consejos sobre la necesidad de hacer gimnasia que le da Valeria a éste. En los actores pornográficos este uso del cuerpo para el trabajo alcanza su ápice, porque las relaciones ya no tienen tanto que ver con una acción (hacer gimnasia) como con el hecho de estar dotados por la naturaleza. El riesgo, de todos modos, se muestra en una de las últimas imágenes del film, cuando los personajes ven la caja del video de la película pornográfica y no pueden reconocer al hermano de Piraña porque lleva máscara. Puede ser cualquiera: gana un cuerpo pero pierde un rostro.

De todos modos, para alguien desorientado como Alejandro, convivir con Luis puede transformarse en una pesadilla porque a su tiempo vacío, de sueños y ruidos incomprensibles, se le oponen (en un mismo cuarto) los sonidos corporales y el tiempo regulado y pleno del gimnasta porno. Luis sale de la historia igual que como entró: retorna al lugar de donde vino (Canadá), sigue con el mismo trabajo y la experiencia de los guantes mágicos queda sólo como un mal recuerdo. Alejandro, en cambio, sufre toda una serie de pérdidas, comenzando por aquella que lo definía: el Renault 12. Pasa de ser conductor de remises a ser conductor de micros, algo nada muy auspicioso, sobre todo si se tienen (casi) cuarenta años. Sin embargo, algo ganó: una novia y la posibilidad de seguir yendo a la disco y bailar "Vanishing point" de *New Order*.

> My life ain't no holiday
> I've been through the point of no return
> I've seen what a man can do
> I've seen all the hate of a woman too
>
> Feel your heartbeat lose the rhythm
> He can't touch the world we live in
> Life is short but love is strong
> There lies a hope that I have found
> And if you try you'll find it too
> Remember why I'm telling you
>
> [Mi vida no tiene descanso
> Ya pasé un punto sin retorno

Vi lo que un hombre puede hacer
Vi también todo el odio de una mujer

Sentí los latidos de tu corazón, pierde el ritmo
Él no puede tocar el mundo en el que vivimos
La vida es corta, pero el amor es fuerte
Ahí está la esperanza que yo encontré
Si haces la prueba vos también la vas a encontrar
Recuerda por qué te lo digo.]

De todo el nuevo cine argentino, la obra de Rejtman es la que ataca más integralmente la idea de significado y busca su propia línea de fuga (su "vanishing point") en los sonidos, en la percepción, en las materias. Como en el nombre "Silvia Prieto" que no significa nada: lo que hace mover la historia es el significante. En *Los guantes mágicos*, la línea de fuga es la propia música que baila Alejandro.[84] Con esta canción, el remisero logra convertir el ruido en música: frente a la edad, el tiempo y las inclemencias de la vida, Alejandro no puede retornar a los veinte años pero puede, mientras baila, sentir una intensidad que lo secuestra de los apremios del presente.

Actos de habla

Hay un mundo que contiene a todos los otros y es el del propio Rejtman. Lo neutro, la puesta en escena aplanada, las series desopilantes, la composición discreta y ascética son algunos de esos rasgos que hacen inmediatamente reconocible sus películas. Sin embargo, el elemento más identificatorio de su cine está en el campo del sonido y es el tratamiento de las voces. Con los materiales de las frases típicas, el realizador trabaja obsesivamente la búsqueda de un recitado, de un *tono*, artificial y neutro, que recorre integralmente el film.

Por eso, antes que ser una expresión de un contenido, los diálogos son una masa sonora o, para decirlo con la expresión de Rosario Bléfari ya citada: una "cadencia". Al mismo tiempo que decimos *algo*, decimos el decir mismo. O para usar una frase de Paul Valèry citada por Paolo Virno en el epígrafe de *Cuando el verbo se hace carne*, "Antes todavía de *significar* algo, toda emisión del lenguaje *señala* que *alguien habla*". Y no sólo expresamos un significado en el contenido de lo que decimos sino en el tono, la cadencia o el volumen. Las voces en Rejtman van desde lo gutural a lo plenamente articulado (la voz-en-off), así como los sonidos van desde los ruidos ensordecedores a la melodía amable. En *Silvia Prieto*, el límite se toca (o se escucha) con la interpretación del grupo de rock *El otro yo* y la bajista María Fernanda Aldana desgañitándo-

---

[84] Una música, por otro lado, tan diferente a la de Piraña, que sirve casi como una suerte de instrumento de tortura.

se en gritos, chillidos y alaridos. El evento forma un mundo a partir de algo que está más allá del signo o del habla articulada.[85] Algo similar sucede con Alejandro en *Los guantes mágicos* quien se separa de Cecilia porque según ésta ya están viejos para ir a la disco y se junta con Valeria, con quien sale a bailar varias veces. Mientras bailan, sus diálogos son tapados por la música pero eso no impide que la relación se haga cada vez más fuerte. Antes que lo que se dicen (o se gritan), importa que quieren hablarse y hacerse visibles uno al otro.

Podría entonces diseñarse un decibelímetro del nuevo cine argentino no por lo que los personajes *dicen* sino por lo que mascullan, susurran, gritan o balbucean. Sería *un mapa de tonos*: el sentido de los tonos y no de las palabras. En este mapa, *Pizza, birra, faso* alcanza los más altos decibeles y los insultos proferidos por los personajes no significan nada sino la imposibilidad de comunicarse (sólo una transcripción: "¡¿Qué hacés, la puta que te parió!? ¡¡Estás loco, hijo de puta, la conch'e tu madre!! ¡¡Forro hijo de mil puta te voy a matar!!"). En *Pizza, birra, faso* lo real es el insulto. Según Silviano SANTIAGO, el insulto en las clases subalternas tiene que ver con la ausencia de un enemigo perceptible; de esa manera exhibe su malestar con el mundo: el odio todavía no llega a articular un relato o un sentido (2004). Las dos obras de Lisandro Alonso, en cambio, configuran mapas de silencio en el que las voces, cuando aparecen, lo hacen con el único objetivo de volver a callarse. Sus voces orillan siempre lo incomprensible y lo inaudible: hay que hablar lo mínimo y en voz baja porque la sociedad es imposible. *El descanso*, de Tambornino, Moreno y Rosell, extrae buena parte de su humor de la voz de José Palomino Cortez, quien con sus entonaciones peruanas remite a la retórica profesoral y a la locución radial. Sería un país, en este mapa, que se superpone con los medios masivos: el humor surge del hecho de que asistimos a cómo, en la actualidad, somos hablados por los medios. En este mapa, una de las regiones centrales y más coloreadas sería la ocupada por Lucrecia Martel. Con un trabajo multidimensional, Martel no sólo ha trabajado las voces de los personajes principales y sus diferentes entonaciones sino que ha dejado detrás, fuera de cuadro, una serie de susurros y voces incomprensibles que permanecen ininteligibles. Es como si en esas voces se cifrara el deseo como opacidad que define la poética de sus películas. Hay frases, hay diálogos, hay enunciados, pero éstos nunca llegan a destino. Finalmente, en este mapa, habría una isla: la isla Rejtman.

---

[85] Según Martín Rejtman, "En el caso de la música, incluí en *Silvia Prieto* a *El otro yo* porque, en realidad, me interesó el nombre del grupo. Lo elegí porque, muy literalmente, la película habla de eso, de "otro yo". Cuando escribí la escena —y esto no sé cómo pasó porque yo no los había escuchado nunca todavía—, escribí sobre una chica que canta en un grupo *hardcore* con sonidos guturales y ellos tenían un tema que se trataba de eso básicamente. Fue una feliz coincidencia. No fue que me gustara particularmente esa música [...] en *Silvia Prieto* el tema del *lenguaje* es más importante que el de la *identidad*. El gran problema de Silvia Prieto no es que haya otras personas como ella, sino otras que se llamen como ella. El nombre es lo que más importa" (en FONTANA, 2002, subrayados míos).

En Rejtman, los diálogos son reveladores por los procesos de extrañamiento y familiaridad que provocan. Parecen artificiales, suenan monocordes, no registran altibajos: pero escuchados con más detenimiento, ¿no están más cerca del habla cotidiana de la clase media que cualquier otra película? La imagen y el sonido son máquinas de extrañamiento que no van como en Alonso o en Martel a la búsqueda de lo inexplorado, sino que trabajan con la materia de los lugares típicos. Como dice Silvia SCHWARZBOCK (1999), "una guía audiovisual de lugares comunes".[86] En una escena de *Los guantes mágicos*, se habla de los "lugares típicos" y la forma misma que asumen es la de una guía audiovisual: la cámara recorre en largos *travellings* las calles y los monumentos turísticos de Buenos Aires para mostrárselos a los actores rusos. La secuencia muestra uno de los procedimientos característicos de Rejtman: ver lo familiar con ojos de extranjero. Descubrir el atractivo del Monumento de los Españoles o del Obelisco o, como sucede en *Silvia Prieto*, de un restaurante chino o de una parrilla cualquiera. Algo similar sucede con las voces: al principio ese tono nos resulta extraño pero, después de un tiempo, nos parece que si nos escuchamos hablar, estamos más cerca del mundo de Rejtman que de cualquier otro.

Las películas de Rejtman, así, parten del principio de la serie y destierran de un solo golpe afectos muy anclados en el lenguaje audiovisual, sobre todo en la televisión: la confesión, el énfasis, el desahogo, la emoción, la vehemencia, el *pathos*. O, dicho en términos de puesta en escena cinematográfica: los primeros planos, la jerarquización de los cuerpos, la aceleración del montaje, el *crescendo* dramático y la profundidad de campo. La primera figura que le corresponde al cine de Rejtman es la del *retiro* o la *distancia*: observar siempre a una distancia media, colocar a todos los personajes en un mismo plano, colocar las frases típicas de tal modo que es como si las escucháramos por primera vez. Por eso, la segunda figura es el *hallazgo*. Sin énfasis ni subrayados, el hallazgo no es exhibido sino que debe ser descubierto por el propio espectador. El camino de la *ascesis* que llevan adelante Silvia Prieto y Alejandro es también el del cine de Rejtman y el del espectador: retirarse para aprender a mirar, a escuchar, a enfrentar la excepcionalidad de lo típico. En un mundo superpoblado de imágenes y de mensajes, no está mal este desprendimiento para acercarse a las superficies coloreadas y a los matices de los sonidos.

---

[86] Prefiero la expresión "lugares típicos" porque es más descriptiva que la valorativa "lugares comunes". Me parece que la primera fórmula expresa mejor la neutralidad de la mirada de Rejtman.

Uso de los géneros: rodeos y visitas

El nuevo cine argentino no es, en líneas generales, un cine que recurra a los géneros. Sin embargo, muchas de sus películas los han usado parcialmente y de un modo singular. Recurriendo al marco de expectativas que cada género instaura de antemano, a sus códigos y a sus reglas, muchos films los han utilizado como punto de partida para después derivar en resultados muchas veces inclasificables. *Silvia Prieto, Tan de repente, El bonaerense, Un oso rojo* o *Sábado*, sin pertenecer estrictamente a ningún género determinado, permiten ver algunas formas genéricas a trasluz, sea como cita, esquema básico o ideal narrativo. Esto resulta inmediatamente evidente, por ejemplo, en el caso del frecuentadísimo género policial. En la década del ochenta, este género sirvió para reflexionar sobre la violencia de los años de la dictadura. Películas como *Últimos días de la víctima* (1982) de Adolfo Aristarain, *En retirada* (1984) de Juan Carlos Desanzo, *Sentimental* (1980) de Sergio Renán, *Noches sin lunas ni soles* (1984) de José Martínez Suárez o *Seguridad personal* (1985) de Aníbal di Salvo trataron, más o menos explícitamente, los tiempos de la violencia reciente, a menudo en clave política, como sucede en las dos primeras cuyos guiones fueron escritos por José Pablo Feinmann. En todos estos casos, sin embargo, se recurría a las convenciones del género y éste, en ningún caso, era motivo de una lectura corrosiva o a contrapelo.[87] El delito como enigma, la figura central del detective policial o investigador privado, el esquema de la persecución como estructurador del argumento, hasta la presencia de una *femme fatale*, son los elementos que trazan una línea de continuidad entre las propuestas clásicas del género y sus variaciones de los ochenta. En el nuevo cine argentino, en cambio, hay una negación implícita pero evidente a recurrir a este género. Tal vez la película que más se acerque a un paradigma convencional del policial sea *Un oso rojo*, aunque al combinarla con el *western* termina produciendo un híbrido bastante original desde el punto de vista genérico.[88] La otra película

---

[87] Esta línea de aplicación del género se ha seguido en muchas películas de los años noventa (*Perdido por perdido* de Alberto Lecchi, *Al filo de la ley* de Desanzo, *Sotto voce* de Mario Levin), pero que no pertenecieron al "nuevo cine". Hubo también aportes importantes a la relectura del género en *Cenizas del paraíso* (1997) de Marcelo Piñeyro y en *Nueve reinas* (2000) de Fabián Bielinsky con dos guiones muy sólidos (el primero de Aída Bortnik, el segundo del mismo director). De los realizadores más jóvenes, fue Damián Szifron —el más coherente abocado a un cine masivo bien construido— quien revisitó el género con *El fondo del mar*. Para un panorama del cine de género policial en los ochenta ver el artículo que escribieron Elena Goyti y David Oubiña para ESPAÑA, 1994.

[88] Una lectura sobre el uso del género en *Un oso rojo* que lo contrapone con el uso de los géneros que hace Godard y con la supuesta superioridad del cine clásico ("El cine clásico siempre fue justo. Si fue bello es porque era justo") puede leerse en OUBIÑA, 2003.

que admite ser incluida dentro del género es *El bonaerense*, pero su punto de vista y la utilización que hace de las reglas es tan peculiar que, para definir su forma, es necesario antes dar una serie de rodeos.

Sorpresivamente, uno de los géneros más frecuentados por el nuevo cine ha sido la comedia, o tal vez esta impresión surge del hecho de que, desde los años cincuenta, el cine argentino se había mostrado bastante renuente a revisitar un género que presentaba una de las tradiciones más interesantes: hay, sobre todo en los años cuarenta, buenas comedias de Manuel Romero, Leopoldo Torres Ríos, Carlos Schlieper y Carlos Hugo Christensen, y actores eficaces como Pepe Arias, Osvaldo Miranda, Juan Carlos Thorry y Niní Marshall. Las películas de Rejtman, *Sábado* de Juan Villegas, *El amor (primera parte)* de Alejandro Fadel, Martín Mauregui, Santiago Mitre y Juan Schnitman, *Tan de repente* de Diego Lerman, *No sos vos soy yo* de Juan Taratuto, *Judíos en el espacio* de Gabriel Lichtmann, *La familia rodante* de Pablo Trapero o *Animalada* de Sergio Bizzio son algunos de los títulos que pueden denominarse comedias, o que juegan con el género. Lo más novedoso de varias de estas películas es que tratan de combinar el *timing* propio del género comedia con los tiempos muertos o vacíos característicos del nuevo cine. La apuesta es bastante arriesgada y, aunque algunas mueren en el intento, todas parecen sostener que la única risa genuina es la que puede surgir de este encuentro. Una risa en la que una comisura es alzada por las derivaciones del género y otra por el descubrimiento de lo real.

Comedia: velocidad y azar
(*Tan de repente* y *Sábado*)

> La tragedia es la necesidad de tener nuestra propia experiencia y aprender de ella; la comedia es la posibilidad de hacerlo pasando un buen rato.
>
> Stanley Cavell

> Comedia es tragedia más tiempo.
>
> Woody Allen

Sin aviso, así como así, *Tan de repente*. Como lo sugiere su título, la *opera prima* de Diego Lerman es el resultado de un choque de velocidades diversas. La primera parte del film demuestra esto con una planificación rigurosa y una precisión casi matemática: por un lado, tenemos el tiempo lento, de planos fijos y medios, y paneos que muestran a Marcia (Tatiana Saphir) dirigiéndose a su trabajo. Empleada de lencería, Marcia no es nada agraciada, sufre con su gordura y en su soledad no para de llamar por teléfono a un ex-novio al que no se anima a hablarle. Por otro lado, está el tiempo convulsivo y acelerado de Mao (Carla Crespo) y Lenin (Verónica Hassan), dos chicas audaces vestidas de negro y pelo corto que roban una moto y juegan a los *flippers* y que son seguidas por una nerviosa cámara en mano, en una sucesión de *travellings* y montaje rápido. La alternancia de escenas marca la oposición entre Marcia y Mao-Lenin, la gorda y las flacas, el yoga y el frenesí, el trabajo y la vagancia, el aburrimiento y la aventura, el principio de realidad y el principio del placer.

Pero de repente, en la calle, Mao ve a Marcia y se enamora a primera vista. Entonces, las velocidades comienzan a chocar y a contaminarse: Mao y Lenin persiguen a Marcia y finalmente logran encararla. "¿Querés coger?", le dice de sopetón Mao a Marcia. ¿Qué pretende Mao en esta declaración sin preámbulos? ¿Quiere adentrarse en la lentitud de su flamante objeto de amor o pretende acelerar su vida? Todo el humor de este primer diálogo deriva de este juego de velocidades:

– ¿Estás mal de la cabeza?, se indigna Marcia.
– Me enamoré –constata Mao– [...] *Dame tiempo*, ¿no te gusta el sexo?
– No me interesa sin amor.
– No hables de amor porque no tiene nada que ver.

La comedia surge del choque de velocidades que es, también, un choque de géneros: el costumbrismo de Marcia (y los tiempos muertos del trabajo) y el nomadismo *road-movie* de Mao y Lenin (y los tiempos plenos de la aventura). A la fuerza y con amenazas, Mao y Lenin logran arrastrar a Marcia hacia su propio tiempo y la llevan hacia su *road-movie*: robo de taxi, salida a la ruta, viaje hacia la playa, encuentro con el mar. Con la entrada voluntaria de Marcia en el mar (la prueba) termina la primera parte de *Tan repente*: el dúo pasa a ser un trío y la velocidad una sola.[89]

La segunda parte extrema los imprevistos de la historia: las chicas llegan haciendo dedo a San Clemente del Tuyú. Son llevadas por una médica veterinaria (Susana Pampín) que les cuenta sobre las orcas del acuario y las invita a visitarlo. Sin embargo, también imprevistamente, las chicas deciden irse a Rosario ya que "ahí —según Lenin— vivía una tía abuela mía que no sé si estará viva". Después de un viaje en camión y de chocarse con un paracaidista en la ruta (lo que da lugar a una canción en idioma inventado que retornará hacia el final del film),[90] Mao, Lenin y Marcia llegan a Rosario, donde buscan y encuentran a la tía Blanca (Beatriz Thibaudin). "El *road movie* —escribe Cozarinsky— se va transformando en comedia costumbrista" (2003: 181).

La llegada a la casa de Blanca donde también viven dos huéspedes —Delia (María Merlino) y Felipe (Marcos Ferrante)— mantiene el ritmo alternado, pero su lógica cambia totalmente: si la primera parte enfrentaba dos velocidades del presente, la segunda parte hace chocar los ritmos del presente con los del pasado. Las combinaciones se hacen más complejas: dos tríos se encuentran pero la alternancia se mantiene en las relaciones de Mao y Marcia por un lado y Lenin y Blanca por el otro. Con la entrada de Delia y Felipe los encuentros se multiplican y la historia termina con tres parejas inesperadas: Lenin y Marcia juntas en un micro volviendo a Buenos Aires con la música del paracaidista de fondo (incorporación gozosa del azar a sus vidas); Marcia

---

[89] Esta primera parte surge de un cortometraje de Diego Lerman basado en *La prueba* de César Aira. La novela de Aira, como lo dijo el director más de una vez, sirve sólo como punto de partida. En efecto, *Tan de repente* sólo toma las dos primeras partes de la novela: el encuentro de Marcia con Mao y Lenin y el diálogo en *Pumper Nic* (en la película, *Mc Donald's*). En la novela, la "prueba de amor" consiste en un robo demencial al supermercado que realizan Mao y Lenin con incendios, cuerpos quemados, cabezas cortadas y otras violencias. En la película de Lerman, es la entrada al mar. La violencia antimercantil es sustituida, en la versión de Lerman, por un tópico romántico. En ambos casos, Marcia se une a sus nuevas amigas. Además de las anécdotas y de varios diálogos, el juego de las velocidades también se encuentra en la novela de AIRA: "Fuera de su historia (Marcia) se sentía deslizar demasiado rápido, como un cuerpo en el éter donde no hubiera resistencia [...] Ella no lo sentía, o no debería sentirlo, porque era parte del sistema, pero todos esos chicos estaban perdiendo el tiempo. Era el sistema que tenían de ser felices. De eso se trataba, y Marcia lo captaba perfectamente aunque no podía participar. O creía que no podía" (1992: 8-9). Ambas, novela y película, muestran cómo Marcia termina participando del mundo más veloz e intenso de Mao y Lenin. Para una confrontación del surgimiento del nuevo cine y la nueva literatura alrededor de la película de Lerman, ver SPERANZA, 2002.

[90] El "encuentro fortuito" tiene obviamente reminiscencias poéticas y recuerda la frase de Lautréamont que los surrealistas habían convertido en su lema: "como el encuentro fortuito de un paraguas y una máquina de coser en una mesa de disección". La canción del paracaidista está cantada en un idioma inventado que se parece fonéticamente al ruso o al finlandés.

y Felipe en el acuario viendo las proezas de la orca (incorporación de la aventura), y Blanca, quien finalmente muere, y Delia, con esta última haciéndose cargo de la casa de aquella y cuidando sus gallinas (incorporación de la felicidad hogareña). Es Blanca quien, con una vitalidad a pleno y su muerte súbita, termina reacomodando la energía de los demás personajes.

Al llegar a la casa de Blanca la marcha de las chicas se detiene y comienza a acumular capas de tiempo: Marcia se aparece con un vestido de bambula y Delia parece traer los modos de vida de otra época. Podría decirse que, en un humor del estereotipo, la película transita del frenesí punk a la bonhomía hippie. Pero si Marcia y Mao tratan de continuar la historia de la primera parte (finalmente, en Rosario, hacen el amor), el peso del pasado abre a Lenin en dos. Mao y Marcia descubren, con regocijo, que Lenin en realidad se llama Verónica. Así, una nueva capa de tiempo se incorpora a un film que hasta entonces había sido puro presente (aunque fuera un presente abierto, como el de una *road-movie*). En una de las paredes de la casa de Blanca, hay un panel con fotos viejas y Verónica se acerca más de una vez para observarlas. Con sabiduría, la cámara no subraya nada pero no es difícil advertir las intensidades que atraviesan el cuerpo de Verónica-Lenin y que irán a desembocar en el llanto final y en el llamado frustrado a su madre después de la inesperada muerte de Blanca. La tragedia se precipita, porque el "tan de repente" también incluye, o incluye sobre todo, a la muerte. La caída del paracaidista desencadena de repente el absurdo cómico y la caída de Blanca, durante el paseo en bote, el absurdo trágico. Tragicidad y comicidad son las dos potencialidades de lo único que interesa en *Tan de repente*: la vida como aventura.

Después de la detención en casa de Blanca, la película en su diáspora final recupera su tono de comedia absurda a la Kaurismäki. El género, en definitiva, le sirvió a Lerman para investigar las maneras que tenemos de percibir el tiempo interpretándolo a través del azar, el destino, el imprevisto, lo fortuito, lo inevitable. En la canción que canta Blanca, en una *performance* que recupera algo de su juventud y destruye su vejez, se escucha: "Luchemos contra el destino / si el tiempo nos separó / porque Dios así lo quiso".[91] Si la primera parte consiste en el triunfo de la velocidad y la aventura, la segunda es el descubrimiento de la experiencia y el encanto de las costumbres cotidianas. A través de Blanca, Mao, Lenin y Marcia pueden incorporar otras velocidades y otras temporalidades para después volver a sus vidas.

Gente que viene y que va

Otra de las comedias del nuevo cine argentino es *Sábado* de Juan Villegas. Su tono recuerda a Eric Rohmer, así como también su inclinación por el tema de las probabilidades y el azar, tan caro al director francés. En su primer film,

---

[91] La canción fue inventada especialmente para la película por Juan Ignacio Bouscayrol.

Villegas construye una historia que sigue los cruces de tres parejas y que transcurre durante todo un día entre dos accidentes de auto. Las tres parejas están formadas por Camila (Camila Toker) y Leopoldo (Leonardo Murúa), Gastón Pauls (Gastón Pauls) y Andrea (Eva Sola) y Natalia (Mariana Anghileri) y Martín (Daniel Hendler). El primer choque, al comienzo de la película, se produce en una esquina entre Martín y Pauls, y el segundo, hacia el final, entre Martín y Leopoldo. Pese a que las parejas no se conocen entre sí, diferentes casualidades hace que se crucen y que se establezcan diálogos bastante desopilantes. Camila, que es periodista, le hace una entrevista a Gastón Pauls y logra acostarse con él. Andrea y Martín se encuentran en la comisaría, adonde fueron a denunciar el choque y viajan juntos en el auto de Martín pero la relación finalmente no funciona y se corta abruptamente. Leopoldo y Natalia se conocen en la puerta de la peluquería y quedan en encontrarse a la medianoche pero ésta finalmente falta a la cita porque se cruza casualmente con Gastón Pauls y va a tomar algo con él. Sin embargo, no llegan a iniciar la anunciada relación amorosa porque Gastón aprovecha que Natalia va al baño para abandonar el bar y alejarse en un taxi. Camila regresa a su casa con Andrea (se habían conocido en un bar) y se encuentra en la puerta con Leopoldo al que despide sin dejar entrar. La última escena repite la primera pero a la mañana siguiente: Natalia está en su casa con Martín y preparan mate con facturas. Después de cruzar unas palabras tristes y desafortunadas, Natalia comprende que está todo terminado y se le cae una lágrima. Martín le pregunta si está llorando y ella lo niega. Pese a que es una comedia de equívocos que provoca risas, *Sábado* es una película atravesada por la melancolía.[92]

Además de los encuentros casuales, la particular textura del film viene de sus diálogos, que no cesan de proliferar alrededor de los temas más banales o de los malentendidos más torpes. Su grado de artificialidad y su efecto de extrañeza ha llevado a algunos críticos a agrupar *Sábado* de Juan Villegas junto al cine de Rejtman. Sin embargo, el mismo efecto es, en realidad, producto de dos lógicas distintas y hasta podría decirse que contrapuestas. En *Sábado*, a diferencia de lo que sucede en *Silvia Prieto* o en *Los guantes mágicos*, el sujeto está siempre implicado en sus dichos y lo que hace mover las conversaciones es el deseo de ser amado y la sospecha de no serlo. Mientras en *Silvia Prieto* los personajes ponen en circulación las frases típicas, en *Sábado* lo que tratan, denodadamente, es de incrustarse dentro de ellas. Leopoldo y Camila en un auto:

> Leopoldo: ¿Querés que me calle?
> (silencio)
> L: ¿Por qué no me lo decís?
> Camila: ¿Qué cosa?
> L: Que querés que me calle.

[92] Villegas ya había hecho un hermoso cortometraje titulado *Rutas y veredas* (1995) en el que una misteriosa tristeza urbana le daba el tono al film.

C: Yo no dije nada.
L: ¿Querés que me calle?
C: Sí.
L: No, en serio, decíme.
C: Sí, calláte.
L: Bueno, si querés que me calle me callo.
C: Dále.
(Silencio)
C: Bueno, si querés hablar hablá, pero no te pongas pesado.

Los procesos de *cristalización* del amor de los que habla STENDHAL ("llamo cristalización a la operación del espíritu mediante la cual deduce de cuanto se le presenta que el objeto amado posee nuevas perfecciones", 1966: 221) se enfrentan, en la película, con lo que podríamos denominar *proceso de descristalización*. Aunque nunca llega a revelarse el conflicto que atraviesa cada pareja, puede inferirse que las parejas de Camila y Leopoldo y de Natalia y Martín enfrentan la ruptura definitiva. En el primer caso, porque ella ya no siente amor, ni siquiera atracción, por Leopoldo (es particularmente patético que él se aparezca, en el último encuentro, con un osito de peluche de regalo que ella acepta con condescencia). En el segundo, la ruptura se vislumbra porque ellos ya no se entienden y cada frase dicha da lugar al equívoco. La pareja termina no porque enfrenta una gran crisis sino porque el diálogo espontáneo y franco ya no puede tener lugar.

En este proceso de descristalización, los rasgos del objeto amado ya no son motivo de nuevas idealizaciones sino del descubrimiento, que se hace una y otra vez, de que el otro es alguien común y corriente (aunque alguna vez lo hayamos amado). El pelo de Leopoldo que Natalia —a quien acaba de conocer— encuentra atractivamente desprolijo (es decir, pasible de una cristalización) para su novia Camila es "un asco". Como el amor ya fue, cada pregunta recibe como respuesta otra pregunta, y cada acto de comunicación desemboca en el malentendido. Como dice BARTHES, "siempre hay un terrorismo de la pregunta; en toda pregunta está implícito un saber. La pregunta niega el derecho a no saber, el derecho al deseo incierto" (2004: 161).

Cuando hay *cristalización*, en cambio, no hay preguntas o las preguntas sólo forman parte de un juego de seducción en el que ni la sospecha ni la irritación tienen lugar. Esta función de la cristalización la cumple el personaje de Gastón Pauls que hace de sí mismo. A diferencia de lo que sucede en el resto del film, los diálogos de las mujeres con Gastón Pauls no forman parte de ese contrapunto paranoico sino de un juego en el que cualquier pregunta admite cualquier respuesta porque el deseo ya está ahí desde un principio. La periodista Camila le pregunta a Gastón:

Camila: Si tuvieras que elegir entre ser quien sos y un perfecto desconocido, ¿qué elegirías?
Gastón: ¿Qué es lo primero qué hacés cuando te levantás?
C: ¿A qué edad besaste una chica por primera vez?

G: ¿A qué edad te ataste los cordones por primera vez?
C: Estación del año favorita.
G: Jueves.
C: Insulto favorito.
G: Calefón.

Las tres mujeres desean a Gastón Pauls no por ser el que es ("yo soy yo" dice Pauls en un momento) sino porque es el famoso Gastón Pauls. Por su aparición en los medios, él ya está cristalizado y la pregunta sobre si lo desean o no, no tiene ningún sentido, como se lo hace saber Camila cuando éste le pregunta, después de haber hecho el amor con ella: "¿vos te acostaste conmigo porque gustás de mí o porque soy Gastón Pauls?". A lo que Camila le contesta que esa pregunta es una tontería y que no vale la pena responderla. Andrea, su primera pareja, ya le había dicho que si él no fuera Gastón Pauls nunca se hubieran conocido. Y en Natalia es tan evidente el deseo de acostarse con él porque es famoso, que el actor decide abandonar la película en un taxi y no aparecer nunca más. Mientras para los otros el conflicto es que su relación de pareja terminó, para Gastón Pauls consiste en que está tan cristalizado a los ojos de los demás que cualquier relación es imposible. Todo proceso de cristalización trabaja contra un proceso de descristalización: por eso en Pauls no hay *proceso* y es el único personaje que no sufre cambios a lo largo de la historia. Es que no hay *comienzo* posible para el pobre Gastón: los demás no lo conocen sino que lo "*re*conocen" y sólo se acercan para pedirle un autógrafo o para acostarse con él.[93] "Es difícil ser famoso" dice una y otra vez y confiesa: "A veces me gustaría ser desconocido por un tiempo". Entonces, mientras el conflicto de los demás personajes es que el deseo ya se apagó (entramos en el proceso de descristalización), el conflicto de Pauls es que el deseo ya está dado de antemano (el proceso de cristalización es algo exterior a él). Con una puesta en escena antitelevisiva (en los planos-secuencia, en las actuaciones, en los encuadres, en las elipsis), *Sábado* es la única película del nuevo cine argentino que pasa lista a todos los astros de la pantalla chica y que muestra cómo los medios se instalaron en la química de nuestro deseo. Nada nos proporciona un goce tan pleno y sublime como la retribución de un famoso.

Sábado es una película sobre el deseo del otro y cómo, cuándo ese deseo se torna opaco, los amantes se precipitan en el drama. Complementariamente, observar estos desencuentros y malentendidos tiene efectos risibles y de comedia. Tiene razón Rafael FILIPPELLI cuando dice, en un artículo que lleva el hiperbólico título de "El último representante de la Nouvelle Vague", que "es como si la comedia fuera del director y el drama de los personajes" (2001:

---

[93] Todo esto me recuerda a la anécdota de una nena de cinco años a la que llevaron a los camerinos después de ver una obra de teatro. La madre le dijo: "ahora vas a conocer a Gastón Pauls" (podía ser otro actor o actriz, no recuerdo con exactitud de quién se trataba). A lo que ella respondió: "No, mamá, es *él* el que me va a conocer a mí, yo a él ya lo conozco de la tele".

8). La risa de *Sábado* surge de los procedimientos típicos de la comedia: "la repetición periódica de una palabra o de una escena, la inversión simétrica de los papeles, el desarrollo geométrico de los equívocos" (BERGSON, 2002: 35) y de un uso intensivo del azar, las casualidades y las coincidencias. Los choques se repiten simétricamente, los personajes se cruzan como si fuesen los únicos habitantes de la ciudad, los dichos se repiten invertidos o modificados (Gastón le dice a Natalia que tiene "cara de pelo corto" y, en una escena anterior, Leopoldo le había dicho que tenía "cara de pelo largo").

Natalia es el personaje que expone la teoría del azar en el film y sostiene que las probabilidades no existen y que solo era probable lo que ya ocurrió, mientras lo que no ocurrió sería improbable. En esta concepción, el azar es la insuficiencia de probabilidades en la previsión. Pero Natalia lleva esta concepción al absurdo y trata el futuro como si fuera un dado: cualquiera de los seis lados tiene las mismas probabilidades de salir pero, como sostiene ella en su obcecación, sólo el número que sale era el que tenía *todas* las probabilidades de salir. Si todos estos equívocos cómicos se deslizan permanentemente hacia el drama es porque la casualidad, paradójicamente, está vinculada con el hecho de que los personajes no quieren ver la verdad de su deseo: Martín, el típico personaje cómico del distraído y el que provoca los choques, ¿hasta qué punto no se vale de su despiste para no ver que Natalia ya no lo quiere?[94] Y los encuentros más o menos casuales con Gastón Pauls, ¿no son la muestra de que es el objeto de deseo por excelencia, más acá del deseo? Y el encuentro azaroso de Camila con Andrea ¿no está producido por la necesidad de Camila de contar que se acostó con Pauls (en contarlo radica el placer de haberlo hecho) y por la necesidad de Andrea de reconocer que es una más de las tantas conquistas de Pauls, el hombre que seduce sin tener que ponerse a seducir?

El final de la historia está más allá de todo diálogo y de toda comedia: en vez del *happy end* o la *anagnorisis* (el reconocimiento), Natalia no puede evitar las lágrimas pero simula no estar llorando frente a la interrogación de Martín. El beso, que se anunciaba en la primera escena, no se produce y el reencuentro que anuncia la *screwball comedy* (la boda o el rematrimonio) fracasa. Por sólo un instante, y muy levemente, la película deja ver la melancolía otoñal que la inspira: la de la muerte del amor.

El retorno de la comedia

Aunque no puede extenderse a todas las comedias del período y aunque se trate de películas tan diferentes entre sí, hay un rasgo que permite explicar el retorno a la comedia que se produce en Rejtman, Villegas o Lerman: la

---

[94] Es muy gracioso el comentario que le hace Natalia a Martín cuando llega a la casa: "¿De vuelta estuviste chocando?".

dialéctica entre orden y azar. ¿Qué es lo que hizo tan atractivo, para estos directores, este choque? ¿Por qué, en determinado momento, las casualidades discrecionalmente ordenadas de la comedia se volvieron tema de tantos films?

Una primera razón es que el rechazo de la demanda identitaria dejó un campo de posibilidades temático mayor y liberó a los directores de la profundidad y la densidad. El interrogante ¿quiénes somos? fue desplazado por el ¿cómo deseamos?, con todas las consecuencias risibles y melancólicas que desencadenan las respuestas a esta pregunta. Otra explicación es que se modificó el orden de preferencias en los gustos cinematográficos: en la Argentina de los años noventa, las películas de Eric Rohmer y François Truffaut, la *screwball comedy* y Howard Hawks desplazaron del panteón cinéfilo a Ingmar Bergman y al drama psicológico. Hubo, además, nuevos descubrimientos: el tono de los films de los hermanos Kaurismäki, de Jim Jarmusch y de Takeshi Kitano fueron la revelación de un *slapstick* global que trabajaba con los tiempos muertos y los materiales más contemporáneos. Pero tal vez el hecho más sobresaliente radique en que mediante el azar y el imprevisto estas historias investigan el funcionamiento de un mundo más allá de lo que quieren los sujetos. Porque el deseo raramente es lo que quiere una persona y las comedias muestran justamente eso: mediante el equívoco, el accidente y lo absurdo descubrimos, con la risa, que estamos más cerca del muñeco autómata que del ser vivo omnipotente que creemos ser. La comedia es un modo muy adecuado para hablar de los tropiezos del deseo; es el género que exhibe por qué es tan complicado lograr algo que deseamos y por qué no conseguirlo puede ser —visto desde afuera— tan divertido. *Silvia Prieto, Sábado, Tan de repente* y otras muestran aquello que se interpone a nuestros deseos y, de un modo risueño, hablan —aunque parezcan estar hablando de otra cosa— de lo difícil que es movernos en un mundo cada vez más extraño.

El bonaerense: el género de la corporación

Comencemos por los géneros. Por lo menos tres se dan cita de un modo particular en la película de Pablo Trapero: el *crook story*, el *procedural* y el *Bildungsroman* o novela de formación. El primero es una variante del género negro, el segundo es uno de los ejemplos menos prestigiosos del cine policial (ambos tuvieron una gran importancia en el cine de los cuarenta), mientras el tercero tiene una aparición más dispersa en la historia del cine, pero no menos importante.[95] Este último género establece la continuidad y el *crescendo* dramático de la narración mientras los otros dos, leídos a contrapelo por Trapero, proporcionan el punto de vista. *El bonaerense* cuenta la historia de Eduardo "Zapa" Mendoza (Jorge Román) quien, por haber participado inadvertidamente de un delito, debe abandonar su pueblo y entrar en la policía bonaerense para evitar la cárcel. Zapa ingresa en la institución y se hace policía. Una vez convertido en cabo, el protagonista se encuentra con el viejo amigo que lo había engañado y decide traicionarlo. Pero a su vez, Zapa es traicionado por su superior, el comisario Gallo (Darío Levy), quien lo hiere en una pierna con el fin de simular un enfrentamiento armado. Rengo y ascendido en su rango, Zapa retorna a su pueblo.

El *procedural* fue un género instaurado por la Fox en 1945 que, en un estilo semi-documental, presentaba una "exposición de los procedimientos policiales desde el prisma y protagonismo de los agentes del orden" (COMA, 1981). *FBI Story* (1959), de Mervyn LeRoy, con James Stewart y el legendario director del FBI Edgar Hoover en un cameo, es un buen ejemplo de un género que no tuvo grandes obras como sí lo tuvieron películas que pueden denominarse *anti-procedural* como *Sed de Mal* (*Touch of Evil*, 1958) de Orson Welles u otras que llevan los supuestos del *procedural* a sus propios límites como *Sin conciencia* (*The Enforcer*, 1951) de Raoul Walsh y Bretaigne Windust. Con utilización de material de archivos y con fines propagandísticos, el *procedural* es un antecedente de los programas televisivos que utilizan videos documentales de enfrentamientos con los delincuentes, persecuciones y detenciones. *El bo-*

---

[95] Son varios los ejemplos que podrían incluirse en una serie bastante heterogénea de films de educación o formación. Desde adaptaciones literarias de las novelas de educación clásicas —como el *Wilhelm Meister* llevado al cine por Win Wenders y Peter Handke en *Movimiento falso* (*Falsche Bewegung*) de 1975— hasta la inflexión propiamente cinematográfica típica en el cine norteamericano de un personaje mayor (más sabio) que inicia a otro en alguna disciplina: desde *Karate kid* (1984) de John Avildsen a *El color del dinero* (*The color of money*, 1986) de Martin Scorsese. La iniciación de un novato en la institución policial constituye un verdadero subgénero y tiene numerosos exponentes: *Colors* (1988) de Dennis Hopper, con Robert Duvall y Sean Penn, *15 minutos* (*15 minutes*, 2001) de John Herzfield, con Robert De Niro y Edward Burns y muchísimas otras.

naerense, si bien está muy lejos de ser un *procedural* (su fin no es promover las supuestas bondades de la bonaerense), cuenta toda la historia desde el punto de vista de la institución a través de varios de sus integrantes.

Otro subgénero dentro del policial pero que, a diferencia del *procedural,* se basa en el punto de vista del marginado o del fuera de la ley es el denominado *crook-story* (literalmente "historia de rufianes"). El mayor exponente de este género es, sin duda, *Al rojo vivo* (*White Heat,* 1949) de Raoul Walsh, con James Cagney, pero son innumerables los films de la serie negra en la que el delincuente asume la voz narrativa (mediante la voz en *off)* y la cámara lo acompaña en sus desventuras como en *Retorno al pasado* (*Out of the Past,* 1947) de Jacques Tourneur o, en una versión más actual, *Perros de la calle* (*Reservoir Dogs,* 1992) de Quentin Tarantino. En Estados Unidos, el *crook-story* tuvo un carácter crítico ya que no sólo promovía una identificación con el delincuente sino que mostraba la sociedad como un escenario oscuro, violento, impredecible y moralmente turbio. Como señala Javier COMA, el "ciudadano que decide romper las leyes y pasar a la acción delictiva expresa en muchas ocasiones la insuficiencia ética del Sistema" (1981: 104). La semejanza del film de Trapero con este género radica en que la asunción del punto de vista del protagonista excluye lo que no le pertenece o lo que no percibe. En la casilla en la que éste se desempeña, dos policías borrachos después de la Nochebuena disparan a quemarropa a dos jóvenes que pasaban en una moto, también presumiblemente borrachos. El conflicto es mostrado desde la mirada de Enrique Orlando Mendoza, alias Zapa (se trata de una mirada subjetiva) y en el momento de los disparos no observamos a las víctimas (que salen del cuadro) sino a los policías que disparan. A lo largo de todo el film, los que están afuera del mundo policial son mostrados como cuerpos sin contornos, sin nombres, que representan una amenaza o una molestia y cuya mayor interacción con los policías pasa por el enfrentamiento violento o por la queja recriminatoria.[96] Del mismo modo que el *crook-story,* la historia se atiene a una mirada que le da coloración al conjunto de la narración.

¿Pero por qué invocar el *procedural* si *El bonaerense* está lejos de ser edificador y pedagógico? ¿Para qué remitir al *crook-story* si la perspectiva adoptada no es la del delincuente sino la de agente de la ley? En el cine, la presencia del delito y de todos los personajes y elementos (policías, armas de fuego, actos violentos) destinados a resolverlo o a ponerle coto sugieren la presencia del multiforme y extendido género policial que predomina en buena parte de la producción cinematográfica. La película de Trapero nos entrega todos los elementos (hay enfrentamientos armados, situaciones de violencia, disparos, cadáveres, delitos, delincuentes, defensores del orden, etc.) pero cualquier remisión a una tipología determinada dentro del género fracasa. Si es necesario

---

[96] Esta asunción del punto de vista está corroborada por el cameo que realiza el propio Trapero como uno de los agentes que recibe el diploma con la promoción de Zapa.

recurrir a modelos aproximativos e incompatibles entre sí como el *procedural* y el *crook-story* es porque la lectura a contrapelo de estos tipos genéricos explica la *iniciación paradójica* que determina la entrada de Zapa en la institución: Zapa ingresa en la policía, la institución que combate el crimen, porque comete un delito.[97] Esta *iniciación paradójica* se repite varias veces a lo largo de la novela de educación de Zapa: cada vez que se produce un cambio en su situación institucional, encontramos anudados delito y recompensa (nunca castigo): entra en la policía porque delinque, se gana la confianza de su superior porque viola una cerradura, consigue un ascenso porque participa clandestinamente en un robo. Los contornos entre el *crook-story* y el *procedural* aparecen borrados justamente porque la historia del criminal y la de la institución que lo combate se confunden: los territorios que traza la ley ya no son claros como las premisas del género parecen exigir.

La persona que hace de iniciador de Zapa es su propio tío, quien lo saca de la cárcel y lo ayuda a ingresar en la institución. A partir de entonces, Zapa descubre un nuevo mundo cuyos lazos corporativos y afectivos son tan poderosos que todo aquel que ingresa en él es marcado inmediatamente por una *doble identidad* que agrega, a la familiar y privada, la del ser policía.[98] El "tío Ismael" de Zapa es, a su vez, "principal" en la bonaerense. Y por medio de sus contactos, hace valer sus relaciones afectivas en la institución: manda a Zapa a San Justo donde lo contacta con Pellegrino, otro policía que le hará el *favor* al tío Ismael haciendo ingresar a su sobrino. Para entrar en ese mundo, Zapa es despojado de varios de sus atributos, que irá recuperando a lo largo de la historia. Su nombre ya no es Zapa sino Enrique Mendoza, su edad ya no es 32 sino 28 (la edad que necesita para poder inscribirse), pierde su casa, su familia, su pueblo y también su oficio.[99] La escena de pasaje está magníficamente representada por el momento en que al protagonista le cortan el pelo: Zapa se mira al espejo y se encuentra con el aspirante Mendoza. Comienza, entonces, la novela de educación del joven que llegó de la provincia.

---

[97] Si bien la historia comienza antes de la entrada a la policía de Zapa, el cartel negro de los títulos y un largo fundido hacen de esta primera parte de la narración una suerte de prólogo. En cuanto al carácter del delito, puede decirse que Zapa no lo comete sino que es cómplice porque es engañado, pero desde el punto de vista jurídico es un partícipe necesario y, por lo tanto, culpable. Finalmente el juez (instancia a la que no se llega) debería determinar si su participación es dolosa (intencional) o culposa (no intencional), con lo que podría variar enormemente el carácter de la pena. Agradezco a Juan Balerdi las precisiones jurídicas sobre este "caso".

[98] La doble identidad se constituye por la división tajante establecida entre la institución y su afuera: mientras *adentro* se crean fuertes lazos casi familiares, el *afuera* es percibido como un lugar de riesgo y bajo control del enemigo. Uno de los policías de la garita entiende perfectamente esta doble identidad cuando le explica a Mendoza que alguien que mata a "un cana" es, para los policías, un "negro de mierda" pero, para los otros, "un héroe".

[99] Esta idea del despojo vinculada a la formación del sujeto fue presentada por Shyla Wilker en el seminario "Las astucias de la forma cinematográfica" que dicté en la Facultad de Ciencias Sociales de la UBA.

126

En el primer escalón de su lento y discreto ascenso, Mendoza es un aspirante y hace de sirviente (limpia y barre la garita de la General Paz). Cuando comienza el curso se convierte, en palabras del instructor, en un "bicho" y en una "larva". Hay un claro proceso de infantilización que se observa en las clases de instrucción (derecho, gimnasia, estructura de la institución, estupefacientes, técnicas y prácticas de detención) y en el repetido latiguillo de los profesores: "¿de qué se ríen?". El primer ascenso (no en los grados sino ante los ojos de los superiores) llega cuando Mendoza recupera su oficio: viola la cerradura de un cajón y se gana las simpatías y la protección del subcomisario Gallo, uno de los líderes más carismáticos de la comisaría. Mendoza pasa a ser un "pibe", calificativo cariñoso que utiliza Gallo, y recibe de éste una Browning de su propiedad: "es *personal*...cuando te den la oficial me la devolvés". La lección del tío (el valor de las relaciones personales por sobre la institución) adquiere un nuevo sentido para Mendoza: la relación con el superior se basa en el favor y en la exclusión de la mediación institucional. Posteriormente, Gallo lo premiará al convertirlo en asistente de Cáneva (el que se ocupaba de cobrar las coimas o los "extras" –la dualidad es también un asunto lingüístico– de los negocios). El nuevo salto en su carrera tibiamente ascendente se produce por méritos propios y en este caso sí es la institución la que da la entrada (el "diploma"). "Ya sos cana" le dice Mabel (Mimí Ardú). Llega entonces el momento en que Mendoza puede aplicar todo lo aprendido: dos escenas de detención y enfrentamiento con delincuentes siguen manteniendo el *carácter paradójico* de todos los avances del protagonista. En su intervención en una pelea entre pandillas vemos por primera vez a Mendoza en una actividad estrictamente policial: amedrentado, apenas sabe cómo controlar al grupo y sólo atina a disparar unos tiros al aire, no se sabe si para espantar a los revoltosos o para tranquilizarse a sí mismo. La segunda escena es soberbia y consiste en un tiroteo con unos presuntos delincuentes, en el que Mendoza es amonestado por su superior porque se olvida de desenfundar el arma. La eficacia de esta escena radica en que Trapero sostiene el punto de vista policial al extremo y nosotros nunca llegamos a obtener una imagen clara de los que disparan *desde el otro lado*. La exterioridad es un hueco negro, confuso e impenetrable del que surgen la agresión y la brutalidad.[100] Se trata de un pasaje clave en la novela de aprendizaje de Mendoza porque es su *bautismo de fuego*. La escena carece de heroísmo y Mendoza no tiene ningún talento ni capacidad para llevar un arma y ser un representante de la ley, pero sobrevive al tiroteo y ya puede considerarse parte de la bonaerense. La escena subsiguiente lo muestra temblando en un bar mientras habla con Gallo, quien trata de tranquilizarlo.

---

[100] En la planificación de la escena del tiroteo se percibe también la naturaleza del realismo de Trapero. Mientras en casi todas las películas el espectador y los personajes cuentan con imágenes de ambos lados y se mueven en el espacio con una idea relativamente clara de los movimientos del contrincante, en *El bonarense* sólo se percibe la posición de Zapa y el espacio en su conjunto es algo caótico, confuso y desorientador.

El tramo final de la educación de Mendoza comienza cuando el Polaco (quien lo había traicionado con la caja fuerte) lo contacta y le ofrece participar en un robo y dividir las ganancias. La invitación le permite a Mendoza organizar la escena de la venganza y traicionar al Polaco en connivencia con Gallo. Éste le da la última lección y le muestra por qué no tenía que confiar en él con una respuesta instructiva: "¿vos confiás en mí, no?". En el mismo momento en el que apela a la confianza, mata al Polaco y hiere a Mendoza en la pierna para inventar un simulacro de resistencia por parte del delincuente. El rostro de Mendoza es manchado por la sangre del polaco y éste es su *verdadero* bautismo de fuego (no el que se hace en nombre de la institución sino por fuera de ésta). Además, Mendoza recupera su apodo, ya que el Polaco le grita "¡qué hacés, Zapa! ¿Te volviste loco?". El agente Mendoza quiso vengar a su ex-"patrón" (así lo llama) pero no supo ver que su actual "patrón" podía ser peor. Por este hecho, Mendoza queda rengo pero consigue su ascenso a cabo y, tiempo después, el traslado a su pueblo natal, donde es calurosamente recibido por los policías de su pueblo.

Pedagogías

El aprendizaje que hace Zapa está en su propio cuerpo: regresa al pueblo disminuido, sin entender muy bien de qué le hablan, sin nada que decir. El ascenso en la jerarquía institucional se corresponde con una degradación física y moral. Y la renguera convierte a su fracaso en una imagen visible y en una carga cotidiana. Zapa aprendió a ver, de todos modos, las complejidades de la dependencia y cómo la educación (la educación de un policía) está sometida a los caprichos de los superiores (y la situación empeora mucho cuando el nivel de dependencia se hace indisoluble y sin perspectivas de cambio). La "confianza" como acto se convierte, en ese mundo, en la máxima debilidad y los afectos no deben borrar nunca los escalafones jerárquicos. Gallo, pese a las ilusiones del protagonista, nunca será su cómplice. Mendoza descubre, en fin, que ese mundo que le brinda afecto y abrigo es el mismo que le aplica una traición fría e irreversible. Comprende también lo más importante: afecto y traición son parte de lo mismo, en una institución que define su naturaleza en base a las relaciones personales. Fuera de la frialdad de las reglas y de las normas, las pasiones del amor y de la traición son el efecto de un mismo proceso.

Si eso es lo que aprende Zapa, al espectador también le toca un aprendizaje que, en principio, se basa en la supresión de un juicio exterior que condene inapelablemente a los personajes. No casualmente, el film suscitó voces de indignación sobre todo en ciertos sectores de la izquierda. En el Festival de La Habana, por ejemplo, críticos y espectadores se mostraron totalmente disconformes con una narración que, en ningún momento, entregaba el consuelo de la condena de aquello que se veía. Lo que realmente incomoda en *El bonaerense* es que no nos podemos identificar con ninguna mirada para condenar el accionar de los personajes. No hay ningún personaje que nos permita sostener un juicio sobre lo que está pasando, no hay ningún individuo justiciero (como suele suceder en el cine norteamericano) ni ningún parlamento que le entregue al espectador el alivio de sentir que alguien lo reconoce en el film como sujeto que juzga los acontecimientos desde una mirada externa y ecuánime. Para acentuar este hecho, Trapero borró toda referencia política contextual y si bien se puede pensar en la célebre frase del entonces gobernador Duhalde ("la mejor policía del mundo"), la asociación corre por cuenta del espectador, porque en la película no hay ningún indicio que nos lleve a conectar la narración con los hechos políticos de la época.[101] La posibilidad de una mirada exterior es más bien parodiada en "los extraterrestres" que, según el asistente Cáneva, están observando a los terráqueos (no solo a los policías) desde sus planetas y consideran que los humanos están haciendo las cosas mal, muy mal. Que ninguno de los personajes de la historia proporcione un modelo de comportamiento moral no significa que todos estén en el mismo nivel. Frente a las bravuconadas de Gallo y la torpeza de Mendoza, están la impotencia del comisario que antecede a Gallo y la indignación de Mabel. De hecho Mabel interrumpe su apasionada relación con Mendoza porque condena su subordinación a Gallo y sus prácticas *demasiado* transgresoras (y digo demasiado porque Mabel está lejos del papel de justiciera o de una ética opuesta a rajatabla al estado de la institución). Todos estos enfrentamientos se dan siempre dentro de los códigos de la policía y no afectan el funcionamiento de una institución que si no tiene afuera es porque no acepta en los hechos que un orden objetivo (la ley) la regule.

El bonaerense no nos incita a juzgar moralmente sino a observar cómo funciona un mundo. Un mundo —el de la policía— que es capaz de proporcionarles a sus miembros un abrigo y algo parecido a una familia, como lo testimonia la escena de la Nochebuena. Paradójicamente también, un espacio tutelado por la presencia de la Virgen María y su pureza inmaculada, protección simbólica que, obviamente, es desatendida en los actos. La historia nos invita también a comprender cuáles pueden ser los hechos que llevan a una buena persona como Zapa a internarse en las redes delictivas de la institución policial. Ver entonces cómo funciona esa *producción de creencia* puede ser más interesante que atenerse a una lectura valorativa o política de lo que sucede.

Dos lógicas se cruzan permanentemente en la historia de aprendizaje de Zapa: la afectiva y la institucional. Ambas, como se sabe, son incompatibles desde el momento en que una institución exige una despersonalización de las relaciones y una organización por normas que regulen las relaciones y excluyan o suspendan lo afectivo. Por eso es tan grave que Zapa entre a la policía

---

[101] Hay, además, invenciones propias de la película de Trapero que tienen poco que ver con el funcionamiento de la policía bonaerense pese a que la puesta en escena refuerza el efecto de realidad de las imágenes. Uno de ellos es el de la campera con la inscripción "La bonaerense" (inventada por los vestuaristas) que llevan los policías que visitan a Zapa en su casa (debo esta observación a Mariana Galvani del seminario "Astucias de la forma cinematográfica").

porque cometió un delito, como el hecho de que ingrese de la mano de su tío por una recomendación de índole afectiva y no porque tiene condiciones. Sin embargo, no sólo es su ingreso el que está marcado por lazos de tipo personal. Toda su vida en la institución está atravesada por una serie de lealtades y favores que ponen el carisma por sobre la eficacia y la moral corporativa por sobre las reglas sociales. De hecho, el tramo más importante del aprendizaje de Mendoza está hecho a la sombra de un cacique, el subcomisario Gallo, que teje una serie de alianzas en base a prebendas y a actos de fuerza que pasan por sobre las órdenes institucionales (así, contra las instrucciones del comisario, obliga a la cajera de la comisaría a pagarle a Mendoza sus sueldos tomando dinero de "una caja chica", o usa sus influencias para conseguirle un departamento con un alquiler barato o, como vimos, le hace el préstamo "personal" de un arma).[102] Pero esta vida comunitaria o corporativa que, supuestamente, le va a ofrecer refugio afectivo es también la que provoca las traiciones que llevan a Mendoza a ser un lisiado.

Hay por lo menos tres traiciones en *El bonaerense*: la primera se produce cuando el Polaco traiciona a Zapa mandándolo a abrir la caja fuerte para unos maleantes; la segunda es la que Zapa le devuelve al Polaco revelándole los planes a Gallo; la última traición es la de Gallo, quien arma una escena de tiroteo, hiere a Mendoza y se queda con el dinero.

En *La imagen movimiento*, Gilles DELEUZE analiza cómo en el cine norteamericano la figura del traidor es dominante en los films históricos y cómo la traición es uno de los caminos para, a partir de la mala acción, llegar al Bien (1984: 215-216). También Borges en su relato "Tema del traidor y del héroe", incluido en *Ficciones*, mostró otra función posible de la traición: hacer visibles los códigos y los valores que unen a un grupo. Paradójicamente, la traición es uno de los medios más eficaces para apuntalar una creencia y por eso es tan funcional a una causa como la heroicidad. Las traiciones de *El bonaerense* están lejos de ser tan heroicas: más bien, sirven a inconfesables provechos personales y, antes que el signo de una integración posible, son la marca más evidente de que la desintegración es un hecho. En el caso del Polaco, se traiciona a un empleado y a un amigo (el Polaco era como un padre, se dice en un momento del film), en el de Gallo, se traiciona a un subordinado. Desintegración de los lazos sociales e institucionales.

La traición es una consecuencia natural del modo en que se organiza la vida institucional de la bonaerense. Cuando la confianza (la esperanza de retribución simbólica) se deposita no en la institución sino en las personas hay un sometimiento implícito a su volubilidad y a sus intereses (la confianza se basa en el afecto y no en las reglas compartidas). Y este sometimiento es mucho mayor si, en lugar de tratarse de una relación personal como la de Zapa

---

[102] La corrupción no se opone a los buenos sentimientos sino que su eficacia más bien radica en que suele ser inseparable de éstos. Sin la anteposición de amistades, recompensas, afectos, preferencias o *gauchadas* a los funcionamientos impersonales de una institución, no habría corrupción o la habría en menor escala.

y el Polaco, no tiene otro resguardo que una institución como la bonaerense. Esta es la lección más importante que recibe Mendoza: en una institución en la que las reglas nunca están claras y los afectos siempre están presentes, la traición es el único modo de seguir adelante.

En ese mundo, finalmente, no es mucho lo que Zapa o el cabo Mendoza pueden construir.[103]

---

[103] Para muchos de los aspectos que trabajo en este capítulo he consultado los inteligentes estudios sobre las relaciones entre personalidad e institución que hace Richard SENNETT, en particular en *El respeto (Sobre la dignidad del hombre en un mundo de desigualdad)* (2003).

III. Un mundo sin narración
(la indagación política)

Política más allá de la política

Una curiosa repartición tácita parece haberse producido en el cine de los años noventa: salvo excepciones, la política (en el sentido clásico de la palabra) ha quedado asignada a los documentales, mientras las películas de ficción suelen eludirla. Son muy pocas (*Garage Olimpo*, *Los rubios*, *Mala época*) las que se preocupan por mezclar ambos mundos y por preguntarse cómo la ficción puede representar el acontecimiento político. Es que, pese a sus diferencias, tanto los documentales como las ficciones coinciden en algo: la incitación a la acción política en el cine está vinculada al pasado.[1] Esto ha provocado que el estatuto de lo político en el nuevo cine argentino haya causado cierta perplejidad. Horacio González sostiene que:

> *El bonaerense* roza todos esos temas y cuida de mantenerse en el plano del pequeño crimen organizado en los destacamentos policiales, en una franja de iniciación –digamos así– *prepolítica*. Así consigue con mayor facilidad realizar lo que eventualmente ha sido festejado en estas filmografías: no juzgar, o como se dice, "no bajar línea".
>
> Desde luego, éste es un problema más profundo que no se resuelve con la voluntaria renuncia al enjuiciamiento que subyace (*debe* subyacer) a cualquier empresa artística o política. Pero es evidente que un estilo que decide poner en suspenso voluntario el juicio inmediato en temas que el debate actual carga de antemano con valores "ya decididos" (sobre la violencia policial, ostensiblemente), debe restituir con medios artísticos adecuados el poder que de todas maneras tiene toda ficción: *la de discernir sobre los valores que hacen posible el vivir común*. Una vez obtenido el resultado de evitar el famoso inconveniente de "bajar línea", hay que mostrar que el arte puede en sí mismo cargar con el peso de su propia verdad (GONZÁLEZ, 2003, subrayados míos).

Dos líneas argumentativas se cruzan en el artículo de Horacio González: por un lado, en sus escritos sobre cine vincula a la política con el espacio público y la movilización popular y al cine como un medio que debe intervenir activa y directamente en ese espacio. Horacio González lee el cine desde Solanas, sobre quien escribió un libro apologético a fines de los ochenta a propósito de su película *Sur*. Pero en el texto citado, su argumentación –en la que no

---

[1] Desde que la vida doméstica o privada es también de interés público parece difícil restringir la política a una definición clásica de actividad humana en el ámbito de la *polis* o de la vida pública. Sin embargo, creemos que en la tradición del cine político argentino –en el que *La hora de los hornos* (1969) es el hito más importante– la política se vincula con el poder, la acción y la transformación del espacio público y la consideración de la vida privada bajo la mirada de las relaciones de dominación vinculadas a los efectos del Estado. En los últimos años (piénsese solamente en el lema feminista "lo personal es político") la noción misma de la política ha sido transformada.

falta una referencia implícita a los ensayos de Jacques Rancière– se desplaza de la noción de *praxis* política en el cine (cuyo ideal sería Solanas) a una actividad de esclarecimiento o concientización que continúa, en una línea más contemplativa, la propuesta anterior. Ambas perspectivas se complementan para plantear que mientras esta noción de espacio público (el "vivir común") esté ausente o desplazada nos encontramos en el ámbito de la *prepolítica*.

Tampoco han faltado críticos que hablaran, a propósito del nuevo cine, de despolitización, como si el telón de fondo de la política se mantuviera siempre idéntico a sí mismo y no hubiera en estas obras una necesidad de reformular sus términos.

El hecho de que al hablar de la política en las películas del nuevo cine argentino se desemboque en su negación (como *prepolítica* o *despolitización*) nos lleva a preguntarnos si no se trata de redefinir su estatuto. Ya no como algo que se encuentra desplazado (lo inédito sería entonces siempre prepolítica) o suprimido (la diferencia, entonces, solo puede ser despolitización) sino como una categoría que adquiere nuevas potencias y cualidades en un medio cuya función se ha transformado radicalmente en los años noventa. Es decir, antes que lanzar una condena, ¿no vale la pena preguntarse si la política en el cine no exige una redefinición de nuestros supuestos? Se trata, en definitiva, de una discusión de estética: no qué hace el cine con la política que aguarda en su exterioridad, sino cómo ésta se nos entrega en la forma de estas películas.

Metamorfosis de la historia

La herencia con la que se encontraron los jóvenes cineastas en los años noventa no resultaba fácil de sobrellevar. La historia había cambiado pero el modelo de cine político que ofreció en su momento *La hora de los hornos* de Fernando "Pino" Solanas y Octavio Getino todavía era considerado vigente por algunos, como el mismo Solanas quien, con *Memorias del saqueo* (2003), retoma su obra de los sesenta. El Grupo de Cine Liberación fue, además, el único fenómeno del cine argentino que tuvo una fuerte repercusión internacional y que adquirió carta de ciudadanía en la teoría del cine. Sin embargo, resultó evidente, para estos nuevos realizadores, que la subordinación de las prácticas artísticas a las luchas de la liberación nacional, que llevó a los autores del Cine Liberación, en los años sesenta, a cuestionar la institución cine en su conjunto, había caducado.

Basada en los episodios de diciembre de 2001 que ocasionaron la caída del presidente Fernando De la Rúa, Solanas registra las movilizaciones populares e investiga los diferentes episodios de la corrupción menemista que llevaron a la debacle política y económica. Documental de carácter político y testimonial, *Memorias del saqueo* retoma la propuesta de *La hora de los hornos* impulsado por las jornadas en los que la movilización política, después de los alicaídos noventa, volvió a ocupar el centro de la escena. Pero lo curioso de este *retorno* es que el film habla de la política como si las condiciones de su práctica no hubiesen sido transformadas durante los años noventa. Claro que para rehabilitar esta noción de la política (que gira sobre la idea de agrupaciones activas, movilización permanente y demanda de cambio social), la película debe omitir algunos datos, siendo el más relevante el silencio que hace el relator (el propio Solanas) sobre la reelección de Menem en 1996 con más del 50% de los votos. Las figuras de la traición y el engaño resultan demasiado débiles si de lo que se trata es de celebrar la continuidad de la conciencia popular a través de los años. No se omite por maldad: *Memorias...* necesita borrar ese dato que vendría a cuestionar la acción política como sucedánea de la épica del pueblo (ligazón ésta que ya estaba en *La hora de los hornos*).[2]

Aquello que Solanas suprime (la decisión soberana y política, por más que nos pese, de la mayoría del pueblo de aprobar las reformas menemistas) debería ser el eje para reflexionar sobre si el pueblo al que interpelaba *La hora de los hornos* todavía tiene esa homogeneidad y esa carga épica que *Memorias del saqueo* sugiere. Justamente, una de las características del cine de los noventa es mostrar que no sólo los tiempos cambiaron sino que el pueblo, al que se dirige el film de Solanas, ya no existe más.

Superpuestas a este legado del cine político, se encuentran las películas de los ochenta que, respondiendo a la demanda identitaria, también encontraron una función política: esclarecer hechos recientes escamoteados por la historia oficial, denunciar las injusticias y entregar alegorías nacionales. O para decirlo con el título de uno de los éxitos de la época: *Darse cuenta* (Alejandro Doria, 1984). El cine acompañó el proceso de democratización que se inició en 1983 y se dedicó, dicho en una palabra, a concientizar. Sin embargo, fue cada vez más evidente que esta función no sólo disminuía la posibilidad de la autorreflexión cinematográfica, sino que tendía a subordinar a las historias a una moraleja ya conocida de antemano. Por eso en todas estas narraciones el momento del *reconocimiento* era tan importante y revelaba el carácter inquebrantable del protagonista y el funcionamiento de la sociedad. Era, además, el momento en el que se le entregaba al espectador el *mensaje* que tenía que ver con la identidad de los argentinos. Ningún plano resume mejor todo esto que el que, en *Esperando la carroza* (1985) de Alejandro Doria, enfoca a Mónica Villa riendo a carcajadas y con lágrimas en los ojos en el falso velorio de la abuela, para después mirar fijamente a cámara y, quebrando la gramática del film, decirle al espectador: "De todos nosotros me río". El estilo grotesco fue considerado en ese entonces una pieza clave para entender la naturaleza identitaria de los argentinos.

En un principio, el nuevo cine argentino parece elegir otros mecanismos narrativos. El personaje prototípico del luchador inquebrantable que era decisivo en los desarrollos argumentales de varias películas, como *Tiempo*

---

[2] La idea de cultura nacional también se sostiene pese a todo lo que ha pasado en los últimos años. Así, Solanas se detiene en la visita de los *Rolling Stones* a la quinta de Olivos y omite o elige no incluir todas las visitas de músicos o artistas argentinos (folkloristas, tangueros o rockeros) a la quinta presidencial. Todo sigue como entonces... Para una visión del cine militante de los años sesenta son insoslayables los trabajos de Mariano MESTMAN (2001).

137

de revancha (Adolfo Aristarain, 1981) o *El arreglo* (Fernando Ayala, 1983) no aparece en ningún lado. Tampoco la movilización en las calles que, como un prisma, recogía la luz de la historia y ofrecía una clave de interpretación para el conjunto de la narración, como lo hacen *La historia oficial* (1984) de Luis Puenzo, *Contar hasta diez* (1985) de Oscar Barney Finn o *Los días de junio* (1985) de Alberto Fischerman. Finalmente, no es fácil encontrar en el nuevo cine alegorías de la nación ni revisiones del pasado histórico como hicieron *Camila* (1984) de María Luisa Bemberg para el siglo XIX, o *El amor es una mujer gorda* (1987) de Alejandro Agresti y *Un muro de silencio* (1992) de Lita Stantic (por poner sólo dos ejemplos) para los tiempos de la dictadura. Pero observadas las cosas en detalle, no sólo se trata de una opción narrativa: el cine de los ochenta parece haberle dado, al nuevo cine argentino, un recetario de lo que no debía hacer. Ver *La historia oficial* y *La ciénaga, Los días de junio* y *Silvia Prieto* o *El amor es una mujer gorda* y *La libertad* es como visitar dos planetas distintos. Y no es una de las diferencias menores que, mientras para las películas del ochenta la política se expresa como transparencia (o necesidad de poner en claro), en las más recientes aparece como *opacidad*, lo que con frecuencia se lee como apolítico o despolitización.

Si las películas, entonces, no se subordinan a una causa y no se proponen concientizar, quiere decir que, básicamente, no reconocen la existencia de una obligación política que preceda al film. La pregunta es si *en el film mismo* podemos encontrar esta política y cuáles son los hechos contemporáneos que nos permiten pensar la dimensión política de estos films.

¿Qué hacer? o las dificultades del llamado a la acción política

"¿Qué hacer?" es el interrogante político por excelencia porque pone el acento en la *acción humana*, esto es, en la decisión que, ligada a la cosa pública, incide en la contingencia (FLORES D'ARCAIS, 1996: 18-20). En el imaginario social de los ochenta, esta acción estaba vinculada a la movilización política y a un pueblo que se hace presente para forzar o provocar decisiones. En los noventa este imaginario se evapora rápidamente: si, en términos nacionales, la participación cívica comienza a ser desacreditada y la movilización popular desatendida (basta comparar las marchas multitudinarias de las felices pascuas alfonsinistas con la asistencia por televisión al alzamiento carapintada de 1990), en términos internacionales, el fenómeno de la globalización presenta nuevos desafíos para la acción transformadora.

La implementación de las receta neoliberales del gobierno justicialista de Carlos Menem implicó cambios muy profundos en todos los ámbitos pero quizás en ninguno tanto como en los modos de hacer política. Subordinada a los dictados de una economía a la que se le asignaban leyes de hierro, la acción sólo podía presentarse como un capricho frente a lo que ya era fatal. Mediante el fetichismo de la fatalidad se intentó suprimir la pluralidad de los puntos de vista y desacreditar la acción libre con el fin de imponer un pragmatismo del poder. Esta acción verdaderamente política del gobierno (pero que se presentaba a sí misma mediante figuras de lo inexorable y por fuera de lo político) tuvo como efecto más nefasto la degradación de los espacios públicos, es decir, de todos los ámbitos en los que la elaboración de una acción de cambio social era posible.

A estos efectos, de los que seguramente la sociedad tardará años en recuperarse, se le suman los de una globalización que avanzó en los años noventa, a los ojos de la experiencia argentina, con una velocidad sorprendente. A la degradación de toda alternativa en el plano nacional, se le sumaban los procesos de una globalización demasiado veloz e inédita como para comprenderla inmediatamente. Según sostiene Zygmunt BAUMAN en su libro *En busca de la política*, "los poderes verdaderamente poderosos de hoy son esencialmente extraterritoriales, mientras que las sedes de acción política siguen siendo locales, por lo cual la acción no llega a los lugares donde se fijan los límites de la soberanía y donde se deciden —por acción o por omisión— las premisas esenciales de los emprendimientos políticos. Esta separación del poder y la política suele designarse con el nombre de globalización" (2001: 199).

Estos dos fenómenos hacen que la observación de Jacques RANCIÈRE de que "se expande la opinión desencantada de que hay poco para deliberar y que las decisiones se imponen por sí mismas" (1996: 6) haya sido una experiencia cotidiana durante los años del menemismo. En ese contexto han sido pocos los ámbitos que no fueron arrasados, desmantelados o reconvertidos (una de las palabras más usadas del período). En el caso del cine, la desastrosa gestión de Julio Maharbiz el frente del INCAA exigió nuevas tácticas para lograr lo que en el cine de un país subdesarrollado es inevitable: la protección estatal (otro de los sintagmas más usados del período pero siempre con un sentido negativo). A diferencia de lo que sucedió en otros sectores de la industria, hubo para el cine, afortunadamente, una ley consensuada por todos los organismos del medio y principios de protección reconocidos y consagrados por la Constituyente del '94. Mediante marchas y presiones organizadas (y en un contexto global favorable porque casi todos los países auspiciaban la protección de la producción audiovisual), los diferentes grupos de la industria consiguieron la promulgación de una ley que fomentaba y simbolizaba fuertemente la producción y la regulaba. No hay que minimizar, entonces, esta conquista que —con un buen manejo de los medios audiovisuales— lograron todos los participantes del mundo del cine.

Pero si esto pasaba en términos de luchas gremiales o corporativas, la situación en las películas era totalmente diferente. Hacia fines de la década, surgieron una serie de películas en las que la política ocupa un lugar muy diferente al de las producciones anteriores. Sin embargo, no creo que haya en esto ningún conformismo con las nuevas condiciones de poder que implantó la globalización ni con el descreimiento y la abulia que, según algunos analistas, alcanzó a casi toda la población (sobre todo a los más jóvenes). Lo primero que hay que señalar es que al no subsumirse a una acción exterior a él, el nuevo cine abandonó una concepción restringida y unilateral de la política. La estética del cine, parecen decirnos estas películas, no puede acceder directamente a la acción o a la concientización política si no reflexiona antes

139

sobre su propia forma. Pero no sólo eso: es en esa forma en donde el cine, indefectiblemente y no reconociendo una acción exterior vinculante, deberá encontrar su propia razón política no dada de antemano. Así, Lucrecia Martel sostiene lo siguiente:

> Me parece que encuentro sentido a mi existencia si me comprometo a mantener una visión crítica de mi situación de mujer de clase media argentina. En ese lugar me ubico dentro del cine argentino. Creo que el cine argentino tiene una *función política* en esos términos (en QUINTÍN, 2000).

La *función*, entonces, no está asignada y eso hace que cada respuesta sea una opción política en sí misma. La reflexión de Martel no será la misma, seguramente, a la que pueden hacer Lisandro Alonso o Pablo Trapero, el menos inclinado de todos los directores a aceptar lecturas políticas de sus films. De todos modos, esta *indeterminación* en la función hace que lo que puedan opinar los directores pase a un segundo plano o que lo hagan, en palabras de Roland Barthes, "como un invitado más". El director puede ser más o menos conciente de la forma, pero al haber abandonado toda actitud pedagógica o denuncialista, deja de tener el poder absoluto sobre los efectos. Antes que algo que nos llega en la forma de mensaje, la pantalla es la superficie en la que tanto el director como los espectadores inscriben un sentido que puede ser o no político.

Por todo esto, pese a las apariencias, el cine argentino de los noventa es el más genuinamente político de todos. Es decir, en tanto cine. Abre el espacio de lo indeterminado, piensa el sentido no como un mensaje que se transmite sino como aquello que se construye con los planos y la puesta en escena, hace ver y escuchar imperceptibles o pequeñas formas de dominación como *La ciénaga* con la familia, *Mundo grúa* con el trabajo o *Bolivia* con los inmigrantes. Esta disposición es la que le ha permitido trazar, como ningún otro arte del período, los cambios que se han producido en la década del noventa: la presencia de los inmigrantes, la descomposición de las instituciones, el cambio en el estatuto del trabajo, el rol de la memoria no están sometidos a una declaración de principios sino que son objeto de una investigación realizada con la forma cinematográfica.

Un detalle de *Bolivia* permite pensar esta indeterminación a la que me refiero. No hay, en la película, referencias explícitas al mundo de la política: no aparecen los partidos, no aparecen representantes partidarios o gubernamentales, no hay referencias en los diálogos a hechos de la vida pública ni hay muchos datos de lo que pasa afuera del bar. Sin embargo, cuando Freddy va a la pensión de Rosa y hacen el amor vemos, sobre la cama de ella, una postal de Eva Perón. No hay un plano detalle que subraye este hecho, no hay ningún diálogo que explique la presencia de esta foto. Apenas es un objeto más entre los otros que tiene Rosa. ¿Cómo interpretar la fotografía? ¿Cómo entender esta marca casi imperceptible de la política que se instala en la vida de uno de los personajes del que nada sabemos, salvo que es paraguaya y empleada del bar en el que transcurre la película? La historia que narra Caetano desplaza los lazos de dominación tradicionales hacia un tipo menos representado (el de la discriminación de los extranjeros) en la que los dominados (aquellos que recurrían a la figura de Evita) se convierten en expulsores de este nuevo grupo (los inmigrantes de los países limítrofes): en este pasaje, la figura protectora de Evita pasa de un polo a otro. Sin embargo, hay algo más: ¿no indica esta foto sobre la cama que la política se convirtió en un asunto privado, íntimo, un pasado al que guardamos la misma devoción que a una estampita de santo y que se trata de una pasión *que no puede ser hablada*? Porque si hay algo que marca al personaje de Rosa (excepto en su trato con Freddy) es la ofensa y la humillación que le infringen los otros y que encuentran su límite en la imagen protectora de Eva Perón, colgada en su cuarto de pensión.

Sin embargo, nada en estas descripciones parece apuntar a responder la pregunta ¿qué hacer?, una demanda que las películas del nuevo cine rechazan o ignoran.[3] O, si se quiere, que responden de modo desviado con lo que han hecho (o están haciendo) en el campo del cine como industria, con su apuesta por un lenguaje que investigue sus propias posibilidades o con sus descripciones de mundos. Es este mismo *desvío* el que funda lo político en el cine de la década del noventa.

Política ni más ni menos

Horacio González, en el texto citado al inicio de este capítulo, habla del deber de la ficción de "discernir sobre los valores que hacen posible el vivir

---

[3] Un caso muy distinto y quizás el único que continúa, de un modo muy diferente, el legado del Grupo de Cine Liberación es el cine piquetero. Este cine toma la posta del cine político de los años sesenta con la diferencia de que las nuevas tecnologías y la inexistencia de una situación de clandestinidad le permiten a estos grupos participar de un modo más colectivo y activo en la realización de las obras. En *El rostro de la dignidad* (1999) los militantes del MTD de Solano hacen una asamblea para decidir cómo terminar la película. Totalmente indiferentes a la institución cine (mientras *La hora de los hornos* se proponía combatirla), estas películas tuvieron su propio festival en el cine Cosmos en diciembre del 2001. Tomo estos datos sobre el cine piquetero del trabajo "Memorias de luz y estéticas revulsivas" que Christian Dodaro presentó al seminario "Las astucias de la estética: la forma cinematográfica y la experiencia del presente". Puede consultarse también DODARO, 2003 y el sitio del grupo Alavío en Internet donde se lee: "el grupo Alavío cuenta con más de doce años de producción de materiales audiovisuales retratando los conflictos sociales y la lucha de los trabajadores, como también producciones para usos pedagógicos y científicos. Consideramos nuestras películas como cine (o video) de intervención. Un eje fundamental de acción es la apropiación técnica y tecnológica que permita contar con herramientas para luchar por constituir subjetividad desde los intereses e identidades de la clase trabajadora y los sectores oprimidos. En este tiempo elaboramos tanto materiales de respuesta rápida, como por ejemplo periodismo de contrainformación, pruebas contra la represión del Estado, materiales para planificar o evaluar acciones directas, etc., como también algunas obras más elaboradas, destinadas a reflexionar y motivar debates sobre nuestra propia práctica como clase explotada y bucear por las contradicciones que nos impiden afrontar victoriosamente la lucha emancipatoria".

común" y a la vez expresa ciertas dudas sobre esta capacidad de discernimiento por el hecho de que estos valores estén "decididos de antemano". Pero justamente esto es lo que comprueba *El bonaerense* y por eso el film se abstiene de apoyarse en estos juicios. Antes que una cuestión de valores (sobre los que puede haber cierto acuerdo), lo importante es ver *funcionamientos*. ¿Qué espectador que concurre a las salas de cine no coincide en que la policía es corrupta y a menudo apaña, antes que combatir, el delito? ¿Cuántos espectadores no están de acuerdo en que los inmigrantes bolivianos deben ser tratados sin discriminaciones de ningún tipo? ¿Hay un público de cine que no condene la desocupación y encuentre que es uno de los problemas más graves de los últimos años? Antes que recostarse con mala conciencia en el juicio ya dictaminado (como lo hacían muchas películas de los ochenta), estas películas nos muestran, mediante la forma cinematográfica, cómo funciona un mundo: *El bonaerense* y la institución policial donde afecto y corrupción se potencian mutuamente, *Bolivia* y el discurso injurioso que anuncia y supone la violencia física, *Mundo grúa* y las transformaciones del trabajo, *Los rubios* y el funcionamiento de la memoria. Entre la indeterminación y el registro de un funcionamiento, el nuevo cine instaura la posibilidad de pensar una política.

Adiós al pueblo

En los años noventa, en nuestro país, se transformó profundamente la categoría tradicional de lo *popular*. En términos políticos, el partido al que tradicionalmente se le había atribuido la representación de lo popular (el justicialista) llegó al poder e implementó políticas neoliberales, de modo que si bien puede decirse que el gobierno de Menem fue populista, lo fue en términos muy diferentes al de los gobiernos anteriores de su propio partido. En términos culturales, si lo popular había mantenido una tensión o una resistencia a la apropiación mediática, en esa década puede decirse que el crecimiento de los medios masivos y de la industria cultural terminó por absorber (y despolitizar) casi todas las expresiones de la cultura popular. En la Argentina, los esfuerzos del gobierno menemista por desmovilizar y por quitarle contenidos a la noción de pueblo (que fue retirándose del discurso para dejar lugar al más neutral "la gente") se cruzaron, si intencionadamente o no eso no importa, con el crecimiento de lo que Renato ORTIZ denominó "cultura internacional-popular" (1994), y que fue el signo de los tiempos de la globalización. Un especialista en el estudio de las culturas populares, Pablo ALABARCES, llegó a afirmar que "los noventa fueron –pudieron ser– neopopulistas porque el pueblo ya no existía" (2004: 23). Este concepto de "neopopulismo", en lugar del tradicional "populismo", no marca una mera inflexión posmoderna que tiende a agregar "neos" y "pos" en todos los términos, sino que señala una crisis más profunda: la de la categoría de pueblo. Fue tan profunda la crisis de esta categoría que muchos teóricos han hablado de su eclipsamiento definitivo mientras otras han tratado de forjar conceptos alternativos, como el de "multitud" propuesto por Hardt y Negri en su libro *Imperio*. Sin embargo, el populismo siguió su carrera exitosa en los años noventa, mientras el pueblo se iba desintegrando o, simplemente, abandonaba la escena.

Esta nueva encrucijada fue ignorada por muchos comentaristas que siguieron leyendo el populismo menemista a la luz del peronismo (lo que no deja de ser efectivo si se piensa en las nociones de verticalismo, pragmatismo y personalismo), minimizando los componentes de un populismo que tiene características globales. Como señaló José NUN, "cuando se habla de un régimen político, hoy es mucho menos fácil que antes adjudicarle por contraste el rótulo de *populista* sin analizar previamente hasta dónde refracta de maneras particulares una transformación en los estilos de representación política que afecta a la mayoría de los liberalismos democráticos" (1995: 75). De hecho, y salvando las distancias, en cuestiones de estilo Menem comparte rasgos con Perón pero también con George Bush hijo, y todo esto tal vez tenga su explicación en el crecimiento desmesurado de los medios masivos y los instrumentos que utilizan (televisión, radio, Internet, encuestas, propaganda), así como de su injerencia en las formas de hacer política. El pueblo al que apelan estos líderes es, a menudo, un pueblo electrónico. La masa como sujeto, que fue una figura clave de la escena de la teoría política, cedió el paso —en palabras de Peter SLOTERDIJK— a la *masa posmoderna* que "es una masa carente de potencial alguno, una suma de microanarquismos y soledades que apenas recuerda ya la época en la que ella —excitada y conducida hacia sí misma a través de sus portavoces y secretarios generales— debía y quería hacer historia en virtud de su condición de colectivo preñado de expresividad" (2002: 18). Si el pueblo falta, entonces, es porque no están las líneas transversales que unan a los diferentes "microanarquismos" ni hay una parte que pueda asumir la representación de un todo: aunque pueda volver en un futuro, lo cierto es que en los noventa el "pueblo", tal como se lo conocía hasta ese entonces, hizo un mutis por el foro.

Bajo estas nuevas condiciones, las defensas de la continuidad de lo popular en los medios masivos que, con razón y esperanza, se habían hecho en los años de restauración democrática (principalmente en el influyente *De los medios a las mediaciones* de Jesús MARTÍN-BARBERO) comenzaron a parecer demasiado optimistas y productos de una euforia que, en los noventa, declinó irremisiblemente: la democracia y lo popular, finalmente, no se volvieron a encontrar y mucho menos en los medios masivos. El cine, que desde los tiempos de *El acorazado Potemkin* había sido un lenguaje ideal para alentar al pueblo en trance, se encontró con que el pueblo se había transformado en otra cosa.

El nuevo cine argentino no sólo rechazó, explícita o implícitamente, la herencia del cine político de los sesenta sino que llegó a hacer una crítica de la consideración del pueblo como sujeto político privilegiado y al cine como una de sus armas posibles. Y si en algunos films todavía se detecta una nostalgia por lo popular ya no es en términos de la transformación social que prometen sino de sus prácticas culturales (lo que aquí denomino el pueblo como reservorio cultural), aunque sería más exacto decir que lo que aparece más valdría definirlo, antes que como pueblo, como *lumpenaje*. Fuera del mundo del trabajo y guiados por la necesidad, los lúmpenes no son una promesa de liberación (como podía serlo el pueblo), sino de arranques de violencia desorganizada e irreflexiva. No son pobres que luchan contra ricos, sino miserables que se aprovechan de otros miserables, como en *Pizza, birra, faso* cuando le roban a un paralítico que pide limosna. El otro modo de aparecer que tiene el pueblo, o lo que queda de él, es la *otredad*, algo a lo que no se puede acceder, situación que se presenta en *Los rubios*, *Los muertos* o *La ciénaga*. En esta última, el pueblo se ha vuelto una cosa fría, ajena, televisiva. El mundo del pueblo que le daba sustento a determinada acción política se ha desintegrado y ese nuevo trance es el que nos entregan estas películas.

El pueblo político

En los filmes de los noventa, el pueblo falta. Una escena ilustra perfectamente esta transformación: en *El bonaerense* de Pablo Trapero el protagonista tropieza con una marcha piquetera. Zapa en realidad quiere cruzar la calle (no está en horario de trabajo) y debe esperar a que la marcha pase para seguir su camino. La cámara, si bien se detiene en la observación de la multitud, acompaña al protagonista. El hechizo de la masa no se produce y la manifestación no llega a torcer la historia. Es, digámoslo así, un tropiezo sin consecuencias. Es como si *El bonaerense* se hubiese encontrado con un fragmento de *La hora de los hornos* o de *Memorias del saqueo* de Fernando "Pino" Solanas. Pero a diferencia de éste, Trapero no muestra ningún interés por hacer de la marcha popular un actor de su historia.

También en *Silvia Prieto* las promotoras llegan a movilizarse para pedir por una compañera muerta en un accidente. Pero allí donde las multitudes llenan y exceden la pantalla (en el cine político), en la película de Rejtman la marcha está signada por el vacío. Donde los primeros planos recortaban rostros retorcidos por el grito (como el célebre cartel de *La hora de los hornos*), la escena de *Silvia Prieto* registra rostros apáticos o inexpresivos. Además del efecto ligeramente cómico de las ropas de promotoras que utilizan las chicas, hay cierta indiferencia e inactividad en los personajes (están todas sentadas y parecen cansadas) que contrasta con los cuerpos en plena agitación que caracterizan al cine político. Marcelo y Brite llegan en taxi, recorren la marcha y finalmente la abandonan porque tienen una mesa reservada en un restaurante mexicano. La marcha demanda seguridad ("mayor seguridad en el trabajo, no a la impunidad" dicen los carteles) y la puesta en escena subraya el carácter local, puntual y contingente de la protesta. Ese grupo de promotoras que lucha por algo justo no accede en ningún momento a la categoría tradicional de pueblo ni le interesa hacerlo: las preocupaciones de Silvia Prieto y sus amigos son de otro orden.

En este punto, sin embargo, ninguna película va más lejos que *Los rubios* de Albertina Carri, porque en su afán de demostrar que la lucha de sus padres estaba errada, Carri presenta una serie de entrevistas a personajes del "pueblo" (los vecinos del barrio humilde al que se mudaron sus padres para continuar la resistencia armada) que se contraponen claramente con las entrevistas a los intelectuales (que son mostrados, generalmente, a través del video y de televisores).[4] El "todo armado políticamente", en palabras de la realizadora, de los ex-militantes se opone al discurso de los vecinos, irreflexivo (pero no exento de lógica), cándido (pero no desprovisto de maldad), lleno de huecos y de lapsus. Carri quiebra con uno de los principios tácitos de los documentales sobre la militancia, que generalmente se restringen al testimonio de los que participaron. Un "yo lo viví" que encuentra en el relato de la vecina delatora una mirada perturbadora. Con este testimonio, Carri le sustrae al pueblo la idea de conciencia y deliberación que le otorga la voz del militante. De hecho, el fragmento del libro de Roberto Carri que lee la protagonista trata,

---

[4] Según testimonio de Cecilia Flaschland, una de las reflexiones que despertó *Los rubios* en la Facultad de Ciencias Sociales (donde hay una agrupación que lleva el nombre de Roberto Carri, padre de Albertina) fue: "si la directora no se llamara Carri de apellido, a esa película ya le hubiéramos hecho un escrache".

justamente, de esta transformación de la multitud en pueblo por medio de la conciencia: "La población es la masa, el banco de peces, el montón gregario, indiferente a lo social, sumiso a todos los poderes, inactivo ante el mal, resignado con su dolor. Pero, aun en ese estado habitual de dispersión, subyace en el espíritu de la *multitud* el sentimiento profundo de su unidad originaria; el agravio y la injusticia van acumulando rencores y elevando el tono en su vida afectiva, y un día, ante el choque sentimental que actúa de fulminante, explota ardorosa la pasión, la muchedumbre se hace *pueblo*, el rebaño se transforma en ser colectivo: el egoísmo, el interés privado, la preocupación personal desaparecen, las voluntades individuales se funden y se sumergen en la voluntad general; y la nueva personalidad, electrizada, vibrante, se dirige recta a su objetivo, como la flecha al blanco, y el torrente arrasa cuanto se le opone".[5] Pero esta transformación jamás se produce y Albertina Carri arremete contra uno de los sostenes más fuertes de lo popular en el cine y en la historia argentina: la creencia de que en el pueblo descansan la resistencia y una conciencia inalienable.

En estos tres casos puede verse entonces cómo se hace una referencia al pueblo para mostrar su falta. Ni en *El bonaerense* ni en *Silvia Prieto* ni en *Los rubios*, pese a sus evidentes diferencias, esta ausencia genera nostalgia, y las tres presentan nuevas agrupaciones posibles que ya no necesitan del poder fusionador del pueblo. La institución en el film de Trapero, el azar y la mercancía en el caso de Rejtman y la familia del cine en el de Carri funcionan como lugares afirmativos. No hay una nostalgia de lo perdido sino un intento por superar la soledad posmoderna.[6]

La masa, reservorio cultural

Si el pueblo no es un sujeto político al que se puede apelar, sí se puede recurrir a él como promesa cultural. Con una larga tradición populista que se remonta, por lo menos, al siglo XIX, los personajes populares aparecen como más puros, más auténticos, más repletos de vida. Sin embargo, vistas las cosas con detenimiento, no cabe hablar en estas películas del "pueblo" como reservorio cultural, ya que los personajes que aparecen no representan a un pueblo ni lo alegorizan sino que transitan por fuera de esa categoría. En todo caso, el

---

[5] La frase pertenece, en realidad, a Juan Díaz del Moral y es el epígrafe de la obra de Carri. Para una lectura de la "escritura del padre" ver Hugo SALAS (texto incluido en su *blog* "elconsensoreverenciado") quien polemiza con la lectura que hace KOHAN (2004a) de este pasaje.

[6] Hay, en estos casos, una diferencia clave con *Buenos Aires viceversa* de Alejandro Agresti en la que no sólo se filma una marcha de HIJOS sino que la protagonista se integra a ella para conocer su pasado. Se trata, como me señaló Ana Amado en una conversación personal, de una inclusión de la marcha en la diégesis narrativa que la aleja de los films analizados.

146

interés por tales formas de vida y por sus prácticas culturales viene más bien del hecho de que son marginales, nómades, imprevisibles. La categoría de "lumpen", que para Marx caracterizaba a aquellos que estaban al borde de las clases, es tal vez la más atinada. En *Pizza, birra, faso*, en una escena que remite al Buñuel de *Los olvidados* y también a Leonardo Favio, los protagonistas atacan a un mendigo en silla de ruedas y le sacan todo su dinero. Pero si en Buñuel o en Favio lo que se denunciaba era la inclinación del cine social por dulcificar a los sectores populares o marginales, en *Pizza birra faso* tiene otro sentido: esos personajes no saben guiarse en un mundo en el que el enemigo ha desaparecido o es inaccesible.

La separación entre *mundo representado* y *modos de representación* permite pensar el tipo de populismo que Stagnaro y Caetano ponen en escena. Por un lado, los personajes representados están adscriptos a esa dimensión de lo abyecto o del descarte; por el otro, los medios de representación están contaminados con las imágenes de consumo de los medios masivos. Se trata, como dice Silvia SCHWARZBÖCK refiriéndose a este cine, de que "la clase media suele representarse la vida marginal con la óptica de la sección policiales de los diarios y de los noticieros de la TV. Es decir, se imagina un universo más intenso que el propio, pero donde no se puede vivir tranquilo, porque la muerte y el peligro están a la orden del día" (2000: 50). Pero se hace necesario ampliar la afirmación: esta proyección no es exclusiva de la "clase media" ya que este mismo lumpenaje (como lo muestra la escena en la que los muchachos de *Pizza, birra, faso* ven la película *Tarde de perros* por televisión) también se concibe a sí mismo desde ese lugar. Nos encontramos ante un *populismo mediático* que no siempre puede ver que ese mismo lumpenaje es una *reproducción invertida*, pero reproducción al fin, de aquel poder dominante. Ésta es la paradoja estructurante de la tendencia nómade, que amenaza su capacidad de resistencia: el actor-personaje de *Pizza, birra, faso* convirtiéndose en basurero de una tira televisiva.[7] Sin duda, Caetano y Stagnaro rechazan algunas de las características más convencionales del populismo, como sus estilos dramáticos o esa suerte de recompensa simbólica moral, que es la conclusión a la que el populismo siempre arriba ("en el populismo, el otro, que parecía no tener nada —señalan GRIGNON y Passeron, 1992—, tiene todo o casi todo"). Todavía en 1995, se filman dos películas en las que Luis Brandoni encarna a este personaje barrial, un poco atorrante pero querible: el profesor de tango de *De mi barrio con amor* (1995) de José Santiso y el vendedor ambulante de *El verso* (1995) de Santiago Carlos Oves. Una manera típica de representación de estos personajes en el cine es mostrarlos, de un modo algo romántico, como el ser entrañable que está condenado a desaparecer en las nuevas condiciones.

---

[7] Eso fue lo que sucedió con Héctor Anglada, uno de los rostros más característico del nuevo cine que murió trágicamente en un accidente de moto en marzo de 2002. Formado con Adrián Caetano (participó en sus primeros cortos, realizados en Córdoba), Anglada hizo su primer papel televisivo en la serie *Gasoleros* de canal 13 encarnando a un basurero.

147

Aun la película más populista del período, *Bonanza en vías de extinción* de Ulises Rosell, el pueblo −el mismo título lo dice− es lo que está condenado a ser parte del pasado. Bonanza Muchinsci y sus hijos La Vero y Norberto son los protagonistas de este film documental en el que no hay voz en *off* ni miradas a la cámara. El personaje es bastante curioso: en su juventud, fue el protagonista de uno de los robos a un banco más espectaculares de la historia delictiva de nuestro país. En la actualidad, cuando debe rondar aproximadamente los sesenta años, Bonanza se ocupa de vender chatarra, cazar animales para luego venderlos y otras ocupaciones de ciruja aledañas que lo convierten en un verdadero cacique zonal.[8]

Ulises Rosell comenzó a registrar la vida de Bonanza Muchinsci mientras filmaba en su galpón de las afueras de La Plata el corto "Dónde y cómo Oliveira perdió a Achala" de *Historias breves*. El cartel que promocionó la película lo muestra como un rey, con corona y rodeado su cuello por una víbora gigante, y en verdad Bonanza lo es: es un rey plebeyo que sobrevive gracias a las changas y al clientelismo político.[9] Uno de sus parlamentos muestra la moral del personaje: "hay que ir a tocar los bombos... vamos, hay una patota que está jodiendo, llamo a mi gente y... vamos". Este "vamos", es de prever, no promete nada bueno. A diferencia de otras películas del nuevo cine, la política sí aparece retratada explícitamente en los carteles que salen a pegar los muchachos de Bonanza; pero para el ojo de la cámara no importa quién es el candidato (sólo se lo puede ver al sesgo) ni cuáles son sus ideas, sino cómo Muschinsci y los suyos saben sacarle provecho al sistema político corrupto. Para trazar un cuadro de situación más completo, hay que decir que Bonanza habla mal de las drogas ("el gran problema que aqueja a la juventud") y que tiene en el barrio un enemigo peor que él, que no respeta nada y es un delincuente sin tradición ni lazos afectivos con la gente del lugar. Bonanza, digámoslo con una palabra con historia en el cine, es un *padrino*.

Pese a esto, la visión que la película tiene del personaje es absolutamente celebratoria y no es difícil ver en sus puntos de vista la continuidad con un tipo de populismo que, si antes se ligaba a la viabilidad política, ahora se regodea en su situación de encontrarse "en vías de extinción". El mundo de los Bonanza aparece, antes que como un caso de precariedad o de vida desquiciada, como una vida llena de aventura, sabiduría y experiencia. Las escenas de intensidad se suceden unas detrás de otras, así como el festejo de cada una de

---

[8] El cacique es alguien que detenta un poder local importante pero cuya función no siempre queda clara a los ojos del visitante o personaje que viene de afuera (el cacique puede ser un intendente, pero también un panadero, un médico o, como en este caso, un chatarrero). Figura típica de la cultura política latinoamericana, pueden recordarse personajes de García Márquez como el dentista que es, también, uno de los que detentan el poder en el pueblo (ver, por ejemplo, "Un día de estos" en *Los funerales de la Mamá Grande*).

[9] Sobre la figura del plebeyo en la cultura argentina puede leerse el interesante ensayo de Christian Ferrer incluido en BIRGIN, 2003. Ferrer analiza la imaginación plebeya como una alianza entre cultura popular y poder político.

las habilidades que presentan los personajes: desde cazar víboras, despedazar un auto con un hacha o jugar con hamacas hechas de llantas de autos en el estanque y en el barro, detrás de los galpones en los que vive la familia. Rosell quiere mantenerse afuera de la historia, y así como los personajes nunca miran a cámara, tampoco aparece la voz del director o los entrevistadores haciendo preguntas. Más bien el deseo del director es mimetizarse con ese personaje y eso se puede ver en el *montaje bricolage* que evoca las habilidades del rey plebeyo: con el mismo talento que Bonanza Muchinsci (al rey lo que es del rey), Rosell construye una historia atrapante con restos, tomas ocasionales o desprolijas, escenas captadas "al vuelo", reciclaje de materiales heterogéneos. Sin embargo, en algún momento la distancia irremediable entre el joven director (egresado de la Universidad del Cine) y el ciruja debía hacerse presente. Y esto sucede, sobre todo, en la musicalización, que solo reproduce accidentalmente la música que escuchan los personajes y recurre a los sonidos de la *world music*. Las canciones de Manu Chao y de Kevin Johansen muestran cómo la valorización de esa vida se hace desde una mirada globalizada que descubre los beneficios de la localidad y de la vida un poco 'salvaje' de aquellos que quedaron afuera.[10] La cita de Grignon y Passeron se cumple integralmente en la película de Rosell: en realidad Bonanza, que parecía no tener nada, lo termina teniendo todo.[11]

Uno de los detalles descriptivos de *Bonanza* nos da otra clave de cómo este tipo de populismo tuvo en los noventa bastante aprobación en diversos medios. Como en varias de las películas del período, la televisión aparece, pero si no llega a ocupar la totalidad de la pantalla es porque la vida de los Bonanza es radicalmente diferente a una vida encandilada por la televisión. El único momento en el que la cámara se detiene en la pantalla del televisor es cuando se está emitiendo un programa de Alberto Olmedo interpretando al "Manosanta", uno de sus personajes más populares. Reivindicado por el público y el periodismo en general como uno de los genios cómicos, Alberto Olmedo (1933-1988) recibió una inesperada aceptación en círculos letrados y en el mundo académico.[12] Fue Oscar Landi quien, después de un exitoso seminario

---

[10] Manu Chao es tal vez el músico que mejor representa las aspiraciones de los grupos antiglobalización. Kevin Johansen es un músico argentino-norteamericano que trata con mucha inteligencia, desde la música y desde las letras, el imaginario de la globalización. Ver particularmente "Mc Donald" y *Sur o no sur*.

[11] Esta línea populista-lumpen está retornando en los últimos festivales, y quien la sostiene más íntegramente es Jorge Gaggero con *Cama adentro* y *Vida en Falcón*. La primera abrió el festival y la segunda ganó el premio del público.

[12] En el cine, Olmedo fue un *talento desperdiciado* ya que hizo varias películas pero todas ellas —salvo tal vez *Mi novia él...* (1975) de Enrique Cahen Salaberry— muy deficientes y mediocres, y en las que su talento televisivo (improvisación, salidas rápidas, cambios de tono, juegos con el espacio del set) no se manifestaba. Según Martín Kohan, en una conversación personal, este "desperdicio" es lo que hace a la figura de Olmedo tan atractiva porque pone en escena una de las nociones más fuertes del imaginario cultural: la idea de que los argentinos seríamos mucho mejores, sino geniales, en otras condiciones.

en la Facultad de Ciencias Sociales de la UBA, escribió el libro *Devórame otra vez (Qué hizo la televisión con la gente, qué hace la gente con la televisión)*, que asume la defensa más integral y polémica de la figura del cómico. Y es justamente en la figura del Manosanta y de la Nena en donde encuentra un puente entre "el repertorio de la precariedad y del rebusque" y "la zona de la picaresca" como una muestra tanto de que "la magia no es la última esperanza cuando la crisis nos saca todos los pasamanos, sino un rebusque más" como del "vanguardismo de la magia periférica". Landi concluye que Olmedo "maestro de la improvisación, representó como nadie el grotesco, el sin sentido, la parodia que nos permitió seguir viviendo en la Argentina de la larga crisis" (1992: 29-34).[13] Los tópicos que sobreviven en la mirada de Landi no son nuevos, más bien tienen una larga historia en las interpretaciones culturales argentinas: las tácticas de los sectores populares para sobrevivir, su ingenio, sus ocurrencias. En el contexto de la crisis y del crecimiento de los medios masivos, este ingenio popular adquiere nuevas formas y eso es lo que detecta Landi. Pero más que la supuesta genialidad de Olmedo o de Bonanza, me interesa aquí lo que los artistas o los intelectuales hacen con eso. Cómo, por ejemplo, proyectan una *fascinación por el cinismo* que parece más un desplazamiento de la impotencia política de los intelectuales durante los noventa que un efecto propio de las actitudes de Olmedo o Bonanza. O también, cómo se supone una *salida imaginaria* cuando a lo que se asiste, en realidad, es –en los casos de *Bonanza* o de *Vida en Falcón*, no en Olmedo– a una vida miserable que sólo puede ser romantizada gracias a las elisiones y a la compaginación.

Paradójicamente, muchos de los rasgos de la cultura popular aparecen en un film en el que la continuidad de la tradición populista ya no es posible. *Lesbianas de Buenos Aires* de Santiago García es un documental sin hombres que cuestiona el machismo y la discriminación a la que son sometidas las lesbianas. Excluido el machismo (uno de los componentes esenciales de la cristalizada cultura popular argentina), la cultura popular aparece como reservorio y también en términos políticos. El fútbol, los "fierros", la cantante Gilda y la alabanza de las "mujeres populares en los Encuentros Nacionales de Lesbianas" contra las feministas que llevan el libro de Simone de Beauvoir bajo el brazo y a las que "les encanta dar clase" son los componentes que retornan en este populismo imposible no sólo porque no hay machismo (uno de sus rasgos más persistentes) sino porque plantea antagonismos de otro orden. El pequeño escándalo de las mujeres que juegan al fútbol (Mónica) o que aman los autos, se continúa con la pareja que busca un hijo o la chica (Claudia) que le presenta la novia a sus padres. La recuperación vital e ideológica de esos

---

[13] No estoy diciendo que Ulises Rossel haya leído o no el libro de Landi, sino que ambos participan de un clima reivindicatorio de Olmedo que atraviesa toda la década del noventa. Para una lectura del libro de Landi en el momento de su publicación, ver la reseña de Beatriz SARLO (1992) en la que objeta la defensa de lo existente o la "Realpolitik" de la imagen televisiva, que terminan eximiendo al pensamiento de toda función crítica.

eventos de la cultura popular no se agota en ese campo sino que se extiende al de la lucha política. El director Santiago García, además notable crítico de cine y conocedor exhaustivo del período argentino clásico, inserta ya desde el comienzo imágenes de algunos emblemas del poder: la Casa Rosada, la Catedral, el Congreso de la Nación.[14] Y también, como pocos films del período (fuera de los políticos en términos tradicionales), las manifestaciones en las calles de la marcha por el "orgullo Gay" (como también lo hace *Safo, historia de una pasión (una remake)* de Goyo Anchou). Criticadas por Mónica, una militante de la generación anterior perteneciente a la CHA (Comunidad Homosexual Argentina), quien las considera "copiadas" y "contraproducentes" porque no ayudan a la integración, las marchas son defendidas por Claudia en un contrapunto que muestra la vitalidad de estas luchas de las minorías y sus diferentes modos de hacerse *visibles*. La película, sin duda, también se propone este fin: sin grandes pretensiones cinematográficas, García sabe armar el escenario para que esta visibilidad sea plasmada en imágenes. En uno de los testimonios de Mónica, un transeúnte pasa por la zona de Primera Junta, indiferente, entre ella y la cámara. "Esta es la famosa invisibilidad de las lesbianas" comenta Mónica.[15]

Lo sorprendente del film radica, en la serie que estamos armando, en el retorno de los estilemas de lo popular político y cultural, en un medio en el que adquieren un sentido radicalmente distinto. El pueblo entonces vuelve, pero está conformado sólo por mujeres y la razón del varón es destituida. "Falta algo", como dice en tono de burla una de las chicas. Sin embargo, esta falta

---

[14] Desde el punto de vista con el que estamos analizando el film llama la atención también la ausencia total de referencias al peronismo y a Eva Perón. El único partido que se menciona es el radical que, según una de las testimoniantes, es "homo y lesbofóbico". Una vez más, todo indica que *Lesbianas de Buenos Aires* trabaja con desplazamientos e inversiones de las tradiciones.

[15] Esta invisibilidad es evidente en la historia del cine argentino que casi no ha representado a las lesbianas salvo ligadas a la criminalidad. Así sucede en las películas de Emilio Vieyra (*Sucedió en el internado* de 1985 y *Correccional de mujeres* de 1986) y de Aníbal de Salvo (*Atrapadas*, 1984) que transcurren en una cárcel o en un internado (el capítulo de Barney Finn incluido en *De la misteriosa Buenos Aires*, de 1981, configura una excepción). El antecedente más interesante de este vínculo entre lesbianismo y criminalidad está en *Deshonra* (1952) de Daniel Tinayre, uno de los directores argentinos más inclinados a mostrar conflictos de carácter sexual. Pese a hacer propaganda del peronismo y de su melodrama exacerbado, la vida en la cárcel en *Deshonra* no está exenta de algunas sugerencias sobre las relaciones sexuales entre algunas presidiarias. La homosexualidad masculina ha tenido más suerte, aunque a menudo se la ha representado de modo satírico. Ya en *Los tres berretines* de 1933 aparece un personaje secundario "amanerado" que es, además, crítico de cine (la homosexualidad aparece representada, a menudo, como un exceso de intelectualismo). Después de algunos intentos como *Adiós Roberto...* (Enrique Dawi, 1984) u *Otra historia de amor* (Américo Ortiz de Zárate, 1986) hay que esperar hasta *Vagón fumador* (2000) de Verónica Chen y, sobre todo, hasta *Un año sin amor* (2005) de Anahí Berneri, basada en la historia de Pablo Pérez, para ver una representación inteligente y sin prejuicios del tema.

ya no produce culpa sino el descubrimiento de otra dimensión del afecto en el que remanidos e inertes tópicos de nuestra cultura adquieren una inusitada vitalidad.[16] En los noventa, lo popular genuino puede volver con la única condición de negarse a sí mismo en el mismo momento en que se produce.

El pueblo como otredad

En la evocación del pueblo como reservorio cultural hay cierta complicidad imaginaria o real pero siempre consolatoria. En el *pueblo como otredad*, en cambio, predomina la opacidad entre las relaciones, la inaccesibilidad a esa cultura ajena, y la sospecha, no siempre explícita, de que en los artefactos populistas no se muestra la cultura popular sino la imagen idealizada que se tiene de la misma. La paradoja de este gesto es que debe negar a la cultura popular a la vez que se hace un acercamiento a ella: se la representa como vacío, ausencia u opacidad, pero *algo* se representa. ¿Cómo hace el doble movimiento que, en la imagen y en el sonido, configura ese más allá?

Uno de los films que hace una de las elaboraciones más sofisticadas y atentas a los cambios que se produjeron en lo popular es *La ciénaga*. Se equivocan los críticos que sostienen que *Memorias del saqueo* de Solanas presenta *otra voz* que se complementa con la de Martel, porque esto sería negar lo que Martel dice de lo popular y cómo lo representa. Según afirma Jacques Rancière, "el pueblo es, primero, una manera de encuadrar" (1991: 95). Y *La ciénaga* encuadra de dos maneras: mediante los medios masivos y con el "encuadre geométrico".[17] La ética de Martel pasa por representar al pueblo detrás del marco, en silencio: nunca es sujeto sino objeto alejado, ya sea por la pantalla televisiva, ya por la intercalación de marcos de puertas y ventanas.

En una de las escenas más abruptas del film, la imagen digital televisiva se adueña repentinamente de toda la pantalla: es como si el cine hubiera sido desplazado para presentarse con toda su brutalidad lo real, más real que la realidad misma, de la televisión. Ahora bien, lo que esa imagen granulada y

---

[16] Como entiendo que esta lectura desarrolla un aspecto más bien lateral del film, transcribo a continuación parte de la crítica escrita por Moira SOTO que le hace más justicia al tema central de la película: "Ni *lesbian chic* ni condescendencia perdonavidas paternalista. Ni voyeurismo hipócrita ni espionaje enmascarado de divulgación pedagógica o sociológica. En estos encuentros bien cercanos con las chicas del título, Santiago García, con una actitud empática, de fina sintonía, ha merecido que sus valientes lesbianas entren en confianza para revelarse a sí mismas, desde lo personal –tan ligado al rechazo social que les niega un lugar visible, igualitario en el mundo– con conmovedora sinceridad" (2004).

[17] Gilles DELEUZE clasifica los encuadres en geométricos físicos o dinámicos. El encuadre geométrico se define porque "en el cuadro hay muchos cuadros distintos [...] Mediante estas encajaduras de cuadros se separan las partes del conjunto o del sistema cerrado, pero también comulgan entre sí y se reúnen" (1984: 30). La concepción física del cuadro, en cambio, "induce conjuntos imprecisos".

vidriada de la pantalla televisiva muestra es la visita de un periodista de televisión a la casa en la que supuestamente se apareció la Virgen. Un sistema de creencias pervive en otro: el de la religión en la TV. No creer ni en uno ni en otro conduce al nihilismo porque esa creencia instaura un real poderoso. La relación entre creencia y deseo es el núcleo del cine de Martel y, en esta escena, nos muestra su otro: la imagen absoluta y no cinematográfica de las creencias religiosa y televisiva. El tópico del pueblo alienado resurge con toda su fuerza porque la única salvación consiste en "no ver nada", como dice el personaje de Verónica al final del film.[18]

La otra manera de encuadrar es mucho más fiel a una idea del pueblo como otredad, porque si bien se establece una mirada exterior, ésta no supone una idea sustancial de sujeto (algo que puede ser alienado). En los momentos clave, como cuando Isabel deja la casa, los personajes del pueblo (los "kollas", según la gráfica expresión de Mecha) son vistos a través de ventanas o de marcos. Momi, quien desea a Isabel, la ve alejarse a través de los marcos de la ventana. Esta distancia, esta mediación que el encuadre se impone con ese mundo se concreta violentamente cuando Momi acompaña a Isabel a encontrarse con el Perro, apodo significativo que tiene su novio y que lo vincula con una otredad amenazante y siniestra. Los perros, no es ocioso recordarlo, son el supuesto objeto de deseo de los kollas ("se cogen a los perros") y el protagonista central de la historia de la "rata africana" (un perro mascota que se transforma en una bestia siniestra). Es un perro, además, el que provoca el accidente mortal de Luciano. Momi acompaña a Isabel a un club de un barrio humilde en el que el Perro, sus amigos y los vecinos se encuentran jugando al billar, bailando y escuchando música. Al llegar a una de las puertas, Momi se detiene y es testigo del diálogo entre Isabel y el Perro. La cámara discreta se queda con ella y el espectador asiste a la conversación desde lejos, enmarcada por las puertas del lugar. No se escucha lo que dicen y, en un primer momento, el sentido se le escapa totalmente al espectador (después sabremos que le fue a decir que estaba embarazada y esa es la razón por la que deja la casa).

El pueblo es, en este caso, inaccesible. En la televisión es accesible pero a costa de la pura falsedad. Ambas visiones, en realidad, se complementan en el propio lenguaje cinematográfico: frente a la imagen del no cine (de la televisión) que impone un conocimiento falso (pero no por eso menos real), la imagen del cine sólo puede expresarse si reconoce su imposibilidad. Colocar

---

[18] Ya *Rey muerto*, el cortometraje de Martel incluido en *Historias breves*, incluía al pueblo vía televisión y en los comentarios que hacían los parroquianos a propósito del famoso incidente que protagonizó la periodista Silvia Fernández Barrio cuando, haciendo un reportaje después del atentado a la Embajada de Israel, alguien que pasó le tocó el trasero. Los comentarios sarcásticos de los parroquianos (después protagonistas de un drama patriarcal machista) no dejan lugar a dudas sobre el lugar que ocupa lo popular en el cine de Martel y cómo el pueblo incide en la construcción, junto a los medios, de lo femenino. ¿Hace falta recordar que, de un modo desviado, esa tocada grosera a Fernández Barrio reaparece en el personaje de Jano quien se apoya sobre Amalia en *La niña santa*?

marcos, distancias, silencios: el pueblo siempre está más allá y el cine no puede representarlo salvo como una lengua muda y una imagen inalcanzable.

Cuando *La ciénaga* no presenta a los personajes populares a través de estas mediaciones, como sucede sobre todo en la escena de la fiesta, se produce el enfrentamiento violento. Es que para Martel la servidumbre laboral *calla* a los otros y los amedrenta mediante la injuria y el ninguneo (o con el derecho de pernada, como en el caso de José). En *La niña santa*, la madre de Josefina se refiere desdeñosamente a las "chinas" mientras el ninguneo se hace evidente en ese omnipresente personaje, una de las mucamas del hotel, que aparece periódicamente con un desinfectante por los cuartos sin que nadie lo llame. No deja de ser curioso, de todos modos, que en su corto para *Historias breves* Martel se haya interesado por el mundo de lo popular, haya utilizado como banda sonora una canción de Lía Crucet y haya contado la parábola del rey (macho) muerto. Complementariamente a lo que sucede en *La ciénaga*, puede decirse que la inaccesibilidad de este film no implica una idealización. Las relaciones de dominación y servilismo tampoco están ausentes en los sectores populares y si esto es así es porque la opresión masculina del rey y su decadencia atraviesa transversalmente a toda la sociedad y a todas las clases sociales.[19]

---

[19] Esta mirada también se verifica en el documental que hizo Martel sobre Silvina Ocampo y que construye un relato de su vida, alrededor de la mucama de los Bioy Casares, basado en un guión de Adriana Mancini y Graciela Speranza.

La nostalgia del trabajo

Una de las virtudes de *Ciudad de María* de Enrique Bellande es poner en evidencia, desde el cine, las transformaciones que se han operado en el mundo del trabajo. Película documental filmada entre 1997 y 2001 en San Nicolás, provincia de Santa Fe, cuenta los cambios en la ciudad a partir del momento en que la Virgen se le aparece a Gladys Motta el 25 de septiembre de 1983. Poco a poco, el fervor religioso por la Virgen va creciendo hasta convertir a San Nicolás, a mediados de los años noventa, en una verdadera ciudad religiosa. Conocida tradicionalmente como la "ciudad del acero" por la fábrica Somisa (alrededor de la cual giraba la economía de la población), San Nicolás comienza a ser llamada la "ciudad de María", y llega a recibir un millón y medio de peregrinos por año. Un momento de inflexión en la historia de la ciudad lo constituye el cierre de la fábrica de acero en 1991 y el brutal despido de más de siete mil trabajadores. Bellande, nativo del lugar, organizó su documental alrededor de dos ejes: las peregrinaciones al santuario y la figura de Gladys Motta. Los dos puntos culminantes de esta organización del material son la multitudinaria peregrinación de 1998 y la entrevista a la mujer que tuvo la aparición. La peregrinación cierra el film, pero pese a entrevistar a varias personas allegadas a Gladys Motta, nunca consigue una imagen de ella. "Filmarla imposible, ¿no?", pregunta en un momento el director en el film.

Además del interés que le despierta la figura de Gladys, Bellande se preocupa principalmente por las transformaciones económicas que produce el fenómeno y por la presencia de los medios masivos, que alientan la superstición mariana. Uno de los mayores desafíos que asume el film es trabar una lucha cuerpo a cuerpo con la imagen televisiva. Bellande no es un contrincante desleal y le cede a la televisión la totalidad de la pantalla, reproduciendo en tres tramos la transmisión de la peregrinación en bicicleta del ciego Christian Reboa que sale con pedidos de los niños de Casa Cuna y con una campera de Telefé que auspicia su calvario.[20] Además, la cámara registra la labor de los reporteros y la presencia de los canales de televisión. El despliegue de las cámaras y micrófonos de los medios televisivos y radiales convierte a la ciudad en el escenario de un espectáculo y a sus habitantes y fieles en protagonistas, a los ojos de Dios y de las cámaras. El culto ya no es la relación de a dos entre el creyente y Dios, sino una relación de a tres: un tercer ojo que mira y que convierte todo en *espectáculo*. Las prolongaciones de los medios en la ciudad están señalizadas por Bellande con un objeto tan presente en la película como las estatuillas de la Virgen: el micrófono. Con toda la tecnología a su disposi-

---

[20] Que el lector no se crea que el milagro se produce porque el ciego maneja la bicicleta. No, se trata de una bicicleta con doble asiento en la que el ciego va atrás con su primo adelante.

ción, los sacerdotes también se transforman en mediocres *showmen* mediáticos y es particularmente patética la escena en la que uno de ellos intenta, en la capilla, divertir y catequizar a los niños de un jardín de infantes. El cura trata de imitar denodadamente a los animadores de televisión a los que él también conoce. La veneración de la Virgen se monta como un espectáculo y las dos creencias más intensas de los noventa se unen: la televisión y la religión (algo que ya había mostrado también *La ciénaga*).[21] Los flujos de superstición que atraviesan una y otra son la materia prima con la que Bellande construye *Ciudad de María*.

Pero no todo es televisión en la película: después de haber mostrado la casa de Gladys, de haber hablado con el padre Pérez y el psiquiatra (un personaje que, paradójicamente, debería estar en el psiquiátrico pero ¡como paciente!), de haber mostrado el interior del diario *El Norte* (protagonista también del fenómeno), después, en fin, de haberle cedido el espacio a la imagen televisiva y al ciego Christian, Bellande exhibe sus armas. Digamos que no son muchas, pero que el film pasa a un fundido a negro que indica claramente que entramos en otra lógica. Se ve entonces correr los números y los signos (el *start* del fílmico: *9, 8, 7…*), que nos dan la pauta de que estamos frente al celuloide del material fílmico. Las escenas que vienen a continuación, observadas desde el presente, parecen de un film de ciencia ficción: dos hombres que llevan capuchones con visor trabajan en una fundición, los colores del rojo y el negro contrastan y después se suceden las imágenes de un deseo de modernidad que, en el presente de la película, ya está en ruinas: unos chicos con guardapolvos blancos saliendo de la escuela estatal y laica (¿cómo no pensar en los niños del jardín de infantes privado y religioso diciendo que tienen dos madres: una en la tierra y otra en el cielo?), muchísimos jóvenes trabajando en grandes mesas de dibujo en una sala enorme (¿cómo no pensar en las procesiones?), dos médicos realizando una operación (¿cómo no recordar la cháchara del psiquiatra?) y una maqueta que se vuelve ciudad sin lugar para la cúpula. Sale el sol y la voz en *off* de la publicidad dice: "Todo es acero" y concluye afirmando: "Acero es vida" (¿cómo no pensar en la canción que cantan los fieles que dice que "Dios es todo"?).[22] Por supuesto que un

---

[21] El comienzo del film es contundente: una periodista de Canal 13 se enfrenta a una cámara y les explica a los televidentes el carácter de la nota: "*según la tradición*, la Virgen se le apareció a Gladys Motta el 25 de septiembre de 1983". ¿Pero dónde se vio una tradición que sólo tenga quince años y que pueda llamarse a sí misma tradición? ¿O es que con el fin de las tradiciones estaremos condenados a vivir de paradójicas tradiciones breves proyectadas hacia el futuro por la televisión?

[22] Una oposición similar se encuentra en el documental *Rerum Novarum* de Sebastián Schindel, Fernando Molnar y Nicolás Battle, que opone films de Villa Flandria en los años cincuenta y sesenta a las imágenes actuales de la fábrica textil en ruinas (el pueblo se construyó alrededor de Flandria textil, fundada por el inmigrante flamencobelga Julio Steverlinck, modelo de patrón moderno y del catolicismo progresista que se inspiraba en la encíclica *Rerum Novarum*). También se ve en el film cómo la fábrica trajo la fundación de hospitales, escuelas, clubes y un cine. Sin embargo, la historia se

ojo educado en las prácticas del cine también podrá poner esas imágenes de la modernidad bajo sospecha (se trata, no lo olvidemos, de una publicidad). Por eso, más que remitir a una edad de oro, el *spot* publicitario es el índice de un tiempo perdido, un tiempo diferente donde al otro (el obrero) todavía se lo simbolizaba, aunque fuera con capuchones con visor.[23] En cambio, en la actualidad, los obreros y los trabajadores no aparecen por ningún lado, como el marido de Gladys, ex trabajador de Somisa, a quien nunca se lo filma. El fílmico, entonces, se vincula con la ciudad moderna, los trabajadores y el acero, mientras la televisión aparece vinculada a la ciudad posmoderna, a los fieles y a las supersticiones.

A continuación de la publicidad de Somisa, vuelve la imagen televisiva: el ministro Triacca afirma que el cierre de Somisa no tendrá "consecuencias sociales" y en un escrache que se le hace en su casa, un hombre levanta la imagen de la Virgen de San Nicolás y reza un padrenuestro. "Yo soy católico igual que usted", le grita. Ese hombre, que pide volver al trabajo apelando a la religión, no comprende la sorpresa que le tiene reservada la conversión: porque a partir de entonces su nuevo trabajo será la religión misma. Después de las imágenes del ministro Triaca no asistimos a la desocupación ni al advenimiento de la ciudad fantasma, sino a la llegada (no planificada) de un nuevo tipo de industria: la del peregrinaje. El candidato a intendente calcula que son 10 pesos por persona lo que convierte a los 400.000 peregrinos de la celebración de los quince años de la aparición de la Virgen en 4.000.000 pesos. *Ciudad de María* muestra el pasaje de la modernidad a la posmodernidad y lo hace alrededor de la creencia y la imagen. Del trabajador al creyente, del ciudadano al consumidor.

En el mundo posmoderno, según Zygmunt BAUMAN, el trabajo es "despojado de su parafernalia escatológica y separado de sus raíces metafísicas, el trabajo ha perdido la centralidad que le fue asignada en la galaxia de los valores dominantes de la era de la modernidad sólida y el capitalismo pesado" (2003: 149). Y pocas ciudades como San Nicolás unieron en la Argentina su destino a ese capitalismo pesado que tuvo en el acero uno de sus símbolos. Pero en tiempos de precariedad y una vez que la gran industria fue desmantelada, la ciudad encontró una materia prima casi tan rendidora como el acero:

---

centra más en la experiencia de la banda musical (formada también por Steverlinck en 1937 con obreros de la fábrica), que siguió funcionando después de su cierre en 1996. Las semblanzas son más personales y afectivas y se dejan a un lado los componentes sociológicos o políticos. La oposición entre fílmico y video puede ser, obviamente, consecuencia de la época, pero tanto en el film de Bellande como en el de Schindel, Molnar y Battle se subraya la aparición del celuloide como material.

[23] Curiosamente, la segunda película de Bellande es un documental institucional para Techint sobre la construcción de un gasoducto de 731 kilómetros. En palabras de Gustavo NORIEGA, "de tal tenor es la fabulosa empresa del gasoducto, y ese es el enfoque que privilegia Bellande: mostrar una combinación única de esfuerzo físico grupal y genio ingenieril", una "fascinante exaltación del esfuerzo humano y sus medias verdades" (2005: 27).

las creencias. Ya ha sido observado por diversos autores cómo, en el mundo posfordista, las ideas y la información producen más ganancias que los productos materiales (BAUMAN, 2003; VIRNO, 2003).[24] La creencia se transforma en la materia prima del espectáculo y del lucro, por eso los que antes podían aparecer como enemigos o resabios del pasado (los sacerdotes) se transforman de repente en los mejores comerciantes, porque manejan el habla y la actuación como pocos y porque disponen de un arsenal de imágenes muy efectivo y nada despreciable. En el comercial de Somisa se ven médicos, estudiantes, obreros, arquitectos, ingenieros, un bebé, una pareja enamorada pero ningún sacerdote, que, en esa ideología, sería lo improductivo y lo retrógrado. Sin embargo, la ciudad sale adelante. ¿Asistimos entonces a un bucle en el que el capital ya no profana más lo sagrado —según la célebre hipótesis del *Manifiesto Comunista* de Marx— y en la que lo sacro y el capital se alían? Un millón y medio de peregrinos son también un millón y medio de consumidores que hacen del culto su verdadero trabajo.

Poderes de lo falso

La relación íntima y hasta un poco pudorosa que Gladys Motta tiene con la Virgen se transforma, después de 1991, en espectacular. A los ojos del cineasta, su figura está signada por el misterio y la densidad. Con mucho criterio, la película no la desmiente ni pretende demostrar que se trata de una delirante o una embustera. Por el contrario, muestra pruebas como la foto con los brazos marcados o las hojas escritas con una caligrafía muy cuidada para alguien que no terminó la primaria. Pero antes de oponer una verdad a una falsedad (Gladys Motta sería una impostora), Bellande elige un camino más interesante y contundente: exhibir la elementalidad y la tosquedad del culto mariano. Los peregrinos que cantan como si se tratara de un partido de fútbol, los gauchos que gritan "¡Viva la patria!" y defienden el lema "patria, familia y propiedad", los desesperados que van a buscar el agua que sale de la cisterna sagrada. "Ayer —escribió Serge DANEY— era la verdad de la mentira. Hoy, los poderes de lo falso. Signo de los tiempos" (2004: 204). Como documental que hace que la cámara se desplace entre los personajes sin juzgarlos, es el espectador el que utiliza el film para plantearse hipótesis, posiciones y conclusiones.

Ciudad de María testimonia todas estas transformaciones y le disputa el poder al espectáculo. Lo hace de la única manera posible: sin adoptar una posición de exterioridad, sin juzgar, sino presentándole las pruebas al espectador. Sin embargo, cabe preguntarse si, en esa lucha, Bellande no termina fascinado por el fenómeno que quiere retratar. La *distancia* que se imprime a la

---

[24] Hasta una película para niños de Disney y Pixar ha detectado este cambio: en *Monsters*, los monstruos trabajan en una línea de montaje tipo fábrica fordista, pero su materia prima es el miedo de los niños del cual extraen energía para la ciudad.

imagen sin necesidad de recurrir a la exterioridad es aquí central. Y así como Bellande logra un contrapunto fecundo entre lo que testimonia y ese corto publicitario fílmico que viene del pasado, este contrapunto se debilita hacia el final, cuando la celebración mariana se apodera de la imagen con la entrada de la Virgen al santuario. ¿Reconocimiento de que no es posible resistirse a la seducción del espectáculo? ¿Deposición de armas frente a un mundo que se muestra más sólido que el acero? ¿O escenificación final para el espectador que aprendió a *mirar* la historia de San Nicolás?

El trabajo como narración posible

Contra lo que se ha afirmado en numerosas reseñas, *Mundo grúa* no extrae su eficacia de su capacidad para captar escenas cotidianas sino de su peculiar estructura narrativa. Con su narración dispersa y a saltos, la película de Trapero testimonia la experiencia y las situaciones que vive su protagonista, el Rulo (Luis Margani), para quien el *trabajo* estructura narrativamente el tiempo, construye los nexos, enlaza con el pasado y sostiene una perspectiva de futuro. Frente a esta expectativa (enraizada no en la historia personal del protagonista sino en su historia social), la estructura del film es la de *puro presente*, ya que el trabajo jamás llega a constituir la narración sostenida e integral que el Rulo fervientemente desea. Por eso, si bien *Mundo grúa* avanza a saltos y ensamblando *tranches de vie*, los saltos nunca van hacia atrás: el *flashback* en la lógica de la película está estrictamente prohibido mientras el trabajo no pueda imponer un relato estable. El pasado no se presenta en imágenes, sino en las palabras de los amigos que recuerdan "Paco Camorra", la exitosa canción de principios de los setenta del grupo Séptimo Regimiento donde el Rulo tocaba el bajo; en el presente mismo, se concretiza en la figura de su hijo Claudio (Federico Esquerro), vago y guitarrista de un grupo de rock.[25] Como dijo Pablo Trapero, "el hijo funciona en la película como un *flashback* del Rulo en tiempo presente. El hijo es el Rulo joven o, si querés, el Rulo puede ser el hijo de viejo" (en ACUÑA, 1999). Pero en estas confrontaciones con el pasado (sea en la imagen de Claudio, sea en los recuerdos de la canción), el tiempo narrativo del film revela lo que lo separa del pasado, porque si el hijo funciona como un *flashback* (aunque en términos estrictos no lo sea) es porque tiene semejanzas con el pasado de su padre sin ser idéntico: nada más diferente del recital del grupo de Claudio que el relato que hacen el Rulo o Adriana (Adriana Aizenberg), la quiosquera que se convierte en la nueva pareja del protagonista.[26]

---

[25] El grupo Séptimo Regimiento efectivamente existió y el Rulo fue su bajista.

[26] La evocación del pasado es exclusivamente oral. En el asado que se hace en la casa del protagonista, se juntan a ver fotos (pero éstas nunca se muestran), cantan canciones de Manal y recuerdan al grupo Séptimo Regimiento. Y eso pese a que Trapero podría haber recurrido a las imágenes de la canción que aparece en *El profesor patagónico* (1970) de Fernando Ayala. El Rulo vuelve finalmente a la Patagonia (a Comodoro Rivadavia) pero ya no como bajista de un grupo musical sino por un trabajo.

Hay una diferencia, entonces, que surge de confrontar el presente del Rulo con otro presente que se parece, pero no del todo, a su pasado. La diferencia básica es que mientras el Rulo no puede ni pensar en abandonar el mundo del trabajo, su hijo no quiere entrar a él. La socióloga Maristella SVAMPA lo sintetizó magistralmente en el título de uno de sus ensayos: "Identidades astilladas. De la patria metalúrgica al heavy metal" (2000). Lo que se produce en el medio (aquello que la película no representa en imágenes) es el paso de la historia, la modificación del estatuto del trabajo y, por lo tanto, de la temporalidad en la que vivimos. En el presente de *Mundo grúa,* la acción de vivir crea tiempo, pero un tiempo *astillado,* sin trabajo, que es propio del momento histórico en el que transcurre la película (los años noventa).

Si *Mundo grúa* fuera un ensayo sociológico uno podría hablar de la precariedad y del estado de desamparo en el que se encuentran los obreros, pero la película en ningún momento pretende eso sino algo muy distinto: cómo es la experiencia del tiempo en la actualidad y cómo construir una narración con los restos de un empleo inestable y provisorio. Para el Rulo el trabajo es lo que hace funcionar su mundo y lo hace bello. El amor por las máquinas que lo posee, a él y a casi todos los personajes masculinos, se extiende también a la relación entre las personas. "Trabajás a conciencia" es el primer piropo que le dice a Adriana, como si eso la hiciese más atractiva. Después le comenta a su hijo que "está practicando" y aprendiendo, como si el trabajo también fuera la posibilidad de una educación y de un comenzar de nuevo. La amistad (sobre todo con Torres, interpretado por Daniel Valenzuela) también viene ligada al hecho de trabajar, como se ve en las muestras de afecto por su madre y por Adriana (soldar una reja en un caso, arreglar una cortina metálica en el otro). Hasta la relación con su hijo pasa por esta diferencia: "¿No pensás laburar vos?" y todo el conflicto se desata en las palabras finales que le dice antes de echarlo: "Esto no va así... yo laburo todos los días... ya no te banco más".

La frase "yo laburo todos los días" estructura el tiempo del Rulo. Por eso, ser despedido, como efectivamente sucede, significa un desmoronamiento de la única narración posible que el protagonista imagina para su vida. Como le dice al hombre que lo lleva en auto a la estación de micros, en el sur: "ahora con el quilombo que tenemos, el laburo y todo eso, ya prácticamente no me acuerdo de todo eso [se refiere a "Paco camorra"]... *no tengo ánimos de andar contando".* Si tuviera trabajo, contaría, ligaría el presente con el pasado y persistiría hacia el futuro. Pero esa posibilidad, en la película, nunca surge o se despliega.

Como el mundo del Rulo está articulado alrededor del trabajo, la vida de su hijo se le hace incomprensible. Porque aun la juventud del Rulo, con Séptimo Regimiento, tenía que ver con la necesidad de buscarse un sustento. ¿Cómo puede ser que el hijo se niegue a aceptar lo único que podría ordenar su mundo? La diferencia entre ambos se hace evidente en una de las tantas reprobaciones que le hace su padre: "Mucha joda y poca memoria". Es decir, sin trabajo no hay memoria, no hay narración posible del tiempo. Son dos modos distintos de vivir la temporalidad: mientras el hijo ya se siente cómodo en el presente como disipación (sin nexos con el pasado ni proyecciones hacia el futuro), el Rulo trata todavía de darle un sentido a su existencia a través del estar ocupado. Es tan grande este deseo (o tan necesario), que debe abandonar su mundo afectivo (su madre, Adriana, su barrio) para ir hacia el sur a trabajar con una grúa excavadora en una cantera. Para lograr la estabilidad, para seguir viviendo en su mundo laboral, cae en la paradoja de tener que abandonar su mundo afectivo. Como no hay trabajo, no puede haber narración: por eso la película es una sucesión de presentes que no pueden enlazarse ni con las imágenes pasadas ni con las que vendrán. De ahí que la película no concluya (en términos narrativos), sino que se suspenda con un primer plano del protagonista volviendo a Buenos Aires después de haber perdido su segundo trabajo. La narración que *Mundo grúa* nos entrega es, como la identidad de sus personajes, astillada.

Mundo grúa, mundo cine

> —¿Cómo te sentís ahí arriba? —pregunta el Rulo.
> —Un pájaro —le contesta el que está en la grúa.

El mundo cambió durante los noventa: el poder se hizo más inaccesible e irrepresentable. En la película de Trapero, lo que se ve es su antesala representada por una escalera que conduce, supuestamente, a unos patrones que jamás aparecen pero que son los que hacen mover las grúas: "están poniendo toda la guita" le dice Torres al Rulo mientras suben una escalera que no los conduce a ningún lado. Ya las reuniones gremiales no se hacen para tomar el poder sino porque la vianda no llega o porque hay que "defender nuestras fuentes de trabajo", como se dice en las reuniones de la CTA en el sur.[27] En este contexto, el Rulo tiene algo de heroico en su defensa del trabajo y la película se identifica con él. El hecho de que sostenga su deseo pese a todo hace que su canción emblemática no sea "Paco Camorra", parte de un pasado ya clausurado, sino "Corazón de oro", el valsecito de Canaro que cierra la historia. Esta identificación entre el personaje y la mirada del director llega al amor por el cine mismo que está representado por el amor a las máquinas. El mundo grúa es la máquina del cine cuyas piezas (planos o engranajes) hay que ensamblar para que algo funcione.

¿Cómo funcionan las máquinas? ¿Cómo arreglarlas? ¿Cómo mantenerlas o ponerlas a punto? Las máquinas proliferan por todos lados: el motor del

---

[27] La política ya no se hace con fines de cambiar el estatuto del trabajo sino para conservarlo o recuperarlo. Esta nostalgia de los monumentos del trabajo (la admiración que generan las grandes fábricas vacías) son un tema no sólo de documentales narrativos como *Rerum novarum*, sino también de obras de activismo político como *Laburantes (Crónicas del trabajo recuperado)* (2003) de Carlos Mamud, Patricia Digilio y Nora Gilges, que habla de las cooperativas que los obreros cesanteados forman en sus lugares de trabajo.

auto que se le detiene y que debe llevar a su casa (Rulo tiene un taller en su casa: el trabajo se continúa como *hobby*), la persiana del kiosco que el Rulo arregla y que hace que comience a intimar con Adriana, las diferentes grúas que debe aprender a manejar, el auto preparado que lleva el mecánico (Rolly Serrano) a Comodoro Rivadavia, el bajo hecho pieza a pieza por un *luthier*, las rejas que debe soldar en la casa de su madre.[28] La película, de hecho, comienza con una máquina que supuestamente no funciona y que Torres, el amigo del Rulo, debe reparar.

La máquina más importante de todas es, obviamente, la que le da el título a la película y que la recorre de diversas maneras. En las escenas de juerga de Claudio, por ejemplo, aparece miniaturizada en un *flipper*, no transportando materiales de construcción sino la bola de metal. El hecho de que la cámara misma se monte a la grúa y se mimetice con ella en sus panorámicas de la ciudad muestra cómo en esos planos el ánimo del director se fusiona con el del actor. Porque ¿qué es la grúa, además de un símbolo del trabajo, si no una herramienta del cine para esos planos en los que la imagen parece estar flotando, adquiriendo vuelo propio? ¿O no es acaso la grúa uno de los íconos del cine, de su poder y de su esplendor?[29]

Si *Mundo grúa* va mucho más lejos que *Ciudad de María* es porque se mantiene más fiel en su idea del cine como lugar de resistencia (como alternativa de trabajo y de creencia). Una de las escenas más bellas del film es aquella en la que el Rulo y Adriana van al cine después de haber ido a cenar. Dos planos fijos, sólo dos planos, resumen la experiencia que tienen del cine. El primero es un plano general de las butacas en el que logra verse la luz que dispara la sala de proyecciones mientras se escuchan los gritos de lo que se presume es una película de acción. Corte y el segundo plano: Rulo y Adriana de espaldas (él intenta abrazarla) mirando los dos grandes proyectores del cine que pueden verse a través de un gran vidrio.[30] "¡Mira qué cosa hermosa!", exclama el protagonista a la vez que reconoce la "cruz de malta" que utilizan también otras máquinas.

Así como la narración se organiza, entonces, en analogía con la imposibilidad de conseguir un trabajo, el deseo del personaje es asumido por el film en todas sus consecuencias. Mediante esta identificación, *Mundo grúa* construye una historia en la que pérdida del trabajo y deseo de tenerlo son partes de un mismo engranaje.

---

[28] Los planos detalle de las máquinas y de alguien que trata de arreglarlas ya es una marca del cine de Trapero: Zapa haciendo una llave, el protagonista de *Familia rodante* arreglando el motor de la casa rodante muestran su amor por las máquinas y por la capacidad del trabajo humano para ponerlas en funcionamiento.

[29] Según Eduardo Russo, el video y los equipos ligeros hicieron obsoletas las grandes grúas del cine clásico. Russo dice además que "ese soporte estrafalario se convertiría en uno de los más arquetípcios elementos de la filmación en estudio", "figuras totémicas" y "fetiches envidiados de la Edad de Oro en Hollywood" (1998: 122).

[30] Se trata, sin duda, del cine Maxi que se encontraba en la Avenida 9 de Julio y en el que podían verse proyector y proyectorista a través de un gran vidrio.

Pensamiento y trabajo

Mala época es una de las pocas películas del corpus del nuevo cine en el que se encuentran sátira y crítica social. Compuesta por cuatro capítulos articulados orgánicamente, esta presencia de la sátira como crítica moral de las costumbres hace que el film, realizado en 1998, sea uno de los que establece más lazos con el cine de los ochenta.[31] Esta remisión se hace evidente en la construcción de los personajes secundarios, compuestos por lo coloquial y lo costumbrista, y por una cierta idea, de larga tradición, de la porteñidad. Además, la política clásica ocupa un lugar preponderante a través de la figura de Vicentini, un candidato a diputado inescrupuloso, y Carlos Brochato, un sindicalista burócrata y corrupto. Si esta rémora del cine anterior no impide que se trate de un ejemplo del nuevo cine es no sólo por la presencia de un equipo de técnicos y actores que, posteriormente, aparecerá en otras producciones, sino porque la sátira transcurre en paralelo con la narración de las cuatro historias: "La querencia", de Nicolás Saad, y las aventuras desdichadas de un provinciano en la ciudad, "Vida y obra", de Mariano de Rosa, y la revelación que tiene un trabajador en una obra en construcción, "Está todo mal", de Salvador Roselli, y las historias de amor de unos adolescentes en un colegio secundario privado, y "Compañeros", de Rodrigo Moreno, y la historia de un sonidista de actos políticos que se enamora de la novia de su empleador, un sindicalista de la pesada. Ninguna de estas narraciones —bastante desparejas y unidas no por su novedad sino por su pretensión de construir una alegoría— termina, de todos modos, absorbida por las lecciones satíricas, y aquello que se cuenta preserva cierta zona autónoma menos pendiente de señalar por qué vivimos en una mala época. Sobre todo en los capítulos dirigidos por Mariano de Rosa y Salvador Roselli, en los que se focalizan conflictos más elusivos y casi siempre mal tratados en las películas nacionales. Roselli se interna en la experiencia de un adolescente que descubre el amor y la traición al mismo tiempo, mientras de Rosa encara, con un rigor cercano a la abstracción, la relación entre trabajo y pensamiento. O si se quiere, para retomar el célebre par conceptual, entre trabajo manual y trabajo intelectual.

La historia de "Vida y obra" es muy sencilla: en una obra en construcción, Omar, un obrero paraguayo, persigue a una chica que, finalmente, se le revela como la Virgen. El mensaje que le da la Virgen en guaraní es que los trabajadores deben unirse y pensar sobre quiénes son. En consonancia con este mensaje, Omar convence a sus compañeros de suspender el trabajo porque, argumenta, "si trabajamos no podemos pensar". Omar cae entonces en la contemplación y anota sus revelaciones en un cuadernito. El capataz Luque (Martín Adjemián) decide entonces llamar al gremio y llega Carlos

---

[31] Tanto Rafael FILIPPELLI (1999) como Domin CHOI en www.otrocampo.com señalaron la organicidad de *Mala época* y los procedimientos y cruces que la convierten en un largometraje y no en un rejunte de cortos.

163

Brochato (Carlos Roffe) con unos matones para obligar a Omar a que retorne al trabajo. Además de decirle unas injurias discriminatorias y de enfurecerse porque Omar le habla en guaraní, lo ataca físicamente. Pero Omar se defiende, lo persigue por uno de los pisos de la obra y, por accidente, derriba un sostén que hace que se le caiga sobre su cabeza un bloque de cemento. Omar queda lisiado e incapacitado para hablar, pero su voz en *off* explica que ahora lo único que puede hacer es pensar y lamentarse porque la Virgen llegó "demasiado tarde". El episodio termina con un plano del cuaderno de notas en el que Omar escribe un garabato incomprensible.[32]

En *Ciudad de María* y en *Mundo grúa*, la nostalgia del trabajo estaba producida porque éste estructuraba un mundo. Ya fuera como creencia o como narración, el tiempo del trabajo ofrecía los marcos y los principios que permitían articular la acción humana. Pero en ambos casos, esta acción no estaba vinculada a la política sino a la vida cotidiana. El pasado de Somisa o de la plena ocupación del Rulo le daba sentido pleno al día a día, a las relaciones afectivas, al regreso al hogar. En "Vida y obra", en cambio, la *acción política como falta* se presenta en todo su esplendor.[33] A partir de la revelación de la Virgen, que viene a sustituir el deseo de los obreros por las mujeres que pasan por la vereda, la obra se suspende porque toda la cuadrilla sostiene que debe ponerse a pensar: "si trabajamos no podemos pensar". La *suspensión* no es una huelga pero sus efectos son los mismos en términos de producción. A tal punto que la llegada de los sindicalistas, que presumiblemente deberían apoyar a los obreros, es para *obligarlos a trabajar*, o sea, a no pensar. Porque lo que descubren en su actividad de pensar es que ellos también podrían ser capataces. La revelación de la Virgen es, entonces, la puesta en funcionamiento de una *facultad* que el trabajo manual impide: la del pensamiento. Esta facultad conduce a Omar al arte y a la escritura, es decir a una actividad aparentemente improductiva que sólo es posible si cancela su actividad como albañil. Omar retorna al arte manual pero de la escritura: la página en blanco es el lugar posible de un pensamiento, de la especulación y la búsqueda. Una obra reemplaza a otra y en el medio, en la vida, la rebelión, la negación al mundo del trabajo que le había tocado. La acción política está cancelada (sólo el gremio puede decretar la huelga, dice el dirigente sindical) y por eso Omar llega al límite: ya no se trata de mejorar el trabajo sino de suspenderlo y saltar a otra realidad.

Paradójicamente (por medio de un accidente), Omar consigue su objetivo aunque para eso debe inutilizar su propio cuerpo. Imposibilitado de realizar una actividad de albañil, también se queda sin habla y sólo podemos acceder

---

[32] Anteriormente, Omar había escrito en su cuaderno: "hoy parece que". El plano posterior no permite saber cómo termina la frase.

[33] Adrián GORELIK (1999 y también en BIRGIN, 2003) hace dos excelentes análisis de la política en esta película a partir de la representación de lo urbano. "Es este fracaso definitivo de la política como instrumento de cambio y de la sociedad como su actor lo que creo que debe verse en la base de estas nuevas representaciones de la ciudad" (1999: 31).

a su experiencia por medio de la voz en *off* que es el recorrido de su pensamiento puro ("lo único que puedo hacer es pensar" dice). "La Virgen vino demasiado tarde", se lamenta, y la revelación de la mutilación en la que vivía (trabajar sin pensar) es reemplazada por otra (pensar sin trabajar). El garabato es la revelación, el acto puro de escribir la escritura, la contemplación y la salida del mundo del trabajo. Pero toda esa experiencia es incomunicable —salvo para los espectadores que también ejercen la contemplación y el pensamiento.

"Vida y obra" de Mariano de Rosa cierra el círculo del trabajo: suma, a la deserción de la narración y de la creencia, la ausencia de la política. Mientras en *Ciudad de María* todo estaba atravesado por la añoranza (por aquello que fue y ya no es), "Vida y obra" trata del trabajo en tiempo presente, menos mitificado y omnipotente, pero en el que algo falla. Antes que recostarse en su épica, el cortometraje de Mariano de Rosa exhibe su drama: porque si el trabajo estructura la vida de las personas (como querían *Mundo grúa* y *Ciudad de María*), también las cercena. Tal vez a los films nostalgiosos este hecho les parezca menos preponderante una vez que se anuncia su eclipse, pero "Vida y obra" tiene la virtud de mostrar que, aquello que se torna motivo de culto una vez que desaparece, puede ser insuficiente mientras existe. La creencia religiosa y trascendental, el milagro —tan premoderno y tan posmoderno—, acecha desde afuera (en *Ciudad de María*) o desde su centro (en "Vida y obra"), pero en ambos casos algo es cierto: el trabajo, que llegó a colmar las vidas, no ayudó a emanciparlas.

Palabras hirientes: la discriminación en *Bolivia*

Para cierta crítica de cine, el *estereotipo* es el mal. Sin embargo, todavía no es muy seguro que podamos pensar sin recurrir a estereotipos y que, a cambio, los estereotipos no nos ayuden, en algunas situaciones, a pensar. "Todos creamos estereotipos. Nosotros no podemos vivir en el mundo sin ellos", escribió Sander GILMAN (1985: 16). Aunque su carácter puede ser más bien anquilosador y parece oponerse a la novedad y a la sofisticación modernista, en este capítulo me propongo demostrar que los estereotipos pueden ser de mucha utilidad para investigar ciertas relaciones sociales. De todos los films de la década del noventa, *Bolivia* de Adrián Caetano ha sido visto como una representación estereotipada de los sectores populares, pero ¿esto es así o en hay en la película un trabajo más distanciado y complejo con los estereotipos?[34]

El largometraje de Caetano, basado en un cuento de Romina Lafranchini, enfrenta uno de los núcleos más estereotipados de nuestra cultura: los bolivianos o "bolitas". En un principio, "boliviano" parece hacer referencia a una pertenencia nacional, pero vistas las cosas con más detenimiento lo más determinante es el aspecto físico y el *status* social ("no parece boliviano", suele decirse). Estos son estereotipos sociales ampliamente difundidos y que suelen jugar un rol muy activo en las configuraciones imaginarias, lingüísticas y perceptivas del argentino medio. "Como no hay una línea real entre el yo y el Otro, —escribe GILMAN— una línea imaginaria debe ser trazada" (1985: 18). Los estereotipos, entonces, expulsan al otro detrás de una línea que puede estar trazada por diferentes juicios ("los bolivianos son ladrones, no se bañan"), que tienden también a preservar la integración del grupo (también imaginario) que los emite. Pese a su naturaleza simple, la función práctica de los estereotipos suele ser bastante compleja y tiende a establecer una serie de

---

[34] Además de los estudios de Sander Gilman, son de interés los estudios de Jesús Martín-Barbero y los diversos trabajos sobre la comunidad boliviana en Buenos Aires realizados por Alejandro GRIMSON (2000). Grimson, además, realizó un documental sobre la comunidad boliviana en colaboración con Sergio Wolf. Para la cuestión del estereotipo en el cine, sobre todo periférico, hay un buen panorama en el libro de Ella SHOHAT y Robert Stam en el que se plantea:
"1. Revela las pautas opresivas que se esconden en el prejuicio y que, a primera vista, podrían parecer fenómenos aleatorios e incipientes.
2. Destaca los trastornos psíquicos que ocasiona en los grupos afectados la sistemática representación negativa, ya sea por la internalización de los mismos estereotipos o por los efectos negativos de su diseminación.
3. Señala la funcionalidad social de los estereotipos, demostrando que no son errores de percepción sino una forma de control social, como las 'cárceles de la imagen' de las que habla Alice Walker" (2002: 206).

prejuicios que pueden ser bastante independientes de lo que sucede en la realidad. Si un "joven" sale a buscar trabajo y lo consigue, se trata de alguien que ha decidido asumir sus responsabilidades y asegurarse un futuro. Si el joven es "boliviano" (aunque los bolivianos no suelen ser jóvenes, son básicamente bolivianos), nos encontramos ante alguien que vino a usurparle el trabajo a los "argentinos" (argumento que, curiosamente, no vale por ejemplo con los uruguayos o los franceses). Estos prejuicios configuran una *instancia estructural* que tiene la capacidad de incorporar aun aquello que parece resistírsele: por más que te bañes, sos boliviano y, por lo tanto, sucio. O, para reafirmar también el estereotipo, "es boliviano pero limpio" (así como se dice "es judío pero buen tipo"). Es que la instancia estructural garantiza, con sus mecanismos, una gran capacidad de absorción que, en base a repeticiones, confirma determinadas relaciones de poder.[35]

Pero, si bien toma su matriz de los estereotipos sociales, el estereotipo artístico suele configurar una suerte de *segundo grado* del estereotipo ya que o bien puede reforzarlos o bien deconstruirlos y mostrar su naturaleza artificial. Basta encender la televisión para encontrarse con una proliferación de estereotipos y para ver también cómo, en algunos casos, el estereotipo está ironizado. Por su violencia y dureza, el estereotipo del boliviano no suele aparecer en la televisión (al menos yo no recuerdo ninguna representación) lo que, de alguna manera, deja que el estereotipo siga su curso en el imaginario social. En otros casos, muy acentuadamente con los *gays* y los travestis, las fuertes modificaciones que se han operado en el imaginario han hecho que su presencia se haya diversificado en los estereotipos. Sobre todo en los programas de humor, los estereotipos son motivo de risa y de burla. La risa no tiene en estos casos ningún efecto liberador y más bien reafirma el poder y las opiniones establecidas. Son tan fuertes los estereotipos sociales, tienen tanta duración y están tan entreverados en el sentido común, que no es fácil deconstruirlos o revelar sus mecanismos. Una obra de arte no sólo debe llevarnos a percibir a los personajes estereotipados como tales sino también a mostrarnos la *instancia estructural* que los produce. Y eso es lo que hace *Bolivia* de Adrián Caetano.[36]

Bolivia cuenta la historia de Freddy (Waldo Flores), un boliviano que entra a trabajar en un bar del barrio de Constitución como "ayudante" cumpliendo las funciones de mozo, parrillero y lavacopas. Su jefe es Enrique (Enrique Liporace), un típico patrón paternalista, y los comensales unos taxistas −el

---

[35] Estas relaciones de poder no son necesariamente de dominación. Grupos subalternos también pueden hacer uso de estos estereotipos como, por ejemplo, las ilustraciones de Grosz sobre los ricachones alemanes, siempre gordos y con levita y galera.

[36] No son muchas las películas que han seguido la línea de temática acerca de los inmigrantes en Argentina que inauguró Caetano. Una de las excepciones es *Vladimir en Buenos Aires* (2002) de Diego Gachassin, que cuenta la historia de un inmigrante ruso. Gachassin ha seguido trabajando en esta línea con su segundo largometraje *Habitación disponible* (2005), en codirección con Eva Poncet y Marcelo Burd.

Oso (Oscar Oso Bertea), Marcelo (Marcelo Videla), Mercado (Alberto Mercado)– y otros personajes como el *gay* Héctor (Héctor Anglada).[37] También trabaja en la parrilla Rosa (Rosa Sánchez), la otra moza y eventual amante de Freddy. La estructura de la historia es circular y el cartel que abre la película ("Se necesita empleado") también lo cierra, después de que el boliviano resulta asesinado por el Oso en un arranque de furia. En una lectura ideológica, es decir superficial, de la película, los dos personajes que se salvan son Rosa, emblema de las víctimas del machismo retrógrado y de clase, y Enrique, el patrón supuestamente comprensivo que funciona un poco como segundo padre (un amigo que da consejos más que amigo es casi un padre). Pero *Bolivia* muestra algo más: pone en escena cómo la instancia estructural produce el estereotipo del boliviano.

Señal de desajuste

El modo básico que tiene *Bolivia* de exhibir el carácter artificial y construido de los estereotipos es la discrepancia entre el discurso y los acontecimientos, en una escisión que encuentra su primera manifestación en la televisión.

La exposición distorsionada y un poco banal que se produce en la imagen televisiva abre la presentación de la película con el partido de fútbol entre los seleccionados de Bolivia y Argentina. La escisión entre lo visual y lo sonoro ya está en este fragmento: el gol argentino está en contraste con la música de los Kjarkas. Posteriormente, la televisión muestra una escena de una pelea del campeón mundial Mike Tyson con Evander Holyfield, el contrincante al que aquél le arrancará la oreja con los dientes. La violencia sublimada del deporte reproduce y anuncia, de modo distorsionado, la violencia material que estallará en el bar hacia el final de la historia. Pero el carácter *falso* y *vinculado al poder* de los estereotipos se presenta, como una puesta en abismo, en la estrambótica película norteamericana que transcurre en Buenos Aires y que están pasando por la televisión del bar. Esto lo percibe claramente el taxista Marcelo, quien comenta: "siempre los malos son latinos, latinoamericanos,

---

[37] Hay un personaje que nunca aparece y que es el que tuvo éxito: el "Turco". ¿Pero el personaje del turco es una figura estereotipada o responde de alguna manera a la observación social? En *Bolivia*, el "turco" es el que zafó y le va bien, porque el principal talento de los "turcos" es saber comerciar y su atributo básico es la falta de moral. Esta combinación es muy útil en tiempos de crisis. Así, en la novela *Los pichiciegos* de Fogwill el "turco" es el que organiza la economía de subsistencia de la tropa. Pero también está el caso de Jorge Asís quien ha proyectado esta figura del "turco" sobre sí mismo y también sobre su literatura. Todo indica que la fuerza de los estereotipos no radica en su verdad, aunque puedan simplificar y condensar pizcas de verdad que incentivan categorías falsas de la imaginación social. Puede ser verdad que haya un turco avivado pero eso no dice nada sobre la naturaleza de los "turcos" (categoría racial o nacional bastante vaga por otro lado).

negros, hasta haitianos, *cualquiera*, son de terror".[38] Pero Marcelo después va a respaldar al Oso en su pelea con el boliviano Freddy y aunque puede detectar perfectamente la presencia de estereotipos en una película, no puede ver cómo funcionan en su propia vida.[39]

A través de las diferencias entre el discurso de los personajes y los acontecimientos narrados se produce una discordancia que lleva al espectador a mirar distanciadamente, con sospecha, todo lo que los personajes enuncian de los demás. Aun de aquellos personajes más comprensivos, como Enrique, el dueño del bar, o sobre todo de ellos porque la buena intención y el paternalismo dejan escuchar la sombra del prejuicio: "Freddy, tené cuidado que esta mina es muy turra", le dice Enrique acerca de Rosa. Pero a lo largo de toda la película, sólo vemos a Rosa tratando de lidiar con los diferentes ofrecimientos de sexo a cambio de dinero o de estabilidad en el trabajo. ¿Qué es lo que hace entonces que sea "muy turra"? Ni más ni menos, la asimetría en las relaciones de poder.

Pero donde esta discrepancia entre lo que vemos y lo que escuchamos se hace más evidente es en el mismo protagonista. Detengámonos en el aspecto corporal o en la imagen de Freddy. Él no sólo es boliviano (nació en Bolivia) sino que además *parece* boliviano (el estereotipo del boliviano). Se puede ser argentino y parecer boliviano o ser boliviano y no parecerlo. Pues bien, físicamente Freddy es y parece boliviano. Sin embargo, en sus actos —y hasta en su nombre— Freddy no cumple con ninguno de los requisitos del estereotipo boliviano: no es sumiso, tampoco es retraído ("viste que se quedan quietitos pero después te dan el zarpazo"), es pulcro (en una escena aparece recién bañado y, a diferencia de los demás, siempre bien afeitado), es seductor, elegante y sabe imponer respeto. De hecho, Freddy es el galán de la historia y tiene relaciones amorosas con Rosa que es la mujer que todos desean, aunque sea sexualmente, y a la que pueden acceder sólo pagando o mediante favores. Con Freddy, Rosa establece una relación desinteresada y basada en un intercambio recíproco y entre iguales (un inmigrante que trabaja en las mismas condiciones y con quien comparte la propina). Claro que no por salirse del estereotipo, la composición de Freddy cae en otro: el del héroe intachable. Se pelea, miente, es imprudente, no sabe moverse en la ciudad. En términos históricos, antes que un estereotipo, Freddy representa un prototipo de cierto tipo de migraciones latinoamericanas y del este europeo propias de los años noventa: "el campesino —escribe Silviano SANTIAGO— salta hoy por encima de la Revolución Industrial y cae de pie, a nado, en tren, barco o avión, directamente en la metrópolis posmoderna. Muchas veces sin la intermediación del necesario permiso consular" (2004: 52). Como le cuenta a Rosa, el parrillero fue en su país de origen un campesino y si no lo parece es porque la globa-

---

[38] El sujeto elidido del último "son" se refiere a otro estereotipo: el de los yanquis.

[39] Sobre esta relación entre estereotipo y experiencia puede verse la elaboración que hace Jesús MARTÍN-BARBERO (1993: 128ss.) a partir de los planteos de Richard Hoggart en *The Uses of Literacy*.

lización aminoró, cuando no borró, los rasgos regionales y de pertenencia (Freddy narra su pasado campesino jugando a un *flipper* de *Los locos Adams*). Sin embargo, hubo críticas que dijeron que Caetano reproducía los estereotipos. ¿No será que la "cárcel de la imagen" es tan poderosa que nosotros vemos a un estereotipo "boliviano" donde en realidad no lo hay?[40]

Desde el punto de vista de la narración, *Bolivia* niega, en el personaje de Freddy, cada una de las características que le endilgan a los bolivianos, y, sin embargo, el estereotipo funciona tanto para los otros personajes como para los críticos. Ya al principio, un personaje que se queda dormido en el bar (claramente un vago) le dice a Rosa "dejá de romper las bolas, negra" y a Freddy, "negro muerto de hambre, cagón". ¿Pero qué describe la frase hecha "muerto de hambre" si quien la dice debe dormir en los bares porque no tiene donde "caerse muerto" y quien la recibe se encuentra trabajando? Su efectividad radica en que la frase es *falsa* en términos de los hechos pero *verdadera* en relación con el imaginario al que está apelando.[41] Por eso, cualquier historia que se cuente sobre la discriminación debe enfrentar y narrar ese hecho: por qué los estereotipos, pese a todo, forman un núcleo de poder que sólo muy dificultosamente los hechos pueden llegar a desbaratar.

La realidad como insuficiencia (la cárcel de la imagen)

El estereotipo, entonces, es una imagen que se construye con palabras y con miradas y que involucra relaciones de poder. En esa construcción, *Bolivia* opta por poner a trabajar a la imagen visual en contraste con los diálogos. Mientras los intercambios lingüísticos que se dan entre los personajes establecen jerarquías y actualizan relaciones de poder, la puesta en escena visual de *Bolivia* está basada en la equivalencia entre los diferentes puntos de vista. Aunque es difícil determinar una lógica de la puesta en escena por la profusión de tomas, hay tres tipos de planos que se combinan para construir el espacio del bar en el que transcurre casi toda la historia (además de los planos detalle y primerísimos planos que, al comienzo del film, nos introducen en su clima).

En primer lugar, los planos en picado desde arriba tienden a mostrar las acciones de los trabajadores y los comensales: son como apuntes de los movimientos restringidos y regulares que organizan la vida diaria del bar. Vistos desde arriba, los personajes parecen moverse como marionetas bajo nuestra mirada. Este tipo de plano, neutro en la descripción de los movimientos, es

---

[40] Por eso me parece un acierto la inclusión pedagógica del film de Adrián Caetano en el libro de introducción a la escritura universitaria de Claudia TORRE y Álvaro Fernández Bravo (2003).

[41] De todos modos, que un boliviano duerma en un bar no haría verdadero el enunciado de que los bolivianos son vagos. El estereotipo tiene esa capacidad de ver lo particular a partir de una generalidad (nación, raza, sexo, clase) que supuestamente lo explica.

particularmente expresivo cuando hay dinero en juego. En el momento en que el Oso paga el choripán o Héctor deja las monedas, el plano en picado es más cerrado y duradero, destacando la importancia de las transacciones económicas en el desarrollo de la narración (fundamentales para el drama del Oso que es, desde el principio, un hombre acosado por las deudas). A estos planos les corresponde, entonces, mostrar la economía espacial y el espacio económico del bar.

Pero el tipo de plano más utilizado por *Bolivia* es el plano medio, que toma a los personajes a la altura de los ojos y establece una relación de equivalencia o de respeto entre ellos. La imagen subraya el componente humano que la palabra tiende a negar con frecuencia. Este plano tiene una duración breve, se articula por la lógica del plano-contraplano y varía permanentemente para darles lugar a todos los personajes. Su tema es la mirada y las alianzas o antagonismos entre los personajes, y genera un espacio cargado de sentido en el que se presentan, una y otra vez, las relaciones de poder.[42] Mientras estas relaciones se despliegan es como si, con los planos medios, la cámara sostuviera un estatuto de igualdad para todos los personajes.

En tercer lugar, están los planos generales del bar que casi siempre están tomados desde la zona en la que se ubica el televisor, de modo que los personajes se hablan entre sí mientras dirigen la mirada a un costado de la cámara. Acá la mirada ya no es entre humanos, sino que está imantada por un punto en el espacio que actúa como hipnotizador. Las imágenes televisivas que arrastran a los personajes no son neutras: las relaciones de poder aparecen allí espectacularizadas como en el partido de fútbol entre los seleccionados de Argentina y Bolivia, la pelea de box de Mike Tyson o esa extraña película norteamericana que transcurre en Buenos Aires.

Pese a esta profusión de tomas, hay una exclusión muy fuerte en el sistema de planos de *Bolivia*: no hay subjetivas. Acompañamos las miradas de los personajes pero en ningún momento asumimos sus posiciones o vemos a través de ellos. Como si la cámara, obsesionada con sus miradas, no quisiera nunca identificarse o confundirse con ellas. Esta puesta en escena que busca convertir a las miradas en una materia objetiva y palpable, y que las presenta sin optar por ninguna, se quiebra exactamente en la escena final cuando el Oso le dispara a Freddy (ya antes, el montaje frenético de la pelea anunciaba que la lógica de planos que se había sostenido hasta ese momento había ex-

---

[42] Estas miradas sancionan toda una lógica de los cuerpos que se basa en los pequeños territorios que ocupa cada personaje dentro del bar: Freddy en la parrilla, los taxistas en el espacio de los clientes, Enrique detrás de la caja. Cada vez que Freddy sale del territorio de la parrilla (donde, indocumentado, encuentra la protección precaria del trabajo), las miradas marcan que acaba de cruzar una frontera. También la ciudad es un espacio hostil y Freddy sólo encuentra respiro en los lugares de entretenimiento de la comunidad boliviana, donde hay peleas pero no por cuestiones raciales o nacionales. Freddy muere en el límite entre el bar que le dio trabajo y la ciudad que lo quiere expulsar.

plotado). La escena es como sigue: después de la pelea con Freddy, el Oso y Marcelo abandonan el bar y se van al taxi de este último desde donde llaman a un remolque. El Oso abre la guantera y se mira en el espejito retrovisor. Se ve a sí mismo con la nariz sangrando por la trompada que le propinó Freddy. El personaje se descubre a sí mismo en una posición que no le inspira respeto sino más bien desprecio (el origen del resentimiento) y decide limpiar su sangre con la del *otro* (el culpable de esa herida física que también es, a sus ojos, dolorosamente simbólica). La cámara se ubica entonces dentro del taxi, a espaldas de ambos. Cuando saca el revólver, la cámara pasa a una subjetiva del Oso: vemos la mira del revólver, a Freddy en la puerta del bar y escuchamos el estampido del disparo. Aunque tal vez haya una idea de culpabilizar al espectador, lo decisivo es que las relaciones de dominio y de exclusión adquieren, en este plano, un estatuto objetivo mediante una subjetiva (como si la subjetividad del Oso no fuera algo propio sino algo que él comparte con la realidad). Los gestos discriminatorios que el ojo de la cámara registraba entonces desde afuera se corporalizan en el Oso, y si el acto de violencia es personal (el Oso venga una afrenta de Freddy), la instancia estructural que lo avala tiene una larga sedimentación en los estereotipos sociales: un argentino castiga a un boliviano. Todo el peso de la agresión contenida a lo largo de la historia cae sobre Freddy, y hasta la misma imagen que se había mantenido imparcial, es arrastrada para convalidar la "imagen-cárcel" en la que, según la expresiva fórmula de Alice Walker, está encerrado el estereotipo (citado en Shohat, 2002: 206).

La injuria como producción de identidad (la cárcel del lenguaje)

Frente al equilibrio visual que instaura la puesta en escena hasta que estalla el conflicto, el desequilibrio se encuentra en los dichos de los personajes. Apareciendo de un modo intermitente pero con constancia, la injuria se va abriendo paso en los diálogos de cortesía que suelen regular la vida en un bar. En el orden del discurso, la *injuria* es el modo en el que se constituye el lugar del otro en un tipo de enunciación que extrae su fuerza de la capacidad para interpelar físicamente al interlocutor. Formas muy cristalizadas del habla, los insultos son lo que Judith Butler denominó "palabras que hieren" porque, si bien son actos de habla, tienen un carácter performativo violento además de producir, cuando se trata de actos de discriminación, una subordinación social que se basa en relaciones de poder preexistentes (1997: 18). Un insulto como "negro de mierda" o "boliviano sucio" nunca va a tener el mismo efecto ofensivo y corporal que "blanco de mierda". En cada injuria se enuncia también la estructura social y la posición que ocupan los sujetos.[43]

---

[43] Además de su potencial efecto físico, la injuria –en los actos de discriminación– despoja al otro de sus derechos. La etimología de injuria es, justamente, sin *jure* (derecho).

En *Bolivia*, el portador de las ofensas discriminatorias más sostenidas es el Oso, quien, finalmente, termina matando a Freddy. Seguir el discurso de este personaje (un resentido íntegro) es ver cómo funcionan la discriminación y el estereotipo en base a supuestos, vacíos y contradicciones. En un principio, su distinción básica es entre la "gente de mi país" y la "gente de afuera". A los que vienen "de afuera", "*uno* les abre la puerta" y "en un día se llenan de plata", por lo que el Oso se transforma en sujeto de una generosidad universal que sería víctima de la astucia ajena. Esta "gente de afuera" es intercambiable, ya que el que lo "cagó" es un "uruguayo hijo de puta", los paraguayos son unos "negros de mierda" y el "paraguayo Chilavert" tenía razón cuando decía que "los bolivianos son todos putos" (afirmación que antecede inmediatamente a la agresión física que desata el conflicto). La sustitución de "uruguayos" por "paraguayos" y por "bolivianos" devela los mecanismos de su discurso, porque en realidad los "uruguayos" no desencadenan el odio racial y nacional que generan paraguayos, peruanos y bolivianos. Los delirios paranoicos del Oso tienen una lógica que se basa en la *sustitución* lingüística y en una *reactualización* de las relaciones de poder.[44] El Oso, una víctima más de un sistema económico que lo ha arruinado, encuentra consuelo simbólico en el hecho de ubicarse, mediante la injuria, al lado de los poderosos (valiéndose, además, del hecho contingente de que él no es "boliviano" ni lo parece).

El escritor paraguayo Augusto Roa Bastos escribió que "en un callejón sin salida la única salida es el callejón". Y esta frase es válida para el laberinto de la discriminación en la que se interna el Oso: sin saberlo, su mismo discurso irreflexivo entrega las claves para salir de la maraña en la que se encuentra enredado. Cuando se tambalea medio borracho y Freddy acude a ayudarlo, el Oso lo increpa: "Pensás que necesito de un *boliviano* como vos para pararme, pensás que necesito ayuda de *cualquiera*" (los subrayados son, obviamente, míos). Cuando el cuerpo del Oso cae, el discurso del racismo viene a salvarlo y a sostenerlo en pie. Los estereotipos racistas, dice Sander GILMAN, aparecen cuando la autointegración está amenazada (1985: 18). Finalmente, los discursos encuentran su límite y de la injuria se pasa al castigo físico siempre en el terreno de la ofensa: el Oso le pega una trompada a Freddy y lo lanza detrás del mostrador. Se desencadena entonces el aceleramiento de la historia con un montaje frenético que culmina en la trompada que le pega Freddy rompiéndole la nariz y la salida de los dos taxistas. Finalmente, desde el taxi, el Oso dispara contra Freddy y le da en el corazón: ya no sólo terminaron los discursos —las palabras que hieren— sino que también se suspende el sonido. Comienza una cámara lenta a lo Sam Peckinpah (sin duda una de las referencias más fuertes de Caetano), y al final se produce el reestablecimiento

---

[44] Esta sustitución se ve también en el hecho de que el Oso, en su discurso final, defiende a Héctor, al que el patrón Enrique le niega trabajo por ser *gay*, pese a que por esta misma razón se lo discrimina en otras escenas. Sobre esta discriminación sexual se recorta otra: la del desprecio a los que vienen del interior, como es el caso de Héctor que es cordobés.

de la situación inicial cuando Enrique vuelve a colocar el cartel "Se necesita parrillero" con el que comenzaba la película. Es como si *Bolivia* distorsionara el tiempo y la historia durase exactamente un día: entre una mañana y otra, se cumple la expulsión del otro.[45]

Pero, como dice el mismo Oso, el "boliviano de mierda" es también un *"cualquiera"*. No se trata de que podría ser él mismo (el típico expediente de impugnar el racismo diciéndole al victimario que él podría ser la víctima como si el racismo fuera un problema psicológico y no estructural), sino de que hay un objeto sobre el que se ejerce la discriminación que es *un cualquiera*. Porque este es el fondo absurdo y vacío sobre el que se ejerce la discriminación, y no el hecho de que en realidad los judíos o los negros o los bolivianos no puedan ser de esa manera o como se los describe.

La paradoja en la que desembocan las víctimas es que son, a la vez, un cualquiera y un alguien determinado. El "cualquiera" no se refiere al hecho de que las personas sean equivalentes sino iguales y de que, desde su identidad, negocien su diferencia. El Oso quiere negarle a Freddy esa posibilidad: el otro es un *cualquiera* (lo que en su intencionalidad tiene un sentido despectivo) y él es un *uno* ("uno le abre las puertas"). Como todo plebeyo que se siente herido y que quisiera ser considerado un igual, el Oso le dice al dueño del bar, en palabras que tienen un eco de las de Gatica en la película de Favio, que "a mí me vas a respetar". Pero al agregar que "vos te pensás que yo soy ese bolita que está transpirando ahí..." frustra toda posibilidad de reciprocidad que, en la modernidad, funda el respeto o la posibilidad de su existencia. Entender al *cualquiera* como un espacio de sustitución universal en el que el derecho debería anteponerse al poder le hubiese ahorrado al Oso la humillación del autodesprecio y la frustración de la violencia sin sentido.

Mediante las imágenes y las palabras, *Bolivia* construye una realidad poco visible, si no directamente invisible, en la cultura porteña: la de la existencia de culturas migratorias cada vez más vigorosas y poderosas. Con una mirada inteligente, si la película de Caetano se acerca a sus personajes mediante una afirmación y una negación de los estereotipos es porque éstos todavía siguen regulando nuestra relación con esas comunidades y con esas culturas que, a menudo, prosperan a pocos metros de nuestras casas pero que todavía no podemos ver.

---

[45] Christian GUNDERMANN (2005), en su trabajo sobre la cuestión del deseo en la producción reciente del cine argentino, dice a propósito de *Bolivia*: "Una de las últimas 'postales' es el aviso 'Se necesita parrillero/cocinero', un plano que obviamente explica retroactivamente el diálogo entre las voces de los dos hombres, pero que además tomará significado especial al final del filme cuando el dueño del bar vuelva a colgar ese mismo aviso en la puerta después de la muerte de Freddy (asesinado por un borracho xenófobo a quien el dueño del bar le había encargado echar por borracho). Ese plano del aviso llega a simbolizar toda la brutalidad estructural de un ambiente en el cual el trabajador inmigrante no solamente es reemplazable, sino que además su muerte (en cumplimiento del deber) es un no-evento, un suceso que no se puede elaborar".

Los rubios: duelo, frivolidad y melancolía

Que le lecteur ne se scandalise pas de cette
gravité dans le frivole.

"El pintor de la vida moderna"
de Charles Baudelaire[46]

En una división de las ocupaciones nunca explicitada, en el cine argentino de los últimos años le tocó al documental hacerse cargo del pasado histórico. Aunque hay excepciones como *76 89 03* de Cristian Bernard y Flavio Nardini o *Garage Olimpo* de Marco Bechis, en casi todos los films de ficción del nuevo cine las referencias al pasado político son inexistentes. En los documentales, en cambio, a partir de la reflexión histórica y testimonial que abrieron *Montoneros, una historia*, de Andrés Di Tella y *Cazadores de utopías* de David Blaustein, la obsesión por el pasado ha ido creciendo en los últimos años al punto que una buena parte de su producción se ocupa de investigar el pasado político.[47] La época más revisitada durante los años noventa fue, más que el período de la dictadura militar, toda la década del setenta, con un especial énfasis en las organizaciones armadas. Es como si una vez completada la revisión de la dictadura se abriera en todos los campos de la cultura un interés cada vez mayor por reflexionar y documentar los años previos. El libro *Pasado y Presente. Guerra, dictadura y sociedad en la Argentina* de Hugo Vezzetti en el campo de la crítica, la monumental obra *La voluntad* de Martín Caparrós y Eduardo Anguita y las películas antes mencionadas son un buen índice de este pasaje. No es que la discusión sobre la dictadura se haya cancelado sino que logró instalarse en la sociedad, con un relativo éxito, la idea de que el terrorismo de Estado es cualitativamente diferente a la violencia de los particulares y que debe ser condenado y repudiado en todas sus formas. Una vez logrado esto (principalmente por la acción de los organismos de defensa de los derechos humanos y por el juicio a las juntas), la discusión sobre los años setenta queda un poco más despejada y puede hacerse en base a este supuesto irrenunciable (que la violencia civil no justifica en ningún caso el accionar represivo *ilegal* del Estado).

A esta necesidad de pensar esos años se le sumó un elemento inédito: muchos de los niños que habían sido víctimas directas del terrorismo de Estado tienen ahora entre 20 y 30 años y utilizan el cine como medio de expresión. María Inés Roqué, Albertina Carri o Andrés Habegger (todos ellos hijos de

---

[46] Tomado del libro *Orpheus in Paris (Offenbach and the Paris of his time)* de Sigfried KRACAUER (1938).

[47] Acerca de este tema, escribí un trabajo titulado "Maravillosa melancolía (sobre *Cazadores de utopías* de David Blaustein)" que fue incluido en el libro *Documental político argentino* compilado por Josefina Sartora y Silvina Rival, actualmente en prensa.

reconocidos militantes montoneros asesinados) encontraron en el cine un medio para procesar el duelo. ¿Pero cómo hacer el duelo cuando la instauración de la justicia que debería acompañarlo es defectuosa o parcial? ¿Cómo recuperar ese pasado de la niñez, casi irrecuperable y en el que se vivía en una ignorancia más o menos relativa de aquello que había pasado?[48] Finalmente, ¿cómo liberar las energías cuando faltan las piezas clave de ese proceso, esto es, el cuerpo del muerto, la condena de los responsables y un relato confiable de los últimos días de la víctima?

Papá Iván de María Inés Roqué, *Los rubios* de Albertina Carri y *(h) historias cotidianas* de Andrés Habegger son películas, son historias, son testimonios para *salir del duelo*.[49] Las tres, de diferente manera, por supuesto, funcionan a modo de "epitafios", como lo dice explícitamente María Inés Roqué en *Papá Iván*: "creí que esta película iba a ser una tumba, pero no lo es". Es que solamente *Los rubios* logra salir del duelo, y esto es así porque en vez de hacer un film-epitafio, Carri elabora un film-del-postizo o, en otras palabras, de los roles públicos de las personas.

No es muy difícil responder por qué estos jóvenes recurrieron al cine para procesar su pasado. El carácter indicial de la imagen cinematográfica permite construir un espacio testimonial muy adecuado para la rememoración: fotos, voces, grabaciones, documentos, personas que conocieron a las víctimas, registros de acontecimientos colectivos, etc. Todo un arsenal visual y auditivo para hacer el trabajo del duelo. Pero a la vez, como si este espacio visual fuera insuficiente para rozar aquello que está ineluctablemente extinto, los tres documentales recurren —sobre todo en los interludios— a imágenes hápticas, es decir que tienen una textura que sugieren lo táctil por medio del relieve, los contrastes fuertes y las diferentes superficies.[50] Las hojas de los árboles vistos desde abajo en *Papá Iván*, los carteles con efectos tridimensionales en *Los rubios*, las tomas del río con destellos de luz en *(h) historias cotidianas*. Salvo en esta última, en la que tienen además un sesgo temático (el Río de la Plata es el lugar al que arrojaban los cuerpos de los desaparecidos), las imágenes

---

[48] Casi todos los testimonios de *(h) historias cotidianas* dan cuenta de las excusas lógicas que se les daban a los niños sobre el destino de sus padres. En el caso de Albertina Carri, en su película cuenta cómo a los doce años, cuando le explicaron lo que había pasado, "no entendió nada".

[49] De estas tres películas, sólo *(h) historias cotidianas* se vincula explícitamente con una institución. Se trata de HIJOS (Hijos por la Igualdad y la Justicia contra el Olvido y el Silencio), la agrupación que desde 1996 viene realizando acciones políticas y artísticas para reactivar la memoria y denunciar la impunidad. Albertina Carri nunca militó en la agrupación y María Inés Roqué continuó viviendo en México, país en el que se exilió con su madre y su hermano. Fue en México que Roqué realizó su película con el apoyo del Centro de Capacitación Cinematográfica, CONACULTA (Fondo Nacional para la Cultura y las Artes de México) y, desde Argentina, David Blaustein con su productora.

[50] Tomo esta idea de Oscar Espinosa, quien la expuso en el seminario "Las astucias de la estética: la forma cinematográfica y la experiencia del presente".

hápticas trabajan la dialéctica de lo cercano y lo lejano, de la imagen y la naturaleza, del engaño visual y la comprobación táctil.[51] Es como si frente a la distancia de la memoria visual, estas historias se concedieran un momento de pura sensorialidad y de fusión con su objeto (la propia memoria). Mientras en *Papá Iván* e *(h) historias cotidianas* las imágenes hápticas son un más allá del lenguaje (una naturaleza que ya no será la misma: el río esconde algo, la fugacidad del paso de los árboles ahora connota una ausencia), en *Los rubios* están hechas de lenguaje (los títulos y los carteles intercalados en blanco y negro tienen relieve) y esto es así porque la película de Carri es la que más exhibe el "fracaso de la representación visual" (AMADO, 2004: 76) como testimonio y documento.[52] El cine es, entonces, por sus virtualidades y pese a sus limitaciones, un lugar posible para el trabajo del duelo.

De estos tres films, sin embargo, sólo el de Albertina Carri hace coincidir la palabra "fin" con la salida del duelo, mientras los otros dos terminan fracasando en su intento.[53] María Inés Roqué plantea desde un inicio que su obra tiene como fin enterrar definitivamente al padre, pero hacia el final la sombra de ese padre se hace tan poderosa que el intento de saldar cuentas con él es vano. Lo que sucede es que si Roqué inicia su trabajo de duelo con la idea de que el padre la abandonó, los diferentes testimonios insisten tanto en su heroicidad que el abandono pasa a un segundo plano y su padre se instala finalmente como monumento, inspirando respeto, distancia y aun algo de temor reverencial. "Siempre dije que prefería tener un padre vivo antes que un héroe muerto", rememora Roqué, pero como jamás llega a cuestionar si su padre *fue* efectivamente un héroe o cuál es la naturaleza de esa heroicidad (cosa que sí hace Carri), el duelo se convierte en una celebración y la realizadora (siempre una *hija*) desemboca en un callejón sin salida.[54]

Y todo eso pese a que Roqué cuenta con uno de los testimonios más deslumbrantes de los documentales políticos realizados en Argentina: el de su propia madre. Al explicitar sus diferencias con su ex-marido (el rechazo de la violencia como instrumento político) y al mostrar que otras actitudes cívicas

---

[51] AUMONT (1997: 111-113) habla de "tacto visual" y muestra cómo lo háptico retorna periódicamente en el cine, un medio básicamente óptico. Para una aguda recensión histórica puede leerse "Haptical cinema" de Antonia LANT (1995) donde discute los aportes de Alois Riegl y Noël Burch.

[52] Habría que hablar también, en *Los rubios*, de un fracaso de la representación oral-auditiva, ya que lo que la película propone es que no hay que escuchar *lo que quieren decir* los testimoniantes (o lo que creen decir), sino que hay que ejercitarse en la escucha de los huecos, los lapsus, las espontaneidades. De ahí la crítica de Carri en el film al "todo armadito" de los testimonios de los ex-militantes.

[53] Por eso no es casual que el proyecto siguiente de Albertina Carri no tenga que ver con la temática de *Los rubios*.

[54] Por heroicidad no sólo entiendo la valentía personal que pudieran tener esos militantes sino también un contexto épico que hace posibles esos actos heroicos. Por supuesto, no es necesario negar la heroicidad de los hombres del pasado para recuperar el presente; lo que objeto es esta recuperación como denigración del presente.

eran posibles, la madre impugna un historicismo endeble que se filtra en casi todos los otros documentales: el de que la violencia era el único camino y que lo natural en ese momento era optar por la lucha armada ("había que estar en ese momento..." se repite en los documentales políticos, una y otra vez).[55] El testimonio de la madre, sin embargo, parece estar viciado de rencores personales y privados, sobre todo si se lo compara con el de Miguel Bonasso que, apelando a la retórica de la heroicidad, vuelve a instalar a Roqué en el lugar del que la película, en un principio, lo había querido desalojar. El presente, ante estas acciones del pasado, queda empequeñecido, y las aspiraciones actuales resultan banales, frívolas e insignificantes frente a las ambiciones de los militantes del pasado: cambiar la historia, salvar a la nación, transformar la sociedad, en suma, hacer un mundo mejor. Roqué en ningún momento consigue desplazar al "héroe vivo" para reencontrarse con su "padre muerto" y este fracaso hace a la intensidad y a la belleza de *Papá Iván*. De hecho, es significativo que uno de los últimos testimonios, el de un compañero de militancia de Iván, sostenga que éste murió como un hombre íntegro y "que más a la vida no se le puede pedir".

(h) historias cotidianas, a diferencia de los films de Carri y Roqué, tiene una inserción más institucional (la agrupación HIJOS) y se desarrolla como un doble instrumento: recuperar la experiencia íntima de los hijos de desaparecidos que prestan testimonio y mostrar los diferentes modos en que los protagonistas tratan de cerrar su historia al no encontrar una reparación jurídica. La *(h)* del título entre paréntesis simboliza el hueco que dejó la desaparición en la cotidianeidad de los testimoniantes (los capítulos se titulan "huellas", "historia", "Hijos", "hoy"). El director Andrés Habegger (hijo de un conocido militante montonero desaparecido, sobreviviente de Trelew) entrevista a seis testimoniantes que presentan diferentes aspectos del conflicto.[56] A diferencia de Roqué y Carri, el director jamás se involucra y prefiere atenerse a una organización más tradicional de los testimonios, tal vez porque su convicción está en que la política se juega más fuera del film que dentro de él.[57] Para *Papá*

[55] Casi todos los documentales políticos caen en esta naturalización, pero pocos de un modo tan sistemático y monótono como *Cazadores de utopías*. Un análisis del testimonio de la madre desde la perspectiva de género puede leerse en AMADO, 2004: 64-65.

[56] Los testimoniantes de *(h) historias cotidianas* son: Cristian Czainik (hijo de Antonio Czainik, desaparecido en agosto de 1977), Úrsula Méndez (hija de Silvia Gallina, desaparecida en noviembre de 1976), Florencia Gemetro (hija de José María Gemetro, desaparecido en febrero de 1977), Claudio Novoa (hijo de Gastón Gonçalvez, asesinado en 1976), Martín Mórtola Oesterheld (hijo de Raúl Mórtola y Estela Oesterheld, asesinados en diciembre de 1977 y nieto del historietista Héctor Oesterheld también desaparecido) y Victoria Ginzberg (hija de Mario Ginzberg e Irene Bruchstein, desaparecidos en marzo de 1977).

[57] Otra interpretación es la que ofrece María Laura Guembe en la monografía que escribió para el seminario "Las astucias de la estética: la forma cinematográfica y la experiencia del presente": "no elude la primera persona sino que la cede y la multiplica

Iván y *Los rubios*, en cambio, dar con la *forma* es fundamental porque *es en la misma narración fílmica* donde se juega la posibilidad de una memoria y de una apertura al presente.

De los tres films, *Los rubios* es el único que puede salir del duelo, y lo hace porque cuestiona el proyecto político del padre y, por extensión, el de las organizaciones armadas. Su postura no es decir que eran cobardes (la valentía es algo que, en todo caso, se recupera sobre todo en el intenso testimonio de la joven fotógrafa que salvó su vida gracias a la intercesión de Carri y Oesterheld), sino colocar en primer plano otros aspectos: la deflación del pasado, el cuestionamiento de las decisiones paternas, la pregunta sobre por qué vale la pena dar la vida.

A diferencia de los demás documentales políticos, Carri no pone el acento en narrar el pasado. Recurre a una actriz (Analía Couceyro) para que la represente a ella (quien también actúa en el film como directora) y la rodea de los colaboradores técnico-artísticos (la sonidista Jésica Suárez, los asistentes de dirección Santiago Giralt y Marcelo Zanelli, las camarógrafas Catalina Fernández y Carmen Torres). Frente a las acciones heroicas del pasado (se la jugaron, dieron la vida por lo que creían), en las que late el remordimiento de que hoy no hay ninguna instancia histórica por la que valga la pena dar la vida, *Los rubios* muestra un presente vital, doloroso pero sin culpas, con una actividad (hacer cine) no menos digna que la de sus padres Roberto Carri y Ana María Caruso (hacer la revolución). Hay allí un mundo con el que la directora se identifica (el cine), así como sus padres habían encontrado un mundo en la militancia. Pero no se trata solamente de eso: Carri va más lejos aún. La mudanza de los padres a un barrio humilde es objeto de diferentes objeciones, entre las que se destaca la crítica de la actitud populista que idealiza a sus supuestos beneficiarios, cuando éstos en realidad los perciben como "rubios". Toda esta desventura se simboliza con el ruido de una máquina de escribir en un barrio en el que nadie tenía "una máquina de escribir" y que terminó llamando la atención de unos vecinos cuyo ideal supremo era la "tranquilidad". Después que desaparecieron, dice una vecina delatora que está teñida de un riguroso negro, hubo una "tranquilidad súper". La misma lucha de los padres es ironizada: "recuerdo a mi padre y su ira y su labor incansable hasta la muerte".

---

para responder aquellos interrogantes que movilizan su propia búsqueda"; y agrega sobre el proceso de investigación del director: "Norberto Habegger fue secuestrado en Brasil cuando regresaba de una de esas visitas. Andrés y su madre confirmaron la noticia una semana después de que ocurriera. Más de veinte años después, Andrés comenzó una investigación minuciosa sobre la historia de su padre, movido —como se lee en Historias Orales de la Asociación Civil Memoria Abierta— por 'una necesidad imperiosa de poder enterrarlo, en el buen sentido de la palabra'. Quería vincularse con la historia de su padre con mayor autonomía: 'despegarme un poco de la versión que mi madre siempre me había vendido de él (...) Ya no quería saber nada con su militancia. Quería saber en realidad quién era él para saber quién era yo'. La historia de Andrés Habegger se puede ver en www.memoriaabierta.com.ar.

¿Por qué entonces vale la pena dar la vida? *Los rubios* responde con un poema de Wietkiwicz reproducido con letras en relieve que provocan la sensación háptica ya mencionada:

> si todo pudiera ser así
> como recuerdos
> amaría a la humanidad entera
> con deleite moriría por ella.

Morir con deleite por la humanidad pero con una condición: que pasado y presente sean una y la misma cosa. Sin embargo, el condicional del poema muestra que esta fusión está lejos de producirse: más bien, en el presente de la vida hay que elegir y no se puede vivir anclado en la memoria. Acá importa también, además del contenido de la cita, el hecho de que se trate de un poema: porque *Los rubios* no responde con un panfleto ni con un discurso de justificación o explicación histórica. Frente a la apuesta por la militancia política de sus padres, Albertina Carri responde con una apuesta por la estética, como el territorio en el que vale la pena vivir o dar la vida. En esa elección y en su propio terreno, Carri se encuentra con sus padres, quienes le dieron la vida y quienes dieron la vida. A ese encuentro imaginario, Albertina Carri asiste con tres amuletos: la apariencia estética, la percepción de una niña y la rememoración desde un presente vital.

La pose y el duelo

Para describir el intento que hace Albertina Carri por responder a la herencia de sus padres, bien vale la distinción que hace Edward SAID entre filiación y afiliación. Si la filiación quiere imponer una serie continua sin suturas simbolizada en la relación padre-hijo, la afiliación es una "asociación peculiarmente cultural" entre elaboraciones estéticas y otros agenciamientos (instituciones, clases, fuerzas sociales) (1983: 174-175). En este pasaje de la filiación a la afiliación, de ser hija de padres desaparecidos a ser directora de cine, Carri consigue completar la trayectoria del duelo.

Los padres y la hija se reencuentran en el título: todos ellos son *rubios*, lo que en la lógica del film significa tanto ser diferente como rebelde. Pero donde los padres lo son por haber abrazado una causa (la del pueblo), la hija es rubia porque es cineasta, le gustan las poses, los apliques y el postizo. En el momento en que se reencuentran, se separan: ambos son rubios, sí, pero por diferentes razones. En esta separación, Carri comienza a construir su *afiliación* a la estética o a las astucias de la forma cinematográfica.

A diferencia de casi todos los exponentes del género documental político sobre los desaparecidos, *Los rubios* es uno de los pocos que no sólo habla de la "historia del arte" sino que utiliza procedimientos estéticos más complejos que la mera entrevista documental. Contigüidad y confusión de la ficción y lo testimonial, autorreferencias constantes, repeticiones expresivas por medio

180

del montaje, contraste de imágenes fijas y móviles y otros artilugios hacen que la película de Carri se aleje de un género tan cristalizado como el del documental político, realizado, generalmente, en base a entrevistas, imágenes documentales y uso informativo del *videograph*. En lugar de retratos de políticos o de carteles partidarios, en lugar de marchas políticas o imágenes de archivos, la actriz que encarna a la directora se presenta a menudo en su estudio rodeada de equipos de filmación y de edición y acompañada por dos *posters*: uno de Jean-Luc Godard (su mirada multiplicada innumerables veces en un cartel que se hizo para una retrospectiva) y otro de *Cecil B DeMented* (2000), del ya mítico John Waters. *Los rubios* se aparta del cine político documental y busca una afiliación con el cine de vanguardia de Godard y el cine *trash* y paródico de Waters, de una frivolidad que potencia lo siniestro. No casualmente, Analía Couceyro tiene anteojos similares a los de Godard cuando lee en voz alta la carta del INCAA y se sienta como Melanie Griffith en el anuncio del film de Waters cuando escucha algunos testimonios. *Cecil B DeMented*, además, cuenta la historia de un director de cine y su grupo de colaboradores que actúan como una célula guerrillera de cine independiente contra el cine de Hollywood y que se valen de pelucas y otros aditamentos para secuestrar a una actriz de éxito.[58]

Uno de los carteles insertados a lo largo de *Los rubios* hace referencia a este drama de la filiación y la afiliación: "no creo que mi familia sepa nada / y lo más probable es que seas hija de tus padres / yo también creí ser hijo del rey salomón / de rasputín / de mata hari / y nada / ya lo ves / resulta que soy hija de mis padres". Mata Hari, la espía de la Primera Guerra que se transformó en heroína de cine (Marlene Dietrich, Jeanne Moreau), el Rey Salomón, héroe del libro para niños, y Rasputín, el brujo libertino de la corte zarista.[59] Otra vez la poesía viene a proporcionar una fuga posible para la mirada de la niña que todavía busca explicaciones (o de la joven que busca explicaciones para la percepción de la niña que fue). Poema en prosa, "Solferino" de Olga OROZ-CO (de donde está tomado el texto) es una incursión imaginaria por el mundo de la infancia, signada por la magia y la presencia de lo extraño (1998: 258). Los extraños, en este poema, están simbolizados, como en el célebre texto de Baudelaire, por los gitanos y, como en las narraciones infantiles, por los magos. Suspendiendo los contenidos de la filiación, *Los rubios* investiga todos

---

[58] Aunque junten el agua y el aceite (o tal vez justamente por eso), estas mezclas han sido muy productivas en los directores del nuevo cine argentino, que trataron de combinar a su modo y en el contexto audiovisual de los noventa lo que Serge Daney llamó "las dos patas del cine": la del cine de vanguardia y la de un cine más masivo. A propósito de *Los guantes mágicos*, Martín Rejtman habló, por ejemplo, de una combinación de *Al azar Balthazar* de Robert Bresson y *Christine* de John Carpenter (ver PAULS, 2004).

[59] Una de las testimoniantes se refiere a la madre de Albertina como "Rasputín", una nominación bastante extraña para alguien que tuvo como objetivo primordial en su vida hacer la revolución.

los pliegues de la afiliación, de las diferentes intensidades, tal vez inenarrables, de una niña que creció huérfana sin explicaciones.

Carri no nos entrega a un personaje anclado en el pasado sino la difícil confrontación entre un presente que recuerda y un pasado que se aleja. Todo esto explica que la directora se niegue a presentarse en el proceso de hacer el duelo: de nada sirve entregar a la mirada de los otros la escena compungida pero tranquilizadora de la hija de desaparecidos en duelo. La pose del duelo nos es escamoteada y es esa frivolidad lo que más ha molestado a aquellos que escribieron sobre *Los rubios*. Aun la escena en la que ese trauma del duelo aparece más explícito (cuando la actriz personifica a la niña Albertina, el día de su cumpleaños, que pide tres deseos que son uno solo: que vuelvan su padres), el distanciamiento es más extremo (KOHAN, 2004a). En otra escena, el equipo se embarca en una discusión a propósito de la negativa del Instituto a apoyar la película, y Albertina corta abruptamente a sus compañeros: "Vamos a trabajar". El trabajo del cine desplaza al trabajo del duelo. En el pasado la vemos como una hija sin padre pero en el presente *como una directora de cine*. "En reemplazo de la familia —escribe Ana Amado—, funda una comunidad fraterna, integrada por su miniequipo de rodaje. Las pelucas rubias de todos ellos como mascarada de una filiación, a cambio de la sangre como certificación de una alianza" (AMADO, 2004: 77). Documental sobre desaparecidos, *Los rubios* es también un documental sobre el rodaje y sobre un grupo de amigos reunidos por el cine.

Sin embargo, desde que Carri hizo la película, no parece muy sensato sostener que la hace sólo para olvidar. Carri nos entrega una *pose frívola* pero nada de esto es tan simple, porque lo primero que nos dice el film es que mirar, escuchar, comprender la imagen es todo un aprendizaje. No se trata solamente de hacer memoria, de colocar a cinco o seis cabezas parlantes que evoquen el pasado desde su experiencia personal y a emitir tres o cuatro juicios sobre el pasado histórico mechándolos con imágenes de archivo. La memoria tiene mecanismos mucho más complejos y el más perverso puede ser el de inmovilizarnos en el pasado suprimiendo en el presente: una memoria de las huellas que ha perdido toda proyección de futuro, un duelo permanente que se obstina en un entierro perpetuo de los muertos. La directora misma llega a preguntarse en qué momento la "memoria obstinada no se convierte en un mero capricho".

El antídoto al que Albertina Carri ha recurrido para sortear esta encrucijada es la frivolidad. Una pose realmente arriesgada debido a la gravedad del conflicto, porque puede llevar al espectador a ver ahí una muestra de indolencia.[60] Y Carri parece complacerse en despistarnos y en dejar los procesos del

---

[60] De hecho, Martín KOHAN habla de la "total indolencia" a propósito de Carri (2004: 27). Indolencia es, etimológicamente, "ausencia de dolor" y, por extensión, "falta de duelo". Duelo y dolor tienen la misma raíz (GÓMEZ DE SILVA, Guido (1995): *Breve diccionario etimológico de la lengua española*, México, Fondo de Cultura Económica). Emilio BERNINI habla, en cambio, de un "*desinterés* por acceder a ese pasado familiar y

sufrimiento más allá del alcance de nuestra mirada. Según Sigfried KRACAUER en su libro sobre Offenbach, había –en el período que estudia– dos tipos de *frivolidad*: por un lado, una frivolidad que echaba raíces en el cinismo y que creía necesaria la hipocresía social dada la naturaleza malvada del hombre. En oposición a este tipo, se encontraba la frivolidad de Halevy, el libretista de Offenbach, que "se basaba en la ironía que, a su vez, se sostenía en la creencia de que el paraíso se había perdido" (1938: 205-207). Con la escena seminal del campito (lugar idílico en el que Carri pasó la infancia), la frivolidad de la directora se mezcla con una independencia de criterio y una capacidad irónica con respecto a lo que su infancia tuvo y dejó de tener. "No me gustan las vacas muertas, prefiero las arquitecturas bonitas", dice la directora en un momento, pero esto, en la superficie misma de la frivolidad, se relaciona con las vacas del campito (la fantasía), con las refacciones arquitectónicas siniestras del campo de concentración donde estuvo su padre, con las fotos de la mujer que había conocido a su padre en el campo de concentración y, finalmente, con una posición que está "en las antípodas del realismo de matadero" (AMADO, 2004: 46). O sea que la frivolidad no tiene que ver con el cinismo sino con el desencanto, porque Carri pierde el paraíso dos veces (primero cuando le quitaron a sus padres y después cuando el idilio del campito se convirtió en otra cosa al enterarse de que sus padres habían estado en uno mucho peor). Su frivolidad no está en las antípodas de lo siniestro sino que es un modo de tratarlo en relación de contigüidad: es un modo de vaciar al sujeto (abandonar lo patético) para ver los funcionamientos del pasado y de la memoria. El desvío de la estética no conduce a la apoliticidad de la mirada sino que lleva por un camino diferente en el que forma y acontecimiento se potencian mutuamente.

También la música de Virus, que a simple vista puede ser vista como un acto de frivolidad, debe ser leída en este sentido. Con las letras de Roberto Jacoby (uno de los protagonistas del Instituto di Tella y participante, entre otros eventos, de *Tucumán arde*), el grupo de Federico Moura abrió un espacio inédito en los tiempos del restablecimiento democrático mostrando básicamente (contra la música de 'protesta' entonces en boga) que la diversión y la distracción podían tener un carácter político (recuerdo, entre otras cosas, las imágenes de las marchas partidarias con las que el grupo ilustró la presentación de su disco *Recrudece*, en un recital en el Coliseo en 1982).[61] En un sentido muy

---

público" (2004: 46, subrayado mío). Ahora bien, ni siquiera en el cine hay que creer siempre en lo que se ve: ¿o es que no llegan a percibirse, más allá de lo visual, las oleadas de dolor que atraviesan a la directora cuando abre la ventanilla del auto o cuando presencia el testimonio de la mujer que delató a su padre?

El ensayo de Martín Kohan, por otra parte, debería ponerse en relación –para valorar todos sus alcances– con su novela *Dos veces junio* (Buenos Aires, Sudamericana, 2002), una de las narraciones más interesantes escritas sobre los años de la dictadura.

[61] A propósito de la guerra de Malvinas, por ejemplo, el grupo de Federico Moura compuso la canción "El banquete" en la que se escucha: "Han sacrificado jóvenes terneros / para preparar una cena oficial, / se ha autorizado un montón de dinero /

similar, Virus fue el grupo más político de los ochenta, así como la película de Carri es la más política del corpus de los documentales sobre desaparecidos: no sólo porque hace memoria, sino porque se plantea las posibilidades de hacer una comunidad con los signos del presente.[62] Por eso la frivolidad que parece un gesto caprichoso es, en realidad, una crítica de la identificación y de la idealización del pasado.

La mirada de los niños

No es mucho lo que hay escrito sobre teoría política e infancia. Con sabiduría o sentido común, los tratados —desde Aristóteles a Bobbio— no incluyen a los niños ya que estos se encuentran al margen de la esfera pública como sujetos.[63] En la modernidad, la entrada a la adultez estuvo signada por el ingreso a la vida pública y se ha visto como una aberración tanto el hecho de que hubiera reyes niños como el estado de obediencia infantil a la que las monarquías llevaban a sus súbditos. Pese a esto, la historia del siglo XX es abundante en los usos que se han hecho de los niños para legitimar determinadas políticas. Para no recurrir a las imágenes ya conocidas del fascismo, el nazismo y el estalinismo, en la Argentina, el proceso militar y el periodismo utilizaron la famosa foto de Videla con una niña para ofrecer una imagen benevolente del dictador.[64] Esta imagen pretendía encubrir la mayor aberración

---

pero prometen un menú magistral // Los cocineros son muy conocidos, / sus nuevas recetas nos van a ofrecer. / El guiso parece algo recocido, / alguien me comenta que es de antes de ayer". Los hermanos Moura, acusados a menudo de frivolidad, sabían muy bien lo que era la represión ya que tenían un hermano desaparecido. Virus hizo, en su momento, lo mismo que hace Carri en una parte del film: abrir la ventanilla para que entre un poco de aire.

[62] Cuando, sobre una foto de un matadero, la directora sostiene: "no me gustan las vacas muertas, prefiero las arquitecturas bonitas", comienza a trazarse una compleja relación entre política y estética, porque esa imagen la lleva a intuir que esa fotógrafa fue torturada y resulta que efectivamente fue así. Cuando la quiere entrevistar, la fotógrafa compara la cámara con una picana y Carri afirma: "parece que me perdí un capítulo en la historia del arte". La política y el arte se reenvían mutuamente en un juego de asociaciones que excede la voluntad, conecta lo siniestro con lo frívolo y la forma con el sufrimiento. Esas dos fotos (la de la arquitectura bonita y la de la vaca muerta) son las dos pequeñas ventanas de la estética desde las cuales Carri espía la política.

[63] El cine, sin embargo, fue una de las artes que se aplicó con más intensidad al estudio de las relaciones entre niñez y política, desde los casos célebres del neorrealismo (*Ladrón de bicicletas* de Vittorio de Sica, *Alemania año cero* y *Europa 51* de Rosselini) a varios films de posguerra, como *Jeux interdits* de René Clément. De todos modos, los niños están *dentro* de la política como víctimas (o testimonian algo que no pueden soportar o comprender, o son usados por el poder). En el cine latinoamericano, la lista de películas de denuncia social con niños es muy extensa.

[64] Uno de los ejemplos más curiosos era la publicidad televisiva de un niño que quería llevarse a su perro de vacaciones y que cantaba una oda a las fuerzas de se-

de la dictadura del proceso: el secuestro de niños (muchos de ellos nacidos en cautiverio) y su posterior entrega a familias sustitutas (generalmente militares o personas vinculadas a las fuerzas de represión). Con una paranoia enfermiza, los militares creyeron que esos niños eran potenciales subversivos y que era necesario sustraerlos de la 'mala' influencia familiar. Se realizó así uno de los actos más negros del genocidio: se atacaba a aquellos que, por definición, no participaban ni del juego político ni de la vida pública.[65]

Los delitos cometidos contra los niños no prescribieron (son crímenes de lesa humanidad) y han sido fundamentales para proseguir procesos judiciales contra muchos de los militares indultados por el gobierno menemista. Establecido este hecho aberrante, varios libros, en los últimos años, se han desplazado a otras zonas de la vida política de esa década y han revisado la vida de los militantes durante los años setenta y su relación con sus propias familias e hijos.[66] En la Argentina, la cuestión tuvo ribetes muy conflictivos, ya que el pasaje de la guerrilla rural (la teoría foquista) a la guerrilla urbana hizo que la lucha no se disociara en términos militares de los espacios de la vida cotidiana y familiar. En este pasaje, las organizaciones (sobre todo Montoneros) no establecieron una política diferencial para los menores de edad y, en muchos casos, alentaron la necesidad de seguir la vida con el núcleo familiar.[67] En este sentido, la teoría foquista de Ernesto Guevara, con todo lo que se la ha criticado, tenía un aspecto sabio o de sentido común: al abandonar lo que era propio e irse al monte, el guerrillero no ponía en riesgo la vida de su familia.[68] De hecho, todos sus hijos viven. En el caso de la guerrilla argentina, de carácter eminentemente urbano, lo que se produjo fue una militarización de la

---

guridad ("Tobi, mi buen amigo /...estar contigo"). La canción, con nuevas letras, se convirtió en la melodía más escuchada en las movilizaciones contra la dictadura y en las canchas de fútbol.

[65] De hecho, el carácter no prescriptivo de estos crímenes es el que hizo que casi todos los militares jerárquicos del gobierno militar se encuentren actualmente presos, en arresto domiciliario.

[66] Entre los innumerables libros que enfocan esta cuestión es insoslayable *Ni el flaco perdón de Dios* (Planeta, 1997) de Juan Gelman y Mara La Madrid. En relación estrictamente con las organizaciones de militantes, *El tren de la victoria* (Sudamericana, 2003) de Cristina Zuker contiene varios casos escalofriantes.

[67] No es el caso necesariamente de todas las formas que adopta la guerrilla urbana. En Brasil, por ejemplo, la entrada en una organización implicaba cortar los lazos familiares. En la Argentina, de todos modos, hay que tener en cuenta la victoria del peronismo del '73 y el hecho de que muchos militantes de las organizaciones armadas salieran a la luz pública. Hay bastante consenso en que el pasaje a la clandestinidad de Montoneros en 1975 fue un error que expuso a muchos militantes a una situación muy precaria.

[68] Este poner en riesgo no es mensurable, por supuesto, con la represión que vino posteriormente. Los militares atacaron a aquellos que estaban en riesgo y a quienes no lo estaban y, en ningún caso, aplicaron las leyes. Una de las grandes dificultades para reflexionar sobre el período anterior al golpe militar de marzo del 76 es ese *hiato* que hace que sea imposible pensar en relaciones de causa y efecto.

vida cotidiana y una disolución de una zona de lo privado que pudiera estar a resguardo de la acción política y de la exigencia *full-time* de la militancia.

Los rubios, que no deja de hacer numerosos apuntes sobre los actos de represión ilegal durante la época de la dictadura, tiene uno de sus principales ejes en la relación entre niñez, política y represión.[69] El testimonio de la propia directora reconstruyendo oralmente el momento en que llegaron "dos hombres", que ella apenas recuerda (tenía sólo tres años), la representación del secuestro con los muñequitos de playmobil, la mención del relato del destino de sus padres que recibe a los doce años, las visitas al "campito" donde transcurrió su infancia son los eslabones más importantes de una cuestión que recorre, con diferentes modulaciones, todo el film. En el momento del secuestro de sus padres, Albertina Carri tenía tres años: es decir, hacía poco tiempo había aprendido a hablar, tenía una inclinación natural a creer en hechos mágicos y carecía de intelección política. Por eso arma una percepción del secuestro con aquello que tiene a mano: los muñequitos, la fantasía y las películas de súper-acción de clase B. El cine, que ahora es un oficio, fue en la infancia una compañía y un formador de la sensibilidad.

Uno de los momentos clave del artículo de Martín Kohan es cuando sostiene que la mirada infantil (la mirada infantil que construye Albertina Carri) "despolitiza" el secuestro. En oposición a esta mirada, Kohan ofrece como ejemplares el testimonio referido en *Los rubios* de un sobrino de Carri y los documentos recopilados en el libro de Juan Gelman y Mara La Madrid *Ni el flaco perdón de Dios*. Ambos testimonios hablan de niños que fantasean con la idea de matar a Videla. Aunque no creo que el testimonio de un chico de cinco años que se "explaye sobre las mil y una maneras de matar a Videla" *politice* nada, la proliferación de niños en la película de Carri parece estar más inclinada a cuestionar un modo de hacer política (el de sus padres) que en convertir a los niños en materia de asunto político.[70] De hecho, Carri no sólo hace mención del testimonio de su sobrino sino que señala que su hermana le prohibió incluirlo. Esta negativa es acatada por la directora quien, puede decirse, se niega a someter a ese niño, su sobrino, a un proceso al que ella

---

[69] En los años noventa hubo varios films que se ocuparon de la relación entre niñez y dictadura. En algunos casos se trata de documentales institucionales de denuncia como *Botín de guerra* de David Blaustein (sobre la tarea de recuperación de niños nacidos en cautiverio que llevan adelante las Abuelas de Plaza de Mayo), en otros del trabajo con la percepción que un niño podía tener del terrorismo de Estado cuando desmembraba su familia. Desde la pura ficción, *Kamchatka* (2003) de Marcelo Piñeyro, también, como la película de Carri, recurre a la proyección que un niño hace de sus juegos (el TEG en este caso) a las situaciones que lo abruman y que no puede explicar.

[70] Por otro lado, no hay que olvidar que la mayoría de los niños que tuvieron a sus padres desaparecidos fueron conociendo el destino de esos padres de un modo fragmentario. *(h) historias cotidianas*, por ejemplo, cuenta cómo una hija de desaparecidos descubre su situación en una charla ocasional con la mujer que la cuidaba. De todos modos, vería el testimonio recogido por Gelman y La Madrid como un efecto aberrante del terrorismo de Estado antes que como un acto político por derecho propio.

186

misma fue sometida (no tener una vida privada separada de las demandas de la vida pública).[71] Una de las escenas que en principio pueden parecer irrelevantes adquieren un sentido pleno a la luz de esta cuestión: Analía Couceyro se queda en el barrio hablando con los chicos sobre la casa en la que vivieron los Carri. Los niños tienen edades variadas y hasta puede ser que alguno tenga la edad que tenía Albertina cuando secuestraron a sus padres. No puede hablarse, en este caso, de un testimonio confiable, sino de una curiosa fabulación en la que se internan, como no podía ser de otra manera, los niños. Mediante estos testimonios, la película muestra la naturaleza de una percepción y los modos de una fabulación que pueden haber sido los de ella misma cuando sus padres fueron secuestrados.

Con esta recurrencia estratégica a los niños, *Los rubios* no sólo no despolitiza sino que hace una de las críticas políticas más contundentes de la militancia de los años setenta: la que sostiene que al politizar todas las esferas de la vida social la militancia termina por poner en riesgo ámbitos que deberían quedar a resguardo. Hasta el epígrafe del libro del padre (*Isidro Velázquez* de Roberto Carri) que lee Couceyro habla de la desaparición del "egoísmo" y el "interés privado" en favor de una "voluntad general", tema rousseauniano que adquiere otros matices cuando se considera desde el punto de vista de aquellos (los niños) que no forman parte de esa voluntad. Al comprometer toda su vida con la militancia política, arrastraron a sus hijos, que no estaban en condiciones de elegir ni de comprender ese compromiso. Uno de los pocos testimonios de los compañeros de militancia de sus padres que Carri privilegia dice así:

> ...siento que ellos (se refiere a los padres de Albertina) hicieron el gran intento de asumir esta vida distinta con las chicas y todo [...] Esto lo hicieron comprometiendo toda su vida con la militancia política. Entonces lo que tengo son imágenes de los encuentros donde siempre los chicos estaban, obviamente estaban los fierros, los chicos, *todo mezclado*. En determinado momento Ana y Roberto lo vivieron como una apuesta. En la última etapa no sé cómo lo vivieron, creo que ya era un círculo, un desafío del cual no se podía salir [subrayado mío].

No sólo proliferan los niños a lo largo de la narración sino que la historia misma adquiere formas infantiles: desde el uso de los playmobils para representar el secuestro de los padres al viaje al "campito" donde Carri pasó parte de su infancia.[72] Estas dos formas, que ligan interioridad y fantasía, son autosuficientes: con los playmobils porque se muestra a los juguetes pero jamás a

---

[71] Santiago Giralt (asistente de dirección y actor de *Los rubios*) me comentó que para incluir a un niño es necesaria la autorización de los padres, así que, en este caso, la directora no tenía otra opción. De todos modos, me interesó destacar el modo en el que incluye esta negativa en el film.

[72] "El campo es el lugar de la fantasía o donde comienza mi memoria" dice la voz en *off* de la directora.

187

los jugadores. Los muñequitos adquieren vida mediante el montaje, y el mundo inorgánico de los juguetes se vuelve orgánico y parece moverse solo. En el caso del "campito", esta autosuficiencia está lograda mediante un extenso paneo circular que la propia directora le explica a la actriz. Ambos espacios se contraponen al barrio al que fueron a vivir los padres, que está mostrado como un lugar hostil, informe, y que el equipo de filmación quiere abandonar cuanto antes. Frente a la escala real del barrio, la miniaturización del juego.[73] La autosuficiencia de esos mundos pretende suturar las fantasías de una memoria (la de la directora) que es reabierta y atravesada por la historia. Como dice Susan Stewart, "la miniatura, relacionada con versiones nostálgicas de la niñez y la historia, presenta una versión diminuta, y por lo tanto manipulable, de la experiencia, una versión domesticada y protegida de posibles contaminaciones" (2001: 69). Esta miniaturización recalca la percepción infantil que la película busca y cómo esta miniaturización, en su autosuficiencia, retraduce los acontecimientos del afuera: la violencia política, la vida familiar, el tiempo libre. De hecho, la película se inicia con la entrada de una "familia tipo" hecha con playmobils (padre, madre e hijo o hija) en una casa. Y termina con el secuestro de los padres armado a partir de la imaginería del cine clase B y de las películas que emitía por las tardes "Sábados de súper acción" y que Albertina Carri puede haber visto de niña, como *El día que paralizaron la tierra* (*The day the earth stood still*) de Robert Wise.[74] La sonorización psicodélica de la escena del secuestro está tomada, justamente, de esta película y de su banda de sonido compuesta por Bernard Hermann, el excepcional musicalizador de Welles y Hitchcock. Otra vez la estética del cine ofrece los medios para salir del duelo.

Lo que el film, entonces, enfrenta cara a cara es la percepción infantil y la acción política. Mediante lo que hacen los niños cuestiona ciertas actitudes de los padres y pone el acento en uno de los aspectos mas difíciles de los setenta: qué papel les cupo a los niños en las organizaciones armadas. Pero como *Los rubios* no solo nos entrega la construcción de un pasado sino también la mirada de un sobreviviente, la pregunta que surge del conflicto es la siguiente: ¿cómo construir una identidad sin los padres en una sociedad que interpela a estas víctimas sólo como hijos o que no les permite otra identificación?

---

[73] Es interesante en este sentido uno de los primeros planos que enfoca en picado a los autos en una calle de manera tal que parecen miniaturas.

[74] La película, surgida de un *comic*, se ha convertido en uno de los films de culto más importantes del siglo XX, dando lugar a todo tipo de citas o adaptaciones, desde la cultura masiva del cine (*The Rocky Horror Picture Show* de Jim Sharman, *Mars Attack!* de Tim Burton) al rock (la portada de *Goodnight Vienna* de Ringo Starr, el mundo de Bowie) y otras manifestaciones. *Los rubios* se suma así a esta *memorabilia*. En el capítulo que dirigió para *Historias de Argentina en Vivo*, Carri se remite a estos films de ciencia ficción de los años cincuenta para hablar de la invasión musical de los rockeros "alternativos" (Leo García, María Gabriela Epumer, Rosario Bléfari, Richard Coleman, Francisco Bochatón).

Albertina desaparece

"Gran parte de cuanto creemos, y así es hasta
en las últimas conclusiones, con idéntica obcecación y buena fe, nace de un primer engaño
en las premisas".

Marcel Proust, *Albertine disparue*

El proceso peculiar del duelo que realiza Carri no se limita a una crítica
del accionar de sus padres ni a una oposición de la estética a la política. Un
tercer elemento es fundamental para salir del duelo e involucra a los dos anteriores: es la oposición entre presente y pasado y la construcción de un espacio
propio frente a la mirada de los otros. "En mi caso –se escucha en el film–, el
estigma de la amenaza perdura desde aquellas épocas de terror y violencia,
en las que decir mi apellido implicaba peligro y rechazo. Decir mi apellido
en determinados círculos todavía implicaba miradas extrañas, una mezcla de
desconcierto y piedad" [subrayado mío]. En este punto, la frivolidad no se opone tanto a la melancolía o al sufrimiento como a la nostalgia y a la tragedia.
La frivolidad no tiene un carácter permanente; más bien es una inclinación
que, en ciertos momentos, es desplazada por el sofocamiento. Después de la
entrevista con la vecina que delató a sus padres, la directora necesita abrir la
ventanilla del auto en el que viaja porque siente que se ahoga. Y en otros momentos se la ve compungida o excedida (sobre todo en las entrevistas con los
vecinos). No es, entonces, que *Los rubios* nos escamotee la tragedia o el dolor,
sino que ese abatimiento debe articularse con las otras dos acciones en las que
vemos a la autora: dirigiendo (es decir, entregada a su trabajo) y obsesionada
con cómo, desde el presente, encarar ese pasado. A lo que Albertina Carri
se niega, básicamente, es a presentarse exclusivamente en la pose de duelo
y a entregarnos un personaje trágico. No es tanto que la autora no crea en la
posible reconstrucción del pasado (la veracidad de lo ocurrido no es algo que
la película ponga en duda), sino que no cree que deba invertir su vida en un
culto contemplativo del pasado.[75] En términos de perspectiva ideológica, *Los
rubios* hace algo diferente a los otros documentales políticos porque sugiere,
cuando no lo expresa directamente, que ni el pasado de los padres fue heroico (aunque sus padres lo hayan sido) ni que configura necesariamente una
experiencia más profunda (ahí están, para probarlo, los testimonios de los militantes en los que está "todo armadito"). Albertina Carri también tiene, como
sus padres, pasiones, pero resulta que no son las mismas: ellos dedicaron su
vida a la política, Albertina la entregó al cine. También ella tiene luchas (con
el Instituto, por ejemplo), objetivos (hacer cine), gustos y dudas. No va hacia
al pasado encandilada por acciones heroicas que le resultan irrepetibles (la

---

[75] No creo que de *Los rubios* se desprenda que no puede reconstruirse el pasado sino
algo un poco más interesante: que si nos negamos a los lugares comunes que se han
elaborado sobre esa época, la reconstrucción se hace mucho más difícil.

melancolía que se detecta, por ejemplo, en *Cazadores de utopías*), sino que se construye un lugar propio desde el cual hablar y mirar. Lo más importante del film de Carri es justamente esto: mirar el pasado desde un presente que no quiere suprimirse en aras de una adoración o de un duelo sin fin.

Con el propósito de completar este proceso, Carri recurre a una actriz para que la represente a sí misma porque lo que se juega en esta película es lo mismo que define el estigma de su vida: cómo construir un "yo" cuando ya está inscripto de antemano en la mirada de los otros. La película lo dice explícitamente: "cómo construirse a sí misma sin aquella figura que le dio comienzo a la misma existencia", esas "miradas extrañas" que en épocas de "terror o violencia", sugerían "peligro o rechazo", y en la actualidad, "desconcierto y piedad".[76] El "temor y la piedad" que, según Aristóteles, provoca la tragedia encuentran acá una realización desviada: porque si la piedad quiere hacerse presente en esas miradas, el desconcierto se produce ante el presente de la autora y su frivolidad (que es, en realidad, las distracciones que se le conceden a cualquiera). La piedad, en definitiva, desemboca en un efecto perverso: exige que el otro asuma la pose del dolor y, si no lo hace, considera que se trata de un indolente. Ya no hay vida pública para esa persona que no sea la que la vincula con lo que hicieron los padres. Se presenta entonces un pliegue, un "desconcierto", que Carri sólo puede investigar mostrando (y mostrándose a sí misma) cómo fue construido ese cuerpo mirado de hija eterna condenada al duelo. Con la elección de una actriz, Carri preserva su oficio (directora) y corporaliza ese "yo" producido por las "miradas extrañas". Retorna además, otra vez, la mirada de los niños, los compañeritos de la escuela de Carri, que con "ojitos crueles" le preguntaban por qué vivía con sus tíos. Como una Antígona moderna, Carri pide enterrar a sus padres y exhibe cómo, para su actuación pública, el parentesco es contingente (lo que no le quita un ápice de dolor a su duelo).[77] Contra la construcción de la mirada de los otros, ella construye la suya propia y se forja un presente y un futuro.

Tal vez no estaría mal hacerse la pregunta de por qué Albertina Carri hizo esta película. La primera respuesta es sencilla: para hacer otras. Nuevas películas en las que seguramente, como el duelo fue hecho, ya no pese la demanda de hablar de su apellido, de su herencia, de su "estigma". Carri hizo *Los rubios* para seguir filmando. Otra hipótesis es el carácter polémico de la apuesta en términos cinematográficos: la directora critica tácitamente a los documentales que se han hecho sobre el tema, muestra que las diferencias entre documental y ficción en el cine son de grado y no de esencia, y embate contra esa idea de la reconstrucción como algo organizado, cronológicamente ordenado y sin huecos ni desvíos.[78] La tercera respuesta es terapéutica y se basa en la

---

[76] Este parlamento está acompañado por unos playmobils que asumen los diferentes trajes que les otorgan la mirada de los otros. Uno de los temas de *Los rubios*, y de Albertina Carri en particular, es justamente ese: por qué me miran siempre como hija.

[77] Me inspiro muy libremente, para hacer esta lectura, en FEMENÍAS (2003: 170ss.).

[78] Aun aquellas películas más personales como *Papá Iván* terminan siendo subsidiarias de la cronología, como si el tiempo de la memoria fuera lineal.

distinción entre el trabajo del duelo y el trabajo del cine, que se reenvían mutuamente para hacer algo con la masa del pasado y de la memoria.

La cuarta respuesta es eminentemente política: *Los rubios* muestra que la muerte de los padres es un asunto ligado a la intimidad (de ahí el desdoblamiento), pero que la muerte de los militantes es un asunto público y social: de ahí que Albertina Carri recurra a Analía Couceyro para la escena de los tres deseos que pide cuando niña (la escena en que más se acerca al dolor íntimo, y por eso la que más reconfortó al público) y que se involucre con su cuerpo (se olvida que ella podría haberse quedado detrás de cámaras) en varios momentos. Al hacerse el análisis de sangre, cuando entrevista a los vecinos, cuando visita el campo de concentración en el que estuvieron sus padres. El cine puede procesar la intimidad privada pero, qué duda cabe, se exhibe a la mirada pública. Carri no deja de evocar esa intimidad, pero insiste con el significado social de su experiencia marcado por la brutalidad de los represores y, después, por la mirada de los otros que la convirtieron en una hija perpetua. Con inteligencia, antes que exhibir el estado de sus sentimientos personales, a Carri le interesa mostrar todos los factores que hicieron su infancia paradójicamente feliz y desdichada.

Anexos

1. El mundo del cine en Argentina

Una revelación del 17 de enero del año 2002. Me dirijo al Citibank de la calle Cabildo entre Blanco Encalada y Olazábal donde tengo una caja de ahorro. Trato de ingresar al banco pero, por la cantidad de gente que se amontona y que hace fila, no puedo hacerlo. Desisto entonces de realizar cualquier tipo de trámite. Cruzo la avenida para volver a casa y desde la acera de enfrente veo *por primera vez* el edificio en el que está instalado el banco. Lo familiar se torna extraño y poco después vuelve a ser familiar pero de un modo ligeramente perturbador. Reconozco los arcos y los listones del edificio, su frente fantasioso y rococó. Reconozco el cine *Cabildo*, en el que vi tantas películas de adolescente. Hacía años que iba a este banco y nunca me había dado cuenta. Sé de cines que se convirtieron en casas de juegos electrónicos, en iglesias evangélicas,[1] en estacionamientos, aun en librerías. Pero no sabía que alguno se hubiera transformado en un banco. O sea que todos mis ahorros estaban en un espacio que antes había sido de sombras, luces, imágenes, sonidos, butacas, pantalla blanca, cine.

Recuerdo que en esa sala había visto –tendría más o menos 16 años– *Gente como uno* (*Ordinary People*, 1980) de Robert Redford el mismo día en el que había asistido, por la tarde, a *El año pasado en Marienbad* (*L'année dernière à Marienbad*, 1961) de Alain Resnais en la cinemateca de la sala de Hebraica. Dos y hasta tres películas diarias (no había entonces video) en días en que casi todo era cine, cine y solo cine. Son los años (la adolescencia) en los que nace la cinefilia, un amor por las películas desordenado, sin mucho criterio, apasionado. Me acuerdo cuando una vez arrastré a unos amigos a ver un bodrio italiano en la Hebraica sólo "porque era *italiana*" y a mí me encantaban las películas de ese país. El cine, y esto no debe olvidarse, era todavía algo vinculado a lo prohibido: *Barry Lyndon* (1975) de Stanley Kubrick había sido calificada prohibida para menores de 14 años y para entrar había que hacer malabarismos (en esos casos, ¿la coima es un acto de corrupción?). Por suerte, existían algunos cines (como el Boedo de la avenida San Juan) en los que lo prohibido podía tocarse con los ojos, aunque fuera en las películas mediocres de Isabel Sarli o de María José Cantudo. El cine, en pocas palabras, era algo inmenso, enorme, oscuro como las salas.

Después llegó el video y las salas se vaciaron. El proceso de recuperación de las salas fue lento, pero es verdad que también el video permitió un acercamiento al pasado del cine que antes era impensable. No hacía falta

---

[1] El premio a la creatividad en lo que a adaptaciones se refiere se lo lleva, sin duda, la iglesia evangelista que se instaló en la avenida Rivadavia en el cine General Roca. Como los feligreses quisieron reciclar la marquesina y ahorrar en carteles (son muy caros), utilizaron las luces de neón de la anterior sala de cine y la reacondicionaron a las nuevas funciones. Así, se podía leer: "Jesucristo es la Roca".

esperar a la exhibición de las obras de Orson Welles o Billy Wilder en una sala para verlas, los profesores podían usar ejemplos de fragmentos de films en sus clases, un cinéfilo podía armarse una buena videoteca. Pero como la industria del espectáculo seguía siendo una de las más rentables, no faltaba mucho para que la exhibición de las nuevas películas se reorganizara y que lo hiciera, en los últimos años, a escala global. Durante los noventa las salas de cine también sufrieron los efectos de una de las palabras mágicas del período: la conversión. Comenzaron a desaparecer las grandes salas, la calle Lavalle se transformó en una peatonal fantasma (al menos para los que amaban el cine) y llegaron las grandes cadenas que construían las salas porteñas siguiendo los mismos diseños que las salas de Cincinatti o Bangkok. Un plano de *Silvia Prieto* que recorta las luces de neón de las salas de la calle Lavalle como si fuera un organismo vivo más allá de las personas, es particularmente conmovedor sobre todo si uno vivió el hechizo absurdo de esa calle.[2] Allí estaba (todavía está) el *Atlas*, que diseñó Prebisch en 1966, y que era el cine en el que había que ver los estrenos. Todas aquellas salas que habían sido nuestras (es un decir) comenzaron a desaparecer o a subdividirse. Hasta el mismo cine *Los Ángeles*, la "primera sala en el mundo dedicada exclusivamente a Disney", según reza su cartel, fue dividida y objeto de curiosas reformas.

Las primeras salas de cine fueron incrustaciones de fantasía en la ciudad: edificios cuya fachada se asemejaba a palacios exóticos, o salas, como la del cine *Ópera*, que en su interior simulaban un cielo estrellado. El *Los Ángeles* tenía la apariencia de un castillo y no importaba que fuera cartón pintado. También estaban las salas de barrio en las que podían verse clásicos, pseudoporno o películas insólitas (en el *Moreno*, de Caballito, las películas de Sandro y de Los Beatles; en el *Boedo*, el estreno de *Juan Moreira* y de *Argentinísima*). La aparición del video les hizo suponer a muchos que el cine como espectáculo popular estaba agotado, pero en los años noventa surgieron los complejos de cine de las cadenas norteamericanas que, pese a estar dedicadas al cine comercial y a estar en los *shoppings*, fueron también protagonistas de las ediciones del Festival de Cine Independiente. Las formas del cine iban cambiando y el público (que había crecido con la televisión, los clips y el video) tenía otras costumbres.

La clausura de las grandes salas comenzó hacia 1987 y se agudizó con la crisis económica de fines de los ochenta. De las 900 salas que había en 1984 en todo el país, para fines de la década había menos de la mitad (427 salas en 1990). El pico más bajo fue en 1992 con sólo 280 salas en funcionamiento, y la

---

[2] Durante muchos años, Lavalle fue "la calle de los cines" y hasta tenía cierto *charme* turístico. Había más de tres cines por cuadra en el tramo que se extiende desde 9 de Julio hasta Florida. Ciertas salas se transformaron en míticas para algunas generaciones: el mejor cine construido en el país, la sala de microcines en las que se pasaba cine de culto y que después se convirtieron en un reducto del cine pornográfico y de aventuras *gays*, las salas en las que podían verse varias películas *en continuado*, las experiencias del cine 3-d…

recuperación se produjo hacia fines de la década, con las multisalas y los cines de los *shoppings*. En 1997, había 589 salas en funcionamiento, 830 en 1998, 920 en 1999 y en los últimos años se superó la cifra de mil salas en todo el país, es decir que se superaron las cifras de principios de los ochenta (SEIVACH, 2004: 139). Todos estos hechos hicieron que el cine haya cambiado su función social y su lugar en la producción de imágenes.

En este anexo me interesa hacer referencia a cuatro fenómenos específicos de los años noventa que afectan al cine como institución pero también a su estética. En primer lugar, el increíble ensanchamiento de la cantidad de dinero que se necesita para financiar un film y la infinidad de posibilidades de producción que van desde manufacturas caseras a megaproducciones (y que llegan muchas veces a competir en los mismos espacios). En segundo lugar, las profundas transformaciones producidas en la función cultural que desempeñan los *administradores de la imagen* y en las instituciones en que se forman (entendiendo por *administradores de la imagen* a todos aquellos trabajadores vinculados a la creación de productos audiovisuales sean televisivos, cinematográficos, publicitarios, informáticos o de cualquier otro tipo). En tercer lugar, la aparición de un nuevo circuito de exhibición para los filmes, que encontró en los festivales determinados tipos de público, de crítica y de recepción. Finalmente, el crecimiento de la crítica de cine como un acontecimiento que no es externo al fenómeno del nuevo cine argentino, sino que forma parte de él y ayudó activamente a impulsarlo.

Las curiosas formas de la independencia: cine y producción

La categoría de *independiente* es sumamente laxa y tiene más que ver con la producción que con la estética, porque se refiere a los medios financieros con los que se hace una película. Sin embargo, es difícil hacer una diferencia tajante entre producción y estética en un medio como el cine, en el que las decisiones que se toman deben combinar todo el tiempo componentes artísticos y económicos. La cuestión se complica aún más si tenemos en cuenta que el término "independiente" tiene una aplicación internacional pero que aquello denominado "producción" varía según los diferentes países. En un cine mundializado, las producciones *indies* de Estados Unidos comparten un mismo festival como Sundance con películas independientes de filmografías que tal vez en su lugar de origen no sean estrictamente tales (y que, de serlo, apenas guardan semejanzas de producción con sus pares norteamericanos). El mismo BAFICI (que lleva el rótulo de "independiente" en su título) está conformado, en realidad, por producciones que sólo pueden considerarse independientes si las comparamos con las costosas películas *hollywoodenses*. La categoría "independiente", entonces, tiene un carácter global, pero sus rasgos varían según el origen nacional de los productos y su carácter resulta más estratégico que objetivo.

En Estados Unidos la denominación *independent* o *indie* ha tenido un gran éxito a fines de la década del ochenta y, sin dudas, tiene consecuencias esté-

197

ticas porque la diferencia económica con los films de la industria es sideral (y esto influye en la escritura del guión, en el *casting*, en el rodaje y en la postproducción).[3] La denominación, de todos modos, hace referencia sólo a un tramo de la producción, ya que las películas son filmadas de modo independiente pero aspiran a que las distribuya una empresa importante porque esa es la única manera de sobrevivir en un circuito muy amplio y muy competitivo (las distribuidoras, en el circuito global, cumplen un papel cada vez más importante en la industria del cine). A la inversa, algunas *majors* tradicionales han descubierto la rentabilidad de crear un sello especial para las películas *indies*. Los grandes estudios no ven el cine independiente como un antagonista estético sino como otro modo de producción del cual también pueden sacar provecho. Así, *Antes del atardecer* (2003) de Richard Linklater está precedida por un cartel de "Warner Independent". Esto significa que, pese a la existencia de dos tipos de producción (cine independiente y cine de estudios), ambos aspiran a insertarse en un mismo circuito.

El caso de "Miramax" es ejemplar, ya que comenzó distribuyendo películas realizadas fuera de los grandes estudios y hasta puede decirse que, a fines de los ochenta, creó el rubro (o la marca) "independiente" cuando compró y distribuyó *Sex, Lies and Videotape* (*Sexo, mentiras y video*, 1989) de Steven Soderbergh. Desde entonces, la empresa de los hermanos Bob y Harvey Weinstein (que toma el nombre de sus padres Miriam y Max) no ha parado de crecer, y con *Reservoir dogs* (*Perros de la calle*, 1992) de Quentin Tarantino se ha convertido en una de las grandes empresas de los noventa, hasta que fue absorbida por Disney en una asociación que terminó abruptamente cuando la empresa del ratón se negó a distribuir el documental *Farenheit 9/11* (2004) de Michael Moore.[4]

Hay, por supuesto, una tradición *genuinamente* independiente en Estados Unidos, que agrupa nombres tan disímiles como John Casavettes, John Waters, Keneth Anger, Andy Warhol, Jonas Mekas o Robert Frank aunque quizás convenga utilizar –para todos, con excepción de Casavettes– el término de *cine underground*, menos confuso y más adecuado.[5]

Otra de las grandes novedades que introdujo el cine independiente en los Estados Unidos fue que con costos bajos y una buena distribución es posible que un film dé un muy alto rédito, en muchos casos mayor que el de un film de los llamados comerciales. En 2002, *My Big Fat Greek Wedding* (*Mi gran casa-*

---

[3] Como en Estados Unidos los actores se han transformado en los inversionistas más importantes ya que su presencia garantiza el éxito de un film, es habitual que los realizadores independientes les acerquen guiones a los agentes para tentarlos, asegurarse su participación y, en consecuencia, la financiación del film.

[4] Los noventa fueron, en palabras de Quentin Tarantino, "the beginning of the big independent American film wave" en el que Miramax ha jugado un importante papel.

[5] Todos estos directores, con la excepción de Warhol y Waters, han tenido retrospectivas en los festivales de los últimos años: Anger en Mar del Plata y Casavettes, Mekas y Frank en el BAFICI.

198

miento griego) de Joel Zwick fue una de las más grandes recaudadoras de la historia, no tanto por la cantidad de espectadores (que fueron muchos) como por la diferencia existente entre la baja inversión y las ganancias. Lo mismo puede decirse de *Blair Witch Project* (1999) de Daniel Myrick y Eduardo Sánchez o la mítica *El mariachi* (1992) de Robert Rodríguez. Estos inesperados éxitos, de todos modos, cuando salen de su país de origen disfrutan de las prerrogativas de distribución de cualquier película de Mel Gibson o Julia Roberts.

En todos los casos, además, el hecho de que las películas norteamericanas se realicen con capitales privados hace que la diferenciación pase por la *cantidad* de dinero utilizada o invertida y no por el carácter de la inversión. En la Argentina, en cambio, lo decisivo es si el INCAA (Instituto Nacional de Cine y Artes Audiovisuales) apoya o no, con subsidios, créditos o premios, la realización de un film, acercándose de este modo al modelo europeo de subsidio y fomento estatal.[6] Y si puede decirse que en la Argentina hubo un "cine independiente" en los noventa, no fue sólo por la cantidad de dinero que se invirtió sino porque muchos productores y cineastas buscaron maneras de financiar un film sin tener que recurrir al Instituto o acudiendo recién en la postproducción. Entre las estrategias que se llevaron a cabo, hubo tres que fueron fundamentales para la instalación de una nueva generación de cineastas. En primer lugar, fragmentar a tal punto la realización de un film que la inversión pudiera aparecer en cualquiera de sus tramos (antes, por el contrario, lo habitual era filmar una vez que se conseguía el aval del Instituto).[7] En segundo lugar, acudir a las fundaciones extranjeras (Fond Sud Cinèma, Hubert Bals Fund, Sundance) como fuentes de financiación.[8] También en esto

---

[6] Con anterioridad a la reforma de 1994, el INCAA se llamaba Instituto Nacional de Cinematografía. La misma ley reconoce una división entre películas reconocidas por el Instituto (según la ley "películas nacionales") y aquellas hechas en el país pero fuera del marco del Instituto ("películas argentinas"). Estas últimas, por ejemplo, no se benefician de la cuota de pantalla ni de los subsidios. Ver, para un comentario en detalle de la Ley 17741, el útil libro de RAFFO, 2003.

[7] Algunos ejemplos: *Bolivia*, por ejemplo, fue iniciada como película independiente (Caetano utilizó unos rollos que había conseguido), logró después el apoyo de Lita Stantic y, finalmente, fue auspiciada por el Instituto, algo que –obviamente– quienes la hicieron no sabían que iría a suceder. *Tan de repente* de Lerman consta de una primera parte que forma parte de un corto que el director hizo para la escuela en la que estudió. Posteriormente, fue producida por Lita Stantic y apoyada por el Instituto. *Caja negra* de Luis Ortega pudo pasarse a fílmico una vez que fue aceptada en la competencia oficial del Festival de Mar del Plata.

[8] Véase la siguiente anécdota que cuenta Martín Rejtman en la entrevista que le hicieron Pablo UDENIO y Hernán GUERSCHUNY (1996):

"–¿Cómo obtuviste el interés de Alejandro Agresti en la película?

–Le mandé el guión. Y me dio una gran mano para hacer la película. Independientemente del estado de las relaciones hoy, gran parte de la película fue posible porque Alejandro se comprometió a poner muchas cosas que puso. En ese sentido estoy completamente agradecido y es uno de los factores que hicieron que la película fuera posible. No es el único, pero es uno. Además viajé a Europa con la intención de

hubo una diferencia con el cine de los ochenta, porque si antes se intentaba hacer *coproducciones artísticas* que a menudo implicaban adaptaciones o concesiones en el ámbito artístico (modificaciones en el guión, en las locaciones, en el *casting*), con las fundaciones se logró una *coproducción financiera* que no exigía cambios en el proyecto original. En tercer lugar, como estas películas tienen por fin insertarse en las estructuras ya existentes y modificarlas, no es casual que muchos de los que después integraron el nuevo cine argentino hayan participado activamente a favor de la promulgación de la Ley de Cine y en las marchas que se hicieron al Congreso para presionar para la promulgación de esa ley. Así, el cine, en una época en que el proteccionismo estatal era mala palabra, fue una actividad subsidiada y fomentada por el Estado. Esta conciencia corporativa logró no sólo que la ley se aplicara, sino que se reglamentara, principalmente para impedir los abusos o las aplicaciones parciales[9] como las presiones del Ministerio de Economía, sobre todo en la era Cavallo. En 1996, la Ley de Emergencia Económica hizo que el Tesoro retuviera fondos que le pertenecían al INCAA. Finalmente, en el 2002, el INCAA dejó de ser un "ente autárquico" y se convirtió en un "ente público no estatal", esto es, que tiene autarquía financiera, personería jurídica y patrimonio propio. En el curso del 2004, después de los casos testigos de *Luna de Avellaneda* de Juan José Campanella, *Los guantes mágicos* de Martín Rejtman y *La niña santa* de Lucrecia Martel, a la "cuota de pantalla" (la obligación de estrenar una película nacional por trimestre en las salas) se le sumó la reglamentación de la "media de continuidad", en el 2004, que protege a las películas nacionales.[10]

---

conseguir plata para filmar. Desde París le mandé el guión a Agresti. Al mismo tiempo me encontré con Edgardo Cozarinsky y me dijo: 'no dejes de ver en Holanda a Marcos Müller, que es el director del festival de Rotterdam. Ahí hay una Fundación, el Hubert Bals Fund donde puede ser que te den algo de guita'. Hago una cita con Müller y, no sé porqué, sin leer el guión me dijo que me iba a dar la plata. Después lo leyó y me lo confirmó. A la semana me dio quince mil dólares. Fue muy raro. Hay ciertas cosas que se dan".

[9] Según un informe del CEDEM redactado por Paulina Seivach, los productores nacionales acusan a los exhibidores de "utilizar mecanismos más o menos legales para evitar mantener las películas argentinas en cartel. Entre estos se pueden mencionar la exhibición de películas argentinas en salas más grandes, la declaración de un mayor número de asientos que el real en la sala, y el agregado de más funciones para el filme argentino, todo esto con el fin de reducir el número de asistentes por función de tal modo que el porcentaje de butacas ocupadas sea bajo y no alcance la media de continuidad" (CEDEM, 2004: 181).

[10] La cuota de pantalla establece que cada sala de cine de estreno deba exhibir, por lo menos, una película nacional por trimestre. La "media de continuidad" es la cantidad de espectadores que deben considerarse para que la película deba seguir en cartel. Para reglamentar la media de continuidad se "establecieron porcentajes diferentes por tamaño de sala, momento del año y cantidad de copias del filme" (SEIVACH: 52). Esta reglamentación hubiese protegido a películas que, como *Los guantes mágicos* o *La niña santa*, tuvieron una aceptable recepción del público pero que fueron desplazadas por productos de las *majors* (las grandes distribuidoras) con mayor capacidad para presionar en el mercado.

En un extremo, entonces, fragmentación de la producción; y en el otro, lucha gremial para imponer la idea de un cine subsidiado en la producción y en la exhibición.

Por fuera del apoyo oficial, sin embargo, se hacen tantas películas que existe una *política específica* del Instituto para hacer ingresar en el sistema a los films independientes. Pese a los beneficios de la ley, hay quienes –sea por razones artísticas o políticas– apuestan por un cine *fuera* del Instituto. Es el caso de Mariano Llinás y producciones como *Balnearios* o *El amor primera parte* que presentó en el MALBA (Museo de Arte Latinoamericano de Buenos Aires) con el fin de crear un espacio alternativo para la exhibición de films.[11] Pero es también el caso de una serie de películas que, por su propia apuesta estética o cultural, no aspiran a integrarse al circuito comercial y prefieren mantener una posición marginal o ligada a un público específico. Son los fenómenos de producción a más bajo costo del cine local de los noventa, entre los que se cuentan el cine bizarro, la experiencia de Saladillo y las películas de Raúl Perrone.

El cine bizarro tiene un grupo muy fiel de cultores que exponen sus gustos y sus ideas en Internet, en revistas (la más importante y prestigiosa es *La cosa*) y en libros (Diego Curubeto, con su *Cine bizarro*, entre otros títulos, ha sido uno de los animadores principales de este fenómeno). También hubo cine clubes, como *Nocturna*, dirigido por Cristian Aguirre y Roberto Faggiani, y *La cripta*, creado por Peter Punk y Boris Caligari. En el campo de la producción cinematográfica, se destacan *Nunca asistas a este tipo de fiestas* (2000), *Plaga Zombie* (1997) y *Plaga Zombie: zona mutante* (2001) de Pablo Pares y Hernán Sáez (hay que sumar a Paulo Soria, quien codirigió la primera) que fueron filmadas en pocos días y en Súper VHS o directamente en VHS. *El planeta de los hippies* (1997) y *Mi suegra es un zombie* (2001) de Ernesto Aguilar fue realizada en 16 mm. Films basados en efectos especiales "berretas", en toneladas de maquillaje, en citas del cine de culto y en un amor por lo monstruoso y la baja calidad, el género bizarro ha sido uno de los fenómenos del cine de culto de los últimos años.

El otro caso curioso es el de Saladillo (una localidad de la provincia de Buenos Aires), que ha producido una de las experiencias más peculiares de los noventa. Todo comenzó cuando uno de sus pobladores, Julio Midú, compró una cámara de video y comenzó a filmar películas con sus vecinos durante el verano. En los inviernos, el resultado de estas filmaciones caseras se exhibió en el cine local y comenzó una tradición que sigue hasta el día de hoy. Cine verdaderamente casero y *amateur,* Midú, junto a Fabio Junco, no ha

---

[11] La actitud belicosa de Mariano LLINÁS para con el INCAA y otros factores del medio cinematográfico puede seguirse en los artículos que ha escrito para la revista *El Amante cine*: "En líneas generales, [el Instituto] defiende a los más fuertes, a directores y productores que deberían haber dejado el cobijo estatal desde hace décadas para probar que su destreza estaba a la altura de sus ínfulas, e ignora o dificulta el camino de los más débiles, de los jóvenes, de los arriesgados, de los mejores" (2004: 48).

parado desde entonces de hacer películas: *Vueltas de la vida* (2000), *Prisioneros, Dame aire, Dulce compañía, Gema* (todas éstas de 2001) y *Lo bueno de los otros* (2004).[12] En el VII Bafici se presentó *Los de Saladillo* de Alberto Yaccelini que investiga la experiencia desarrollada por Midú y Junco.

De estas experiencias de bajo costo, la que ha conseguido más relevancia es la de Raúl Perrone, quien no sólo ha clausurado el BAFICI 2003 con su película *La mecha*, sino que ha fundado una escuela de cine y conducido un programa dedicado al cine independiente en un canal de cable. Perrone ha sido, de todos los directores que surgieron a lo largo de la década, el más perseverante en su postura independiente, en sus ataques al cine industrial y en la construcción de una poética propia que podría denominarse *costumbrismo brutal*. Realizadas todas en su barrio (Ituzaingó, en la provincia de Buenos Aires), con actores no profesionales y basadas en la improvisación, las películas de Perrone cuentan historias cotidianas de la vida común. Lo curioso es que en la prolífica carrera de Perrone se puede observar un adiestramiento progresivo del propio director y un conocimiento cada vez mayor del lenguaje cinematográfico (en *La mecha*, por ejemplo, el sonido es aceptable y el montaje no es desprolijo). Perrone participa, y esto es lo que le ha permitido realizar varias películas, de la idea de que el cine es la necesidad de expresarse, y él es tal vez el único director argentino que asocia "realismo" con transparencia, espontaneidad, con mostrar las cosas tal como son y las historias como *tranches de vie*. Además de la ya mencionada *La mecha*, Perrone ha realizado la trilogía *Labios de churrasco* (1995), *Graciadió* (1997) y *5 pal peso* (1998), además de *La felicidad: un día de campo* (1999), *Zapada / una comedia beat* (1999), *Late un corazón* (2002) y *Peluca y Marisita* (2002). Como ha tenido buena repercusión en la crítica (no ha faltado quien lo comparó con Wim Wenders y Jim Jarmusch), Perrone ha logrado transformarse en uno de los referentes más importantes del cine independiente.

A estos ejemplos se le podrían agregar innumerables obras y directores, sobre todo en el género documental. Algunos directores, como Gustavo Postiglione, al conseguir un éxito comercial (según sucedió con *El asadito*, 2000) enfrentan el dilema de cómo seguir siendo independientes cuando el INCAA muestra interés en auspiciar sus películas. Director nacido en Rosario y que trabaja en esa ciudad, Postiglione hizo *El asadito* (2000) en un solo día y en 16 mm, mientras filmaba *El cumple* (2001) en digital. Entre sus experimentos más llamativos está el haber realizado una película durante la realización del 6º BAFICI a pedido del director Quintín y con el auspicio del mismo festival. Realizado en video, *Miami* (ese era su título) fue exhibida el último día. En el Festival de Mar del Plata de 2005, Postiglione presentó una nueva versión de este film titulada *Miami RMX, ensayo fílmico electrónico* y su libro *Cine instantáneo*, en el que critica la despolitización del nuevo cine argentino. Finalmente, otro

---

[12] Puede consultarse el sitio de Internet: www.fatam.com.ar. En el 2004 se realizó la primera Muestra Nacional de Cine con Vecinos, cuya segunda edición se realizó en octubre de 2005 en Saladillo.

curioso ejemplo de cine fuera de los cánones institucionales fue *Safo, historia de una pasión (una remake)*, tal vez la primera película *queer* del cine argentino, con la participación de travestis, gays y *freaks* de toda laya. La película fue realizada por Goyo Anchou y la liga Yago Blass, y es una remake de *Safo, historia de una pasión* de Carlos Hugo Christensen.[13] En la versión de Anchou, Safo fue encarnada por varios travestis y *cross dressings*, entre los que se destaca Mosquito Sancineto, introductor del "Match de improvisación" en el teatro porteño, además de reconocido formador de actores. La película se pasó en el Centro Cultural Rojas, un lugar muy apto al cine realizado fuera de los circuitos institucionales de producción y en donde suelen mostrarse, programadas por Sergio Wolf, películas que sólo raramente acceden al circuito comercial.

Frente a este fenómeno de autogestión, existe un grupo no menos nutrido (y en realidad, el verdadero protagonista del nuevo cine argentino) que considera que la promulgación de la ley y su aplicación es un instrumento importantísimo para otorgarle estabilidad a la industria y para financiar proyectos más ambiciosos para competir en el circuito comercial y en los festivales.[14] En este marco, uno de los fenómenos más interesantes de los últimos años (y uno de los menos reconocidos) es el surgimiento de un conjunto de productores jóvenes, toda una camada que conoce el cine bien y desde adentro, y que intenta insertarse en los organismos institucionales y en las instancias de decisión.

Hernán Musaluppi, de Rizoma films, trabajó con Martín Rejtman y fue productor de *Los guantes mágicos*, *No sos vos, soy yo* y *Whisky* y productor ejecutivo de *Todo juntos*, *Silvia Prieto* y *No quiero volver a casa* además de haber participado en la producción de *Mundo grúa* y *Mala época*. Daniel Burman y Diego Dubcovsky fundaron en 1997 BD Cine; se trata de la productora más diversificada de las que surgieron en los últimos años, con capacidad para implementar diversas estrategias según las necesidades de cada film. BD Cine produjo todas las películas de Daniel Burman, coprodujo *Diarios*

---

[13] Yago Blass fue un exitoso autor teatral y radial que nunca logró un reconocimiento similar en el cine donde encaró producciones independientes y experimentales que lo acercan, más que a las vanguardias, a Ed Wood. Gregorio Anchou, quien además es docente y crítico, describe así uno de los experimentos de Blass: "a pesar de la poca repercusión de su regreso a la pantalla grande, lo intentó una vez más con una de las peores películas de la historia del cine argentino, *Una mujer diferente* (1956), producción de Molgar —empresa cuya composición desconocemos—, en la que trató de llevar a la práctica, con resultados hilarantes, el "plano secuencia por acto" que había utilizado Alfred Hitchcock en *Rope* (*Festín diabólico*, 1948)" ("Veinticinco años de producción independiente: las fronteras ignoradas" en ESPAÑA, 2000).

[14] Hay que señalar que la ley no sólo determina beneficios sino que también señala deberes, sobre todo laborales. El cine independiente hecho en la Argentina ha tendido, en realidad, a sortear, en la medida de lo posible, las obligaciones laborales que impone la ley porque su cumplimiento no permitiría la realización del film. Habría que estudiar en detalle si, con los beneficios que instituye la ley, esta tendencia se ha revertido en los últimos años.

de Motocicleta de Walter Salles, *Garage Olimpo, Nadar Solo* y *Un año sin amor*. Hugo Castro Fau fundó en el 2002, junto con Pablo Trapero, Matanza Cine, que produjo, entre otras, *Ciudad de María, La mecha* y *Géminis*, además de las películas de Trapero. La característica de estas productoras (principalmente BD Cine, Matanza y Rizoma), a las que hay sumar el lugar señero ocupado por Lita Stantic, es que desempeñaron un papel central en la conformación del nuevo cine, pero que, a la vez, llegaron a formar productoras con una estructura estable y activa, con la obligación de financiar —para poder mantenerse— dos películas por año que compiten con las *majors*. Al hacer películas menos ligadas al mercado, parece evidente que el INCAA debería apoyar más a estas productoras, así como a afianzar a las nuevas que vayan surgiendo, y no tanto a las *majors* que diseñan su producción de acuerdo a las demandas de la taquilla.

Además de los productores mencionados que lograron un buen nivel de continuidad y que se transformaron en referentes del nuevo cine, existen otros que llegaron a formar empresas estables (aunque no siempre con un perfil tan nítido) o que se foguean en diferentes experiencias con el objetivo de formar una productora mientras hacen un trabajo *free lance*. Rolo Azpeitía (*Azpeitía Cine*), pese a no tener una filmografía tan atractiva, es un referente importante para los productores independientes y produjo *Animalada, Herencia* y las películas de Fernando Spiner. Verónica Cura (*Acqua Films*), quien trabajó como directora de producción de las últimas de Agresti, fue productora ejecutiva de *Vida en Falcon, Cama adentro, Whisky Romeo Zulú*, y participó en el equipo de producción de *La quimera de los héroes* y *Saluzzi, ensayo para bandoneón y tres hermanos,* ambas de Daniel Rosenfeld. Nathalie Cabirón (*Tres planos cine*) fue productora de *Sábado* y *Los suicidas* de Juan Villegas, *El juego de la silla* de Ana Katz y *Sangrita* de Diego Fried. El "Chino" Fernández (*Villavicio producciones*) fue el responsable de las películas de Luis Ortega. Carolina Konstantinovsky fue la responsable de *Hoy y mañana* de Alejandro Chomsky y de *Ana y los otros* de Celina Murga. En el terreno de los documentales, además de la estupenda labor de difusión y producción de Carmen Guarini y Marcelo Céspedes con *Cine ojo*, está *Magoya Films*, que produjo *Matanza* y *Rerum Novarum*. Finalmente, también hay muchos directores/productores que prefieren encarar ellos mismos la producción ejecutiva, como Lisandro Alonso, Ana Poliak o Verónica Chen. Sin dudas, esta lista es incompleta y mezcla diferentes funciones (producción no es lo mismo que producción ejecutiva), pero lo decisivo es que, en los últimos años, se formó una nueva camada de productores, con un perfil diferente al tradicional: se iniciaron con apuestas de riesgos y sólo gradualmente fueron incorporándose al mercado del cine y a los órganos de decisión (basta conocer la situación de precariedad en las que se filmaron *Mundo grúa, Caja negra* o *Sábado*, por poner sólo algunos ejemplos). En el 2004, esta nueva camada llegó a la comisión directiva de APIMA (Asociación de Productores Independientes de Medios Audiovisuales), una de las cinco asociaciones de productores de la Argentina y una de las más importantes y de mayor trayectoria (tradicionalmente había sido presidida por Pablo Rovito, el productor de *18-J, El juego de Arcibel* y

Bajo bandera, entre otras).[15] Esto es importante porque, como dijo uno de sus integrantes, "a través de estas asociaciones se discute la política de fomento con el INCAA".[16]

A diferencia de los productores de las generaciones anteriores, la nueva camada pasó por las escuelas de cine, sabe desenvolverse en negociaciones con las fundaciones internacionales, vincula el prestigio del productor con las cualidades estéticas del film y conoce en detalle el funcionamiento de los festivales. De las generaciones anteriores, sólo Lita Stantic y Alejandro Agresti (por su idea de acudir a fundaciones extranjeras) tenían estas características y llegaron a funcionar como referentes para los más jóvenes.[17] Los desafíos que enfrentan en la actualidad todos estos productores son: exigir transparencia en los mecanismos de selección del Instituto, buscar los modos de promocionar y apoyar nuevas camadas de realizadores y guionistas, aprovechar los beneficios de la ley para seguir realizando obras de riesgo y de renovación y conseguir una estabilidad que haga que los directores logren hacer una segunda o tercera película.[18]

---

[15] La asociaciones de productores reconocidas son las siguientes: Asociación General de Productores (AGP), Asociación de Productores Independientes de Medios Audiovisuales (APIMA), Asociación de Productores y Realizadores Independientes (APRI), Asociación Productores de Cine y Medios Audiovisuales (APROCINEMA) y Asociación de Realizadores y Productores de Artes Audiovisuales (APROAT).

[16] El Fondo de Fomento Cinematográfico del INCAA durante el período 1999-2002 se compone de las siguientes cifras:

	Por entradas vendidas	Por videos comercializados	Por televisión
1999	$ 15.169.978	$ 4.711.435	$ 31.024.827
2000	$ 16.495.345	$ 3.617.863	$ 29.294.353
2001	$ 13.291.360	$ 4.254.010	$ 28.210.354
2002	$ 11.624.933	$ 3.743.000	$ 25.659.305

Como puede observarse a simple vista, la televisión ha sido la principal fuente de entrada de divisas en el Instituto (Fuente: CEDEM, Secretaría de Desarrollo Económico, GCBA, en base a datos de INCAA).

[17] Alejandro Agresti fue, además, productor de *Rapado* y un referente para las nuevas generaciones hasta que en 1998 salió, espectacularmente como es su estilo, en defensa de la gestión de Julio Mahárbiz en un momento que se estaba trabando el cumplimiento de la ley de cine. Gustavo Noriega escribió en una nota para *El Amante*: "Ese tipo deslenguado y orgulloso dejó de ser una figura mítica en el exilio y pobló de reproches y reprimendas los bares de Buenos Aires, mientras apostaba a destiempo por Mahárbiz y Cavallo. Sigue siendo el director de *Boda secreta* y *El acto en cuestión*, de modo que este desencuentro puede resolverse a su favor en la medida en que vuelva a filmar con aquel rigor y aquella magia" (NORIEGA, 2001).

[18] Uno de los hechos más perversos en la historia del cine argentino es la existencia de directores que han realizado varias películas sin éxito de crítica ni de público

Como señalan Paulina SEIVACH y Pablo PERELMAN: "Sin embargo, pasado más de un año de que el INCAA recuperó la autarquía, resulta deseable y necesario un debate sobre la situación del cine argentino y la efectividad de los mecanismos de promoción vigentes. Se requiere de reglas de juego claras y permanentes en el tiempo, para que el sector privado asuma los altos riesgos de estos emprendimientos. Además, es necesario un manejo transparente de los fondos y un trato equitativo para todos los proyectos [...] subyace la duda sobre el grado de discrecionalidad que lleva al Instituto a apoyar algunas películas." (2004: 131-132). Más allá de los beneficios de la ley, es fundamental para consolidar una industria del cine, reforzar el funcionamiento de las instituciones y convertirlas en organismos transparentes, democráticos y eficientes.

De todos modos, la continuidad de producción de películas ha superado, pese a la crisis del 2001, todas las expectativas y ya son varios los directores jóvenes que van por su segunda o tercera película. Durante el curso del 2005, varios de ellos están realizando su segunda o tercera película: Lisandro Alonso encara *Liverpool*, Rodrigo Moreno proyecta *El custodio* (vencedora en el concurso de Sundance), Juan Villegas terminó *Los suicidas*, su segundo largometraje, basado en una novela de Antonio di Benedetto. En el 7° BAFICI, se estrenaron varias segundas películas: *Como un avión estrellado*, de Ezequiel Acuña, *Monobloc* de Luis Ortega y *Samoa* de Ernesto Baca. Albertina Carri cerró el festival con su tercer largometraje, titulado *Géminis*, con producción de Pablo Trapero. Y aparecieron además, en el curso de los últimos meses, una cantidad de nuevos directores que muestran el crecimiento sostenido de la producción cinematográfica. Para que estas *operas primas* no terminen ignoradas y mueran en las salas del Instituto, es necesario, por un lado, que los productores pergeñen un buen sistema de distribución que no ateste las salas de estrenos y que permita negociar en buenas condiciones con los exhibidores, y, por otro lado, que los diferentes actores del mundo del cine participen activamente en las políticas del Instituto para mejorar los criterios de selección a la hora de premiar y subsidiar las nuevas películas.

El nacimiento de una nación: la industria cultural

El proceso del cual participa el cine es global y ha sufrido fuertes transformaciones en una época signada cada vez más por la imagen. El crecimiento desmesurado del mercado en la vida cotidiana sería incomprensible sin los cambios económicos y urbanos, pero también sin las transformaciones en el campo visual. La imagen se ha convertido en una clave de la política, de la economía, de la cultura y de las relaciones sociales: en una palabra, del poder.

---

mientras hay otros que, difícilmente, pudieron sostener una continuidad. Este el caso de casi toda la generación del 60 (Rodolfo Kuhn, David José Kohon, Lautaro Murúa) y de varios realizadores de los últimas décadas.

206

Por eso no es casual que, en los últimos años, los trabajos vinculados al diseño, la producción y la distribución de las imágenes sea cada vez más grande. Se trata, sin duda, de un campo muy amplio y heteróclito, en el que los *administradores de la imagen* ocupan diferentes posiciones, trabajan con diferentes materiales y tienen diferentes objetivos. En el interior de ese campo inabarcable, se construye el cine. Como afirmó Serge DANEY, "hay una maquinaria menos amplia que es el cine, muy condensada y poderosa, y una maquinaria más amplia que es la imagen en general" (2004: 283).

Sería un error creer que el campo del cine es meramente un ámbito estético y que de esa naturaleza son su identidad, sus materiales y sus objetivos. Y el error de apreciación sería más grave si se lo aplicase a una década en la que el cine, en la Argentina, entró de un modo tan contundente en el rubro de las *industrias culturales*. Los beneficios de la ley, el papel de patronazgo que cumplen las fundaciones extranjeras y la posibilidad de hacer películas pensando en los festivales (es decir, en un público especializado) pueden ser motivos de un entusiasmo pero no deben ocultar los peligros de avanzar hacia un cine plenamente administrado. Un destino de este tipo, similar al que ya tienen las artes plásticas, en el cual las cotizaciones materiales y simbólicas son a menudo independientes del contacto con las sociedades a las que supuestamente interpelan, podría llegar a crear una nueva división entre cine comercial y cine de arte que traicionaría el carácter transversal y ubicuo del cine. Por eso los hacedores de la imagen, mediante diversas tácticas y estrategias, deberían guardar una fuerte tensión con las políticas de financiación y fomento.

"Industria cultural" fue un término que creó el filósofo alemán Theodor Adorno para dar cuenta de cómo la mercantilización y la automatización habían llegado también al terreno más espiritual y creativo de las artes y de la cultura en general. La expresión era el resultado del pesimismo de Adorno y del negativo impacto que le había ocasionado su encuentro con la cultura norteamericana, en su exilio en ese país durante la Segunda Guerra. En ese período, Adorno escribió junto a Horkheimer lo que fue denominado por la crítica su "libro negro": *Dialéctica del Iluminismo*, de 1944.

A fines de los años noventa, y sin prestarle ninguna fidelidad a quienes habían creado el término, la municipalidad de la ciudad de Buenos Aires decidió crear la "Subsecretaría de Gestión e Industrias Culturales" con el fin de fomentar y promocionar eventos artísticos.[19] Aquello que en los años cuarenta era motivo de desasosiego y consternación (que la cultura se transformara en otra rama más sometida al lucro capitalista), en los noventa volvió como un motivo de regocijo: la cultura era una industria y debía estar entre los proyec-

---

[19] En palabras de Jorge Telerman, vicejefe del gobierno de la Ciudad de Buenos Aires, "a fin de atender la dimensión económica de la cultura, se creó la Subsecretaría de Gestión e Industrias Culturales desde donde se ha forjado una importante alianza con la Secretaría de Desarrollo Económico para incorporar a las industrias culturales en los registros e indicadores de la actividad económica de la Ciudad" (http://www.campusoei.org/pensariberoamerica/).

tos políticos prioritarios. Como lo plantea George Yúdice, la cultura es uno de los recursos básicos en términos de economía. Con la cultura, se promueve la industria del turismo, se alienta el consumo, se mitiga el desempleo, se consigue dinero de las fundaciones, se dirimen, en fin, conflictos culturales y sociales. *Buenos aires no duerme*, el *Festival Internacional de Danza y Teatro*, el *Festival de Cine Independiente* son algunos de los eventos en los que grandes inversiones de dinero apuntalaron la imagen de la ciudad en el país y en el mundo. Aunque en el caso del cine estos efectos han sido mucho menores que en otros rubros culturales, cierto microclima ficcional creado por el BAFICI se pone en evidencia ante el hecho de que algunas películas que pasaron por él exitosamente después no se estrenaron en ninguna sala comercial. Un ejemplo es *Ana y los otros* de Celina Murga, que sin embargo fue estrenada en Francia con buena repercusión; y el caso más llamativo es *Parapalos* de Ana Poliak, que fue la ganadora de la competencia internacional en la sexta edición y nunca se estrenó comercialmente.

Paolo VIRNO ofrece una lúcida explicación de la metamorfosis del concepto de industria cultural de la versión adorniana a la situación actual. En su libro *Gramática de la multitud (Para un análisis de las formas de vidas contemporáneas)*, Virno sostiene que, contra lo que se cree, la industria cultural es "el paradigma de la producción posfordista en su conjunto" (2003: 54). Mientras para Adorno y Horkheimer el capitalismo había logrado introducir el serialismo fordista en la creación artística (y de esta manera subordinarla a algo mayor: la producción de mercancías genéricas), para Paolo Virno el posfordismo (la época actual) convirtió las capacidades pre-industriales que se le asignaban a la esfera del arte (lo no programado, lo imprevisto, lo informal) en norma para toda la esfera del trabajo. Entramos en una época en la que el arte no es aquello que se resiste sino que llega a pautar comportamientos y se convierte en un terreno en el que la política y las finanzas intervienen para darle forma. Si bien el panorama no es muy alentador, no parece que la reacción más lúcida sea anclarse en la nostalgia por un pasado más o menos heroico (aunque siempre sea bueno recuperar y construir las alternativas que ese pasado contiene). Durante los años noventa, buena parte de los *administradores de la imagen* se plegaron a las políticas del poder en una sociedad que cada vez pedía más y más imágenes para sostener y fomentar el consumo y en la que los medios audiovisuales ocupaban un papel cada vez mayor. Para los cineastas se trató de internarse en esa máquina de imágenes y de marcar, con su obra, la diferencia.

Ciudad y Festival

La anécdota del cine convertido en banco con la que inicié este anexo es un índice de que no sólo se transformaron los modos de producción y financiación de un film sino también los modos de circulación y consumo. La aparición del video y de la televisión por cable, la muerte de las viejas salas de cine monumentales y su reemplazo por las multisalas, la proliferación de los festivales de cine, los nuevos sesgos que tomó la distribución de films, los cambios en los modos de publicitarlos son todos elementos que tienen consecuencias también en el campo de la estética. Tal vez el fenómeno más importante es la *mundialización* de un repertorio temático que, si bien no modifica en mucho a un medio que siempre había estado muy abierto a todo tipo de filmografías, encuentra en los noventa una nueva inflexión con la omnipresencia de cierto tipo de relatos y con la circulación de cinematografías antes ignoradas: principalmente el cine del Lejano Oriente (Taiwan, Hong-Kong, Corea) y el iraní.[20] El cine es el primer arte verdaderamente global, lo que se comprueba en la expresión multinacional de los festivales de cine (que llegaron a nuestro país en la década del noventa), en las amplias inclinaciones del público (cualquier espectador bien informado conoce algo de lo que se produce en Irán y en Estados Unidos, en Hong Kong y en Dinamarca) y en la misma temática de las películas.

Un tropiezo llamado amor (*The Accidental Tourist*, 1988) de Lawrence Kasdan no se hubiera podido narrar en tiempos en los que la globalización ya es un hecho: la historia del escritor de guías para que los hombres de negocios norteamericanos que viajan no se sientan fuera de su país de origen, ¿qué sentido tiene en un mundo lleno de Mc Donald's? Complementariamente, ¿*Qué hora es ahí?* (*Ni neibian jidian*, 2001) de Tsai Ming-liang, una historia de amor que transcurre paralelamente en París y en Taipei, no podría haberse narrado sin la simultaneidad y las equivalencias que se produjeron en los últimos años. De hecho, el protagonista Hsiao-kang (Kang Sheng-li) es un vendedor ambulante, uno de los oficios más globales del mundo (¿quién no ha visto, en cualquier estación de cualquier ciudad, al vendedor de relojes baratos de origen chino?). La globalización ha generado sus propios relatos y cualquier espectador de cine ha asistido, a lo largo de los últimos años, a sus temas predilectos: los retratos de *jóvenes desorientados*, las historias de *personajes fuera de lo social* y, principalmente, los *relatos de comida y matrimonio*.

Los *jóvenes desorientados* y los *personajes fuera de lo social* han encontrado en el cine argentino de diferentes variantes, de manera tal que podría hablarse, como lo hace Ana AMADO, de un *tópico* en el que pululan "los jóvenes desencantados de clase media, la juventud como segmento marginalizado por los rigores de la sociedad de mercado y consumo y la ciudad como marco de sus trayectos sin rumbo" (2002: 93). Los personajes globales que han tenido mayor continuidad en las películas locales han sido esos personajes fuera de lo social, apáticos y algo zombies, que ya se anunciaban en algunas películas de los ochenta: Travis en *Paris, Texas* (1984) de Wim Wenders, el narcoléptico Mike Waters en *Mi mundo privado* (*My own private Idaho*, 1991) de Gus Van Sant, la vagabunda Mona de *Sin techo ni ley* (*Sans toit ni loi*, 1985) de Agnès

---

[20] En los años cincuenta el cine experimentó una verdadera ampliación de su repertorio que se manifestó en el reconocimiento que los centros metropolitanos (básicamente europeos) hicieron de otras filmografías. De esos años datan la consagración de Bergman, los japoneses Mizoguchi y Kurosawa y del indio Savajit Ray.

Varda, la pareja de *Felices juntos* (*Cheun gwong tsa sit*, 1997) de Wong Kar Wai. Todas estas películas muestran esa predilección por personajes nómades que no van a ningún lugar y que están afectados por una enfermedad espiritual que los excede. Varias de las películas de los años noventa (las de Alonso, Trapero o Rejtman) pueden leerse como variaciones locales de este cuerpo nómade global.

Los *relatos de comida y matrimonio*, en cambio, apenas han sido frecuentados por el nuevo cine argentino, y esto es así porque el fenómeno migratorio, como hemos visto en el capítulo sobre *Bolivia*, ha sido una y otra vez invisibilizado. Pero en otras cinematografías, ha abundado la escena de la boda que consagra la unión amorosa entre personas de diferente origen racial, nacional o religioso y, a la vez, que muestra cómo las familias deben deshacerse de sus creencias tradicionales. Este choque entre diferentes culturas encuentra su condensación en el terreno de la comida como metáfora de la cotidianeidad y la originalidad de las mezclas. *La boda* (*Monsoon Wedding*, 2001) de Mira Nair, *Mi gran casamiento griego* (*My Big Fat Greek Wedding*, 2002) de Joel Zwick, *El banquete* (*Hsi yen*, 1993) de Ang Lee y *El club de la buena estrella* (*The Joy Luck Club*, 1993) Wayne Wang son algunos de los títulos que despliegan estos relatos.

Aunque el cine argentino no parece haber hecho mucho uso de este relato, al contrario de lo que sucede —por distintas razones— en Estados Unidos o en India, el relato de comida y matrimonio se puede ver en un film como *Judíos en el espacio* de Gabriel Lichtmann, articulada alrededor de la comida de un *seder*. Y, sin dudas, en las películas de Daniel Burman, el realizador más sensible a estos procesos multiculturales, que incluso producen en ellos una inflexión particular, como sucede en *Esperando al mesías*, donde el casamiento —al revés de lo que sucede en los ejemplos mencionados— no representa la transgresión a la familia sino el encierro en su interior.

En su ensayo "Acá lejos", Inés KATZENSTEIN (2003) señala la paradoja de que la década del noventa, pese a tratarse de un período cosmopolita, no significó para las artes visuales locales una superación del aislamiento en el que se hallaban inmersas. Frente a lo que podía esperarse de un período en el que el acceso a la escena internacional y a los viajes era más accesibles, el *anacronismo* es la marca de la escena local. Si algo similar puede decirse de la literatura, ya no se trata tanto del desfasaje de una escena que no presenta la homogeneidad que tienen las artes visuales, sino de una característica propia de los tiempos lentos de la traducción y la difusión literarias. La globalización no afectó mayormente el desarrollo de la literatura local, aunque modificó el panorama editorial (paradójicamente, nunca el mercado editorial latinoamericano estuvo tan fragmentado como en los años noventa). Pues bien, nada de esto sucedió en el cine. Sea porque algunas películas llegaban a estrenarse en las salas comerciales avaladas por festivales prestigiosos, o porque los festivales permitieron espiar el estado del cine mundial, lo cierto es que cine y globalización son parte de un mismo fenómeno. La reapertura del Festival Internacional de Cine de Mar del Plata (www.mdpfilmfestival.com.ar) en 1996 fue el reconocimiento de que las muestras eran fundamentales para el desarrollo de la industria cinematográfica. Y aunque los festivales realizados en la ciudad feliz nunca encontraron una dirección político cultural estable y coherente, en las secciones dirigidas por Nicolás Sarquís ("Detrás de cámara" y "Otros horizontes"), o bien se pasaban por única vez obras de directores consagrados no exhibidas en salas comerciales o bien *operas primas* de directores que marcaban una tendencia. Pero además de los problemas eventuales (la dirección personalista del menemista Julio Mahárbiz queriendo hacer del festival un insustancial desfile de estrellas para la prensa), el Festival tiene dos problemas estructurales que nunca pudo superar. En primer lugar, su dependencia del gobierno nacional que lo somete a los sucesivos cambios y a la falta de una planificación a largo plazo; se trata de un festival demasiado dependiente del poder y orientado a presentarse como un logro de las gestiones de los gobiernos municipal, provincial y nacional. En segundo lugar, el hecho de que se trate de un Festival "clase A" o competitivo hace que sólo pueda admitir en la sección oficial estrenos internacionales.[21] Con grandes dificultades para competir con otros festivales de mayor continuidad y prestigio (Cannes, San Sebastián, Berlín), las secciones de competencia de Mar del Plata nunca pudieron recuperar el brillo del pasado (cuando participaron François Truffaut, Joaquim Pedro de Andrade, Ingmar Bergman y otros). Estos dos inconvenientes, en cambio, se han resuelto con éxito en el Festival de Cine Independiente de Buenos Aires (BAFICI), creado en 1999. Por un lado, el festival surge como un evento exclusivamente de la ciudad y no carga con las pesadas estructuras nacionales y provinciales (la Dirección General estuvo a cargo, en un principio, de Ricardo Manetti, que integraba en ese momento el gobierno de la ciudad y es también un reconocido profesor universitario e historiador del cine argentino). Por otro, su reglamento, ideado por el Director Artístico, el cineasta Andrés Di Tella, es bastante sencillo: se admiten en la competencia oficial primeras o segundas películas de un realizador. Esta amplitud le ha permitido hacer competir a películas que ya habían sido exhibidas en otros festivales (algo que no puede hacer Mar del Plata) y acudir a aquellos directores que hicieron una muy buena primera película y vienen, con su segunda obra, a confirmar o no una promesa.

Los festivales, entonces, no sólo fueron un lugar de actualización para estudiantes, espectadores y gente de cine, sino que también impulsaron el fenómeno del nuevo cine: en 1997, *Pizza, birra, faso* de Caetano y Stagnaro obtuvo el Premio Especial del Jurado en la 13ª edición del Festival Internacional de Mar del Plata, y en 1999, *Mundo grúa* se alzó con varios premios (mejor director, mejor actor, premio OCIC) en el Primer Festival de Cine Independiente. Sin embargo, mientras el BAFICI ha sido más radical en su rechazo a los productos estandarizados del cine argentino, el Festival de Mar del Plata

---

[21] Son sólo siete los festivales de clase A en el mundo; los más importantes son Cannes, Berlín y San Sebastián. Mar del Plata no tiene la continuidad ni la historia ni el prestigio de sus competidores como para tentar a los directores a estrenar sus películas allí; además se realiza en una fecha muy difícil para convocar a los directores ya que tiene lugar entre el festival de Berlín y el de Cannes.

tuvo que supeditarse a las políticas del INCAA, que no sólo promocionó las sucesivas ediciones con actores de la televisión (en la era Mahárbiz), sino que siempre incluyó en competencia productos más convencionales (lo que no impidió, de cualquier modo, que el nuevo cine se hiciera presente: además de *Pizza, birra, faso, Caja negra* de Luis Ortega participó en la competencia).[22] Con la sección "Vitrina Argentina", creada para la edición de 2005, el festival de Mar del Plata logró incorporar toda una serie de productos independientes y más experimentales.

También en cuanto a estructura las posibilidades del BAFICI siempre fueron mayores, porque se adecuaban mucho mejor al nuevo panorama internacional. En la competencia entre ciudades que, según varios estudiosos, caracteriza la época de la globalización, Buenos Aires tiene un perfil que la hace apta para competir con otras ciudades. En su ensayo "Global Cities and the International Film Festival Economy", Julian STRINGER señala que "uno puede decir que los festivales más importantes establecidos en la inmediata posguerra (Berlín, Cannes, Edinburgo, Moscú, Londres, Venecia) se alinearon con las actividades y los objetivos de los gobiernos nacionales" (2002: 134). Pero a fines del siglo XX la relación entre el Estado-Nación y la ciudad se ha transformado y ésta ha adquirido mayor autonomía en el "mapa de exhibición y consumo transcultural". Rotterdam, New York, Hong-Kong, Berlín y otras utilizan sus festivales como parte de la política urbana que se coordina con el turismo, la producción de recursos, la promoción de la ciudad como centro cultural y su ubicación en el nuevo mapa global.[23]

Además de los festivales tradicionales y realizados por los organismos gubernamentales, han aparecido en los últimos años muchísimos festivales dedicados a temáticas más restringidas. Entre ellos, se destacan los dedicados a los derechos humanos (Festival Internacional de Cine y Video de Derechos Humanos: www.derhumalc.org.ar) que se realiza en diferentes ciudades. En el 2003, Luis Gutmann creó el Festival de Cine Judío en la Argentina

---

[22] La edición número 16, dirigida por Claudio España y con Miguel Onaindia al frente del Instituto, mejoró notablemente la calidad artística del festival, pero su continuidad fue imposible por los acontecimientos políticos que llevaron a la caída del gobierno de De la Rúa. Después de la crisis que afectó directamente a la edición número 17, la dirección del festival quedó a cargo del cineasta Miguel Pereira, organizador de las últimas tres ediciones, quien fue estabilizando un grupo de programadores (muchos de ellos ya habían colaborado con Claudio España) que se fue asentando y que hizo de la última edición (2005) una de las mejores de la historia reciente del festival. En este panorama de cambios y debacles, hay que señalar la continuidad del ciclo de "La mujer y el cine" dirigido por Marta Bianchi que se creó cuando se reanudó la realización del mismo.

[23] Los últimos hechos (me refiero a la falta de financiación gubernamental de las últimas ediciones y a la expulsión de Quintín de la dirección del BAFICI) llevan a pensar, sin embargo, que los funcionarios gubernamentales desconocen la función de los festivales. Se trata, una vez más, de la dilapidación de recursos y de la falta de coherencia política en el área de la cultura.

(www.ficja.com.ar/) que ya cuenta con tres ediciones. También el cine de terror, fantástico y bizarro argentino tiene su festival propio (Buenos Aires Rojo Sangre, rojosangre.quintadimension.com), así como el cine gay y lésbico (Diversa - Festival de Cine y Video Gay/Lésbico, www.diversafilms.com.ar), el cine documental (en las presentaciones impulsadas por Tercer Ojo y por el movimiento de documentalistas: www.tercer-ojo.com y www.documentalista s.org.ar/), el cine obrero (www.felco.ojoobrero.org) y los cortometrajes de los estudiantes de las Escuelas de cine (www.ucine.edu.ar/festival). Como dijo alguna vez Héctor Tizón, hace falta en la Argentina que alguien haga algo para que inmediatamente otro salga a hacer lo contrario: bueno, así como existe el BAFICI, en el 2005 se puso en funcionamiento –en las mismas fechas que el festival organizado por la ciudad– el BaFREEci - Primer Festival Free de Cine y Cultura Independiente, Libre y Gratuita (www.bafreeci.tk/). Con este panorama, bien puede decirse que los festivales han logrado ocupar un lugar paralelo y permanente en la exhibición de films que, de otra manera, difícilmente hubieran llegado al público.

Escuelas: formación

Además de los cambios en la producción y en la distribución, de la importancia política estratégica de la industria cultural y de la cultura de los festivales, el otro fenómeno de los años noventa fue la proliferación de las escuelas de cine como lugar de pasaje casi obligado hacia la creación cinematográfica. Suprimiendo la vieja tradición del *plateau* como lugar de aprendizaje, la existencia de la escuela *institucionalizó* las etapas de adquisición de conocimientos técnicos y artísticos. Pero además, en algunos casos, incidió fuertemente en la producción ya que en sus estudios pudieron montarse, sonorizarse y elaborarse varias de las películas del período. Las escuelas más equipadas, además, prestaron equipos de filmación y ayudaron a orientar en los vericuetos de la producción a los egresados o a los alumnos neófitos que encaraban su primera producción. También la cultura de los festivales se amplió con estas escuelas, que no sólo organizaron sus propios festivales de cortometrajes sino que presentaron sus proyectos y sus currículas en aquellos más importantes.

En 1991, Manuel Antín creó la Fundación Universidad del Cine. Varias razones contribuyeron a hacer de esta Universidad la escuela más importante en la promoción de nuevos directores: sus objetivos no fueron meramente técnicos, sino que hubo también una fuerte orientación hacia la educación humanista (con profesores provenientes de la Universidad pública); se crearon estudios equipados que permitieron convertir a la universidad en un centro de producción, y se puso el acento específico en el cine a diferencia de otros establecimientos que se dedican a la imagen en general o a la publicidad.[24]

---

[24] Según cifras proporcionadas por la misma Universidad, en 1991 la institución contaba con menos de mil estudiantes y en 2003 ya había acumulado casi doce mil.

Sin embargo, el hecho de que se trate de una universidad con altos aranceles hace que el acceso esté restringido a los sectores de más poder adquisitivo, hecho que se acentúa en los períodos de crisis.

De la Universidad del Cine salió el equipo de técnicos mejor preparados y con un conocimiento de su oficio que ya no se hizo en los *sets* de filmación sino que combina saberes técnicos, prácticos y humanísticos. De hecho, muchos de los egresados que se destacaron en alguna especialidad pudieron pasar a la dirección con films de muy buena factura técnica y también narrativa. Un conjunto de asistentes de dirección (Ana Katz, Gabriel Medina), fotógrafos (Guillermo Nieto, Paola Rizzi, Lucio Bonelli), montajistas (Alejandro Brodersohn, Martín Mainoli, Nicolás Goldbart, Alejo Moguillansky) y sonidistas (Catriel Vildosola, Federico Esquerro, Enrique Bellande, Jesica Suárez, Lisandro Alonso, Carlos López Victorel) podían trabajar con eficiencia aun en las condiciones más adversas. De la FUC salieron también varios de los realizadores que estrenaron sus películas en los últimos años: entre otros, Pablo Trapero, Juan Taratuto, Albertina Carri, Lisandro Alonso, Juan Villegas, Gabriel Lichtmann, Bruno Stagnaro, Rodrigo Moreno, Ulises Rossell, Diego Fried, Alejo Taube, Celina Murga, Damián Szifrón, Santiago Palavecino, Andrés Schaer y Mariano Llinás.

Otra escuela importante y de más tradición es el ENERC (Escuela Nacional de Experimentación y Realización Cinematográfica), que depende del INCAA y que cuenta con varios egresados destacados, como Lucrecia Martel y Julia Solomonoff. Del CIEVYC (Centro de Investigación y Experimentación en Video y Cine), la escuela dirigida por Aldo Paparella, egresaron Ezequiel Acuña, quien realizó *Nadar solo* y *Como un avión estrellado*, y Ernesto Baca, el director de *Cabeza de palo* y *Samoa*. En los últimos años también ha crecido la carrera de Diseño de Imagen y Sonido de la Universidad de Buenos Aires, fundada en 1998 y dedicada al campo audiovisual en general. Sin embargo, la falta de equipamientos y el carácter elefantiásico de una institución como la UBA hace que la universidad pública no esté en condiciones de ofrecer a sus estudiantes las mismas posibilidades técnicas y de equipamiento que una universidad privada o que el ENERC. Además, el hecho de que funcione en el ámbito de la Facultad de Arquitectura, Diseño y Urbanismo habla del acento que se pone en lo operativo por sobre lo artístico. El CIC (Centro de Investigación Cinematográfica), pese a que se dedica también al cine y al teatro, ha promovido gente de cine, incluso críticos, como los directores de la revista *Haciendo cine*. Aunque es imposible trazar un panorama de todas las instituciones formadoras de profesionales del cine, también pueden mencionarse la "Carrera de Realización Integral de Cine y Televisión" de las Escuelas terciarias ORT y el Taller de Cine Contemporáneo, dependiente de la municipalidad de Vicente López, de donde egresó Leonardo Di Cesare, el director de *Buena vida delivery*. En el interior, se destacan el Taller de Cine de la Universidad Nacional del Litoral, fundado en 1985 por Raúl Beceyro, la Escuela Provincial de Cine y Televisión de Rosario, dependiente del gobierno provincial y la Escuela de Cine de la Universidad Nacional de Córdoba. Además de la FUC creada por Antín, hubo también otros directores que fundaron escuelas de cine, entre las que se cuentan la Fundación Imaginario de Fernando "Pino" Solanas y la Escuela de Cine Profesional, fundada por Eliseo Subiela en 1994 (volcada al cine digital, en 1998 la escuela produjo la primera película enteramente digital realizada en nuestro país: *Las aventuras de Dios* del propio Subiela).

Hubo otros referentes que no actuaron en las escuelas de cine sino que formaron grupos de estudio e influyeron en las nuevas camadas. Es el caso de los grupos de estudio de José Martínez Suárez o de Edgardo Chibán en Salta.[25] Dentro de este fenómeno de las escuelas, hay que destacar *El Amante / Escuela*, fundada por la revista del mismo nombre, que es la primera institución educativa dedicada enteramente a la crítica cinematográfica.

Obviamente, hay que tener en cuenta que es difícil hacer un panorama de la formación de los integrantes del mundo del cine cuando se piensa que, en una película, están involucradas entre veinte y treinta personas, aunque estos números varían según las dimensiones del proyecto. Y si bien las escuelas fueron fundamentales, en un medio tan permeable como el del cine no es de extrañar que muchos realizadores o asistentes hayan hecho formaciones no convencionales o más imprevisibles, como quienes pasaron por universidades extranjeras (el fotógrafo Ramiro Civita o Paula Grandío y Fernando Alcalde, fotógrafa y asistente de dirección, respectivamente, de *La ciénaga*), son autodidactas o se prepararon en talleres privados.

La crítica y las revistas de cine

En los años noventa, la crítica cinematográfica se diversificó como nunca antes y se fortaleció en campos donde antes había sido casi inexistente. A fines de los años cincuenta (el otro momento de crecimiento de la crítica), los espacios que sirvieron como plataforma fueron los cine-clubes, las revistas y el Festival de Mar del Plata, creado por los críticos en 1959.[26] La crítica se pensó a sí misma como un campo alternativo que debía enfrentarse a la hostilidad de los grandes medios, más conservadores en materia de gustos (a principios

---

[25] Sobre Edgardo Chibán, fallecido en 2000, se ha presentado un film documental en el último BAFICI titulado *La filia* y dirigido por Martín Mainoli. La influencia de Chibán fue decisiva en *La ciénaga*, como la directora lo ha señalado varias veces.

[26] Hay una polémica sobre cuál fue el primer festival de cine de Mar del Plata. Julio Mahárbiz, cuando reanudó el Festival en 1996, colocó la muestra de 1954 como la primera edición. Sin embargo, esta muestra no fue un festival competitivo aunque tuvo presencia de importantes figuras: Errol Flynn, que gastó todo su dinero en el casino, Gina Lollobrigida, que según la versión "gorila" se paseó desnuda con Perón por la quinta presidencial, Jeanne Moreau y Trevor Howard. Edward G. Robinson se retiró cuando se dio cuenta de que se trataba de una maniobra política de Perón frente a los problemas de producción que atravesaba el cine argentino. La primera edición del Festival Internacional de Cine fue en 1959 y estuvo impulsada por la Asociación de Cronistas Cinematográficos que difícilmente hubiera aceptado verse como una continuidad de lo hecho durante la segunda presidencia de Perón.

de los sesenta, en un caso clave, Tomás Eloy Martínez y Ramiro Casasbellas debieron abandonar *La Nación* porque se rehusaron a elogiar *Ben-Hur* (1959) de William Wyler, apoyada por una gran publicidad). Las revistas especializadas fueron un buen canal de expresión si bien precario y minoritario, y aunque hubo críticos notables, como José Agustín Mahieu o Simón Feldman, no pudieron imponer ni institucional ni masivamente la idea de que había surgido una nueva generación.

Durante los años noventa, la situación fue totalmente diferente: los cineclubes ya no tenían ese carácter de producción crítica[27] y los diarios ya no eran tan impermeables a críticos jóvenes que podían ayudar, con sus reseñas y entrevistas, a imponer la idea de que se había producido un cambio o un recambio generacional al que había que estar atento. Diego Lerer y Marcelo Panozzo desde *Clarín*, Diego Battle desde *La Nación* y Luciano Monteagudo y Horacio Bernardes desde *Página/12* acompañaron el fenómeno e hicieron entrevistas, balances y críticas que ayudaron a instalar la idea de la aparición de una nueva generación (directores muy jóvenes lograban con su primera película la portada de *Clarín Espectáculos*, como es el caso de Celina Murga o Pablo Trapero).

Otro ámbito importante que había estado totalmente ausente en la crítica de los sesenta está constituido por la Universidad y los estudios críticos académicos. El crecimiento de la orientación "crítica de cine" en la carrera de Artes de la Facultad de Filosofía y Letras de la Universidad de Buenos Aires significó una renovación de los estudios históricos, una actualización del arsenal crítico y teórico y una producción de tesis y libros que marcan un camino posible para la crítica. Más ligada en general al estudio histórico del cine, esta crítica universitaria ha producido, entre otras publicaciones, la monumental historia *Cine argentino* que dirigió Claudio España y que es un hito tanto desde el punto de vista de los textos como de la recuperación de imágenes de archivo. También la Universidad del Cine y otras escuelas le han dado espacio a la crítica, que ya es considerada como parte del cine mismo y no como algo exterior y estéril. Dentro de la Universidad de Buenos Aires, otro de los centros de producción crítica importante ha sido el Centro Cultural "Ricardo Rojas", en el que han desempeñado un importante papel los diversos programadores, entre los que se cuentan Fernando Peña, Andrés Denegri y Sergio Wolf. Este último compiló el libro *Cine argentino, la otra historia*, de 1993, en el que

---

[27] Es necesario consignar el importante papel que desempeñaron los cine-clubes, sobre todo el Cine-club Núcleo dirigido por Salvador Samaritano, en la época de la dictadura, cuando los cinéfilos podían ver películas que no llegaban a las salas comerciales. También fueron importantes los cine-clubes o las salas de ciclos con la posibilidad que ofrecieron de revisar películas históricas o inaccesibles, actividad que desde hace tiempo le viene correspondiendo a la Sala Lugones del Teatro General San Martín, a cargo del crítico de cine de *Página/12*, Luciano Monteagudo. Durante los años ochenta, el fin de la censura y la aparición del video disminuyeron la importancia de la función cumplida por los cine-clubes.

escriben varios de los críticos que se desempeñarían a lo largo de la década en diversos medios.

Finalmente, las revistas sobre cine se multiplicaron y mostraron, en casos como *El Amante* o *Haciendo cine*, una continuidad inusitada para una publicación especializada. Todos estos jóvenes críticos no sólo han logrado continuidad en sus lugares de trabajo (periódicos y revistas), sino que han participado activamente en los festivales, sobre todo en el BAFICI, del que Quintín, uno de los creadores de la revista *El Amante*, llegó a ser director de cuatro de sus ediciones, sustituyendo a su primer director artístico, Andrés Di Tella. En la séptima edición, Quintín fue reemplazado por otro crítico de cine, además de historiador y coleccionista: Fernando Martín Peña. Peña, además, fundó en 1993, junto con Sergio Wolf y Paula Félix-Didier, la revista *Film* (que dejó de aparecer en formato impreso en 1998) y también se encarga de la programación del MALBA, donde se estrenaron varios films argentinos (la mayoría de ellos nunca exhibidos comercialmente) y se rescataron y restauraron obras perdidas o mal conservadas.

En Internet también han proliferado sitios dedicados al cine que siguen muy de cerca la producción argentina reciente. Además de los sitios de revistas que circulan en edición impresa (*Haciendo cine, El Amante*), existen los que fueron creados especialmente para el medio digital, como *citynema* (fundado por Leandro Arteaga, Alejandro Hugolini y Fernando Varea), *otrocampo* (dirigido por Victoria Ciaffone y editado por Fernando La Valle), *cineismo* (dirigido por Guillermo Ravaschino) y *leedor* (fundado por Alejandra Portela y Guillermo Caneto). Formados por críticos de los más diversos orígenes (muchos de ellos estudiantes o graduados universitarios), estos sitios producen una cantidad considerable de reseñas, ensayos y editoriales, además de polémicas, foros y enlaces.

De todos estos fenómenos de la crítica cinematográfica, la ruptura más pronunciada se produjo en el cambio de lenguaje y en una actitud diferente para con las películas argentinas. En este aspecto, los textos de la revista *El amante cine* fueron centrales porque, por primera vez, la crítica no mostraba condescendencia con la producción local en aras de reconocer el esfuerzo invertido o la necesidad de defender lo nacional. Quizás con un programa no del todo claro desde el inicio (en el número 4 sacaba en tapa y elogiaba *El lado oscuro del corazón* de Eliseo Subiela, al que después atacaron), la diferencia que instituyeron Quintín, Gustavo Noriega, Flavia de la Fuente (todos ellos miembros fundadores), Gustavo Castagna, Eduardo Russo, Alejandro Ricagno, Jorge García, Rodrigo Tarruella y otros redactores fue de *tono*: irreverencia, disconformidad, humor, opiniones subjetivas, desconocimiento de pactos silenciosos y hasta ataques frontales. Además, todos ellos tenían una muy buena formación cinéfila y podían sostener esos embates con un conocimiento exhaustivo de la historia del cine y un manejo (que se haría más sólido a medida que fue creciendo la revista) de fuentes críticas y teóricas. Pero lo que salvó a la revista de convertirse en una tribuna de críticos displicentes y sobradores fue, en primer lugar, la paulatina construcción y defensa de cierto canon de cine universal que incluía a algunos (pocos) argentinos (el número dedicado a Leonardo Favio en 1993, las tapas dedicadas a Aristarain y a Agresti); en segundo lugar, la defensa de la renovación del cine nacional de fines de los noventa (con portadas de Trapero, Villegas, Alonso, Martel, Bielinsky) y, finalmente, la creación activa de un repertorio de alto nivel internacional y argentino con la participación de gran parte de su *staff* en las ediciones del BAFICI del período 2001-2004. La labor de demolición (sobre todo en lo que respecta al cine argentino) fue acompañada por la postulación de un canon alternativo propio. Sin embargo, las diferencias entre la postura cada vez más modernista de Quintín (y su dedicación *full time* a la organización del festival que lo llevó a una dirección más bien nominal de la revista) y la concepción de un cine más narrativo de Noriega, Jorge García y nuevos colaboradores como Santiago García y Javier Porta Fouz se hicieron sentir al punto que Quintín no pudo volver a una revista con la que ya no se identificaba. En la actualidad, la revista es dirigida por Gustavo Noriega y tiene a Javier Porta Fouz como jefe de redacción. Entre los colaboradores permanentes se cuentan Gustavo Castagna, Santiago García, Eduardo Russo, Jorge García, Marcela Gamberini, Leonardo M. D'Esposito, Diego Trerotola, Juan Villegas, Marcelo Panozzo y varios otros críticos que se fueron incorporando en la última etapa.

A diferencia de *Film* y aun de *El Amante*, *Haciendo cine* fue la revista que apostó más rápidamente a la formación de un nuevo cine argentino: en el primer número (septiembre de 1995), sacó en portada una imagen de *Labios de churrasco* de Raúl Perrone, y en los números siguientes a los Stagnaro, a Alejandro Agresti, a Gustavo Mosquera, a Martín Rejtman y al Festival de Mar del Plata. Dirigida y fundada por Hernán Guerschuny y Pablo Udenio, la revista tuvo una salida bastante irregular en sus primeras ediciones pero desde 2002 adquirió regularidad bimensual y, durante 2005, se convirtió en mensual. Más informativa en su escritura que *El Amante*, la revista de Guerschuny y Udenio incidió fuertemente en la producción nacional con su participación en los festivales (principalmente con la sección "Work in progress" en el BAFICI) y con la exhibición de estrenos nacionales en la Alianza Francesa. La editora de la revista es Cynthia Sabat y forman su *staff* (el "equipo HC") los siguientes críticos: Nicolás Artusi, Ximena Battista, Eleonora Biaiñ, José María Brindisi, Santiago Calori, Augusto Constanzo, Martín Crespo, Sebastián De Caro, Florencia Eliçabe, Javier Firpo, Julián Gorodischer, Guido Herzovich, Micaela Krolovetzky, Nicolás Maidana, Silvina Marino, Paulo Pécora, Miguel Peirotti, Sebastián Rotstein, Martín Wain y Nadia Zimerman

Otro de los datos interesantes de los últimos años en el campo de la crítica es que la contundencia del fenómeno del nuevo cine ha llevado a algunas revistas de crítica cultural, como *Punto de Vista*, *El ojo mocho* o *Confines*, a publicar ensayos sobre cine argentino contemporáneo generalmente con un lenguaje más sofisticado y más atención a los debates culturales que las revistas exclusivamente dedicadas al cine. De todas estas revistas, fue *Punto de vista* (con los artículos de Rafael Filippelli, David Oubiña, Hernán Hevia, Santiago Palavecino y Raúl Beceyro, entre otros) la que tuvo una preocupación más constante por el séptimo arte. En este interés de críticos provenientes de la academia por incidir en los debates culturales a través de las películas, hay que destacar a *Kilómetro 111*, revista especializada en cine e integrada por críticos formados en la universidad. Con escritos de largo aliento, una mayor obsesión por la precisión conceptual y la utilización de bibliografía especializada, la revista posee formato de libro y aspira a una producción en la que haya una presión menor de la circunstancial cartelera de estrenos. Dirigida por Emilio Bernini y editada junto a Domin Choi, la revista cuenta con un grupo de redacción conformado por Mariano Dupont, Daniela Goggi y Silvina Rival y la participación de colaboradores rotativos (aunque Mauricio Alonso, Jerónimo Ledesma, Daniele Dottorini, Silvia Schwarzböck, Eduardo Russo y Leonel Livchits han participado en varios números). *Kilómetro 111* ya lleva cinco números, y desde el segundo ha mostrado un interés cada vez mayor por el nuevo cine argentino con mesas redondas, artículos y reseñas de películas.

En conclusión, la crítica de cine ha logrado —en estos años— dos objetivos que se plantea toda actividad intelectual con aspiración a intervenir socialmente: participar activamente en las decisiones políticas del campo cultural e intervenir en los debates de actualidad. Esto no implica sostener que la crítica cinematográfica haya alcanzado un buen nivel de debate o una gran calidad en sus textos. Todavía hoy, la crítica de cine sigue estando anclada a los *formatos de la urgencia*: el género privilegiado de la crítica de cine fue, es y sigue siendo la reseña de películas (de hecho, frente al crecimiento de la producción en revistas y en Internet, la producción de libros sobre cine argentino ha sido paupérrima). Esta *inmediatez* de la escritura (en todo sentido), se acentúa por una de las deidades más veneradas por la crítica local: el *gusto*. Como si el gusto, sin el auxilio de la reflexión argumentada, no se asemejara al hábito. Formada en buena parte por cinéfilos, la cinefilia de la crítica tuvo la virtud de —para decirlo con palabras de Jacques RANCIÈRE— "rechazar la autoridad de los especialistas" y "cruzar experiencias y saberes diversos" (2004). Sin embargo, le falta superar nuevos desafíos: ser más arriesgada conceptualmente y articular en escritos de más largo aliento su mirada sobre el cine.

2. La política de los actores

Con una heterogeneidad que excede a una simple adscripción al neorrealismo italiano, el nuevo cine argentino ha llevado adelante, en la elección de los actores, una política del rostro, del cuerpo y del nombre. Se trata, como dice Raúl Antelo a propósito de Gilles Deleuze y Giorgio Agamben, de usar el rostro como un espacio político de enunciación (ANTELO, 2004: 121). En los rostros, en los cuerpos, en los nombres, las películas investigan sus propios nexos con lo real y lo hacen de un modo propiamente cinematográfico porque el cine es, según una de las bellas definiciones de Serge DANEY, "ese arte extraño que se hace con cuerpos verdaderos y acontecimientos verdaderos" (2004: 288). Mediante su política de *casting*, las películas del nuevo cine amplían el campo de percepción de un cine que, habitualmente, se había restringido a la utilización de un repertorio limitado de actores y se internan en la zona de lo no actoral. En el *rostro*, se busca, básicamente, un papel en blanco —el actor amateur no tiene un repertorio de gestos previamente ensayados— en el que se inscriben las acciones y los afectos. El personaje (un no-actor) sigue el guión de la película pero también hace un recorrido hacia sí mismo, hacia su pasado, hacia lo que le pasó alguna vez y a las reacciones afectivas que tuvo. En el *cuerpo*, se persigue una narración posible. En una sociedad que organiza la visibilidad de los cuerpos a partir de un modelo restringido de belleza, el nuevo cine muestra el cuerpo como acumulación, como historia, como relato. En los *nombres*, se desestabiliza una ficción clausurada en sí misma y se reflexiona sobre los materiales que la hacen posible. Los nombres de los actores y de los personajes coinciden pese a que las historias que se narran son inventadas. Experiencia, relato, construcción de la ficción: estos tres elementos pueden rastrearse en el original modo de hacer *casting* que instauró el nuevo cine argentino.

El rostro

Picado fino de Esteban Sapir, realizada entre 1993 y 1995 (pero estrenada en 1998), no ha dejado mucha descendencia en términos de estética narrativa, pero sí en los modos de hacer *casting*: los rostros limpios o virginales para el ojo de la cámara son centrales en la narración de la historia. Facundo Luengo (Tomás) y Belén Blanco (Ana), y también otros actores, se convierten en cuerpos que van adquiriendo experiencia a medida que transcurre la historia.[1] A través de la obsesión con los primeros planos, la película de Sapir muestra

---

[1] La película está dedicada a Facundo Luengo, actor de un rostro asombroso y misterioso, que murió en un accidente después del rodaje con poco más de veinte años.

220

las posibilidades de trabajar con las facciones de un rostro que es, además, desconocido para el público. En *Picado fino*, un rostro es algo que se ve por primera vez y que va develando sus gestos a medida que avanza la película. Este limpiar los rostros, trabajarlos como un territorio virgen, se aplica a casi todas las películas del nuevo cine argentino: eso hizo Rejtman con Vicentico al borrar la cara de la estrella de rock, eso puede verse en *La ciénaga* con las actrices adolescentes pero también con lo que Martel hizo con el ícono Graciela Borges; eso se comprueba en la inclusión masiva de actores de profesión pero poco vistos en la pantalla o que solían hacer roles secundarios (Daniel Valenzuela, Roly Serrano, Beatriz Thibaudin, Marcelo Videla, Susana Pampin). *La quimera de los héroes* (2004) de Daniel Rosenfeld, por ejemplo, se detiene en los rostros de los indios tobas que forman parte del equipo de *rugbiers* formoseños sobre el que trata el film. Y tal vez uno de los aspectos más endebles de este curioso e interesante film está justamente en su política del rostro: ya que estos indios jamás llegan a transformarse en personajes y a tomar la palabra en un film que los tiene de protagonistas. Finalmente es el entrenador (Eduardo Rossi) por quien termina fascinándose el ojo de la cámara.

El rostro, entonces, se construye a medida que transcurre el film. Es la primera vez que lo vemos y, antes que con un actor, nos encontramos ante una persona. *Mundo grúa*, de Pablo Trapero, termina con un primer plano del Rulo (Luis Margani) que acelera, por primera vez, el fluir temporal del film: se ve primero su rostro de noche, iluminado por los faroles de un auto (está viajando en un camión) y la luz de su cigarrillo encendido en la oscuridad, después la luz del sol y por último, nuevamente la oscuridad. ¿Qué hay en ese rostro o por qué ese rostro es lo que nos entrega el film una vez que termina? Margani lleva en su rostro las huellas del trabajo, es decir, la promesa de una narración. Tanto en *Picado fino* como en *Mundo grúa* (aunque sea con objetivos diferentes) este uso de los rostros instaura una *conexión documental* con lo real. Buscar las conexiones entre un rostro y lo real (reducir el fingimiento actoral) bien podría ser otro de los principios del *casting* del nuevo cine.

En los gestos tal vez está la parte más política: se trata de que los actores actúen. Pero un gesto de dolor, o de sufrimiento o de alegría no es una representación ni el resultado de una técnica largamente sedimentada y aprendida en las escuelas de teatro sino la recuperación de algo que le sucedió a esa persona anteriormente. El nexo con lo real resurge acá en todo su fulgor: el Rulo no está haciendo que sufre sino que repite un sufrimiento anterior. A Misael Saavedra la cámara lo acompaña pero el director logró crear un clima para que él haga lo de todos los días (hasta el acto tan íntimo de cagar) como si la cámara no existiera. En *Los rubios* nunca sabemos con exactitud si los gestos son meticulosamente medidos o espontáneos y esa duda crece porque los testimoniantes se encuentran con la Albertina Carri ficcional (Analía Couceyro), a la que supuestamente conocen y a la que saludan como si se tratara de la verdadera. En *Los muertos*, el actor Argentino Vargas tiene el mismo nombre en el film: ¿significa eso que él también estuvo preso? ¿Quiere decir que está haciendo el viaje por segunda vez? Ninguna respuesta puede deducirse de la visión de la película. ¿Será que, como Albertina Carri pero con diferentes objetivos, Alonso reflexiona sobre las potencialidades de la ficción y de los materiales con los que trabaja? En Carri, la ficción es uno de los terrenos privilegiados en los que se investiga la propia memoria (o la memoria de los niños). En Alonso, la ficción es la *aventura* en la que se comprometen dos cuerpos: el del actor y el del director.[2] Dos ideas de ficción muy disímiles pero que se elaboran a partir de un mismo hecho: el rostro virginal en el que se inscribe una historia.

Los cuerpos

Caja negra de Luis Ortega es tal vez la película donde más se pone en evidencia el trabajo con los cuerpos de los actores. También podría recurrirse al cuerpo con problemas del Rulo, del que se habla permanentemente a lo largo del film[3], pero Ortega hace de los cuerpos la sustancia con la que construye sus primerísimos primeros planos. Los rostros y los cuerpos de los tres personajes están sujetos a toda una serie de disecciones y puestas en contraste. Así, la película se inicia (después de la enigmática escena de los monos) con un contraste entre la piel de la abuela (Eugenia Bassi) y la de su nieta Dorotea (Dolores Fonzi). Después, el cuerpo atribulado y extraño del padre de Dorotea, Eduardo Couget (curiosamente mantiene el mismo nombre en la ficción), sostiene casi toda la narración compuesta antes que por secuencias narrativas por estados del cuerpo (la abuela cuyo cuerpo ostenta las marcas del fin, la adolescente que está perdiendo la mejor época de su vida, el padre que se desplaza por la ciudad y parece una marioneta). Fernando La Valle, uno de los críticos de www.otrocampo.com, escribe que "se puede decir que el film cierra a su modo en el plano formal, considerado como ejercicio de mostración de los cuerpos. Se abre en este sentido a una serie de variaciones, centrada en tres cuerpos estudiadamente disímiles, algo así como los extremos de la visibilidad humana: la delgadez del padre, la senectud de la abuela, y las formas deliciosas de Dolores Fonzi. Es notable la fragmentación rigurosa que los tres cuerpos emblemáticos sufren bajo un encuadre y un montaje movedizos". El cuerpo es el relato y no cualquier cuerpo sino cuerpos extremos, con una vida acumulada o con una carga que no pueden soportar.

La elección del Rulo tiene también consecuencias en el terreno de los cuerpos y los nombres. El Rulo de *Mundo grúa*, su cuerpo de trabajador, hace contrapunto con otro no actor, Federico Esquerro (sonidista de profesión y uno de los estudiantes más sobresalientes, humana y artísticamente, de la

---

[2] De hecho, el último proyecto de Alonso lleva al límite esta idea de aventura: *Liverpool* transcurre en la Antártida.

[3] El cuerpo de Luis Margani adquiere funciones narrativas (no lo dejan trabajar porque la "ART no lo protege"), temporales (ya no es como el de antes, tiene "30 kilos más") y estéticas (no es agraciado en términos convencionales pero es la estrella del film).

Universidad del Cine). El cuerpo del Rulo (Luis Margani) es el del trabajador desocupado que trata de insertarse de algún modo. Con mucho criterio, Trapero no eligió a un actor sino un *cuerpo* porque las huellas del trabajo de años y del despido imprevisto no se pueden actuar. Y lo mismo hizo con su hijo, el cuerpo de alguien joven que jamás trabajó y que pasa el tiempo con su banda de música. Como no se trata de convertir esta elección en una doctrina estética (como en el primer neorrealismo italiano), Trapero entendió las dificultades de utilizar actores no profesionales y los rodeó de muy buenos actores (en *Mundo grúa*, Adriana Aizenberg, Daniel Valenzuela y Roly Serrano) que acompañaron a esos cuerpos al mundo de la actuación.

Los nombres

El acierto en la elección del Rulo se vio no solamente en el premio que recibió en el primer Bafici sino también en que el personaje se transformó en el ícono del film. Desde el cartel, el Rulo se apropió de la historia de la película y los límites entre la ficción y la realidad se hicieron lábiles. De hecho, su *nombre* y apodo son los mismos en la vida real que en el film, lo que pasa también en otros casos: Misael Saavedra y Argentino Vargas en *La libertad* y *Los muertos* de Lisandro Alonso, los personajes de *Bolivia*, Eduardo Couget en *Caja negra*, Nicéforo Galván en *La mecha* o Gastón Pauls en *Sábado* de Juan Villegas (de hecho, el film se iba a titular *Gastón Pauls*).[4] En *Silvia Prieto* esta característica se cumple de un modo curioso (sobre todo tratándose de una película sobre los nombres): Gabriel Fernández Capello se llama, en la película, Gabriel. Como Gabriel Fernández Capello es conocido por el público por su nombre artístico Vicentico, cabe pensar que Rejtman le restituye así el nombre de persona común, más allá del ídolo de rock. Quien actúa no es Vicentico sino Gabriel. En la escena final, las Silvia Prieto reales se encuentran en una reunión en la que también participa una de las Silvia Prieto del film: Mirta Busnelli. Por medio del nombre, las películas establecen otro lazo más con lo real: la historia ficticia y las personas reales son permeables y se influyen mutuamente. Las fronteras entre la vida cotidiana y la aventura del cine se desdibujan.

Con un gesto muy radical, todas estas películas pusieron el sentido (y también la política) no necesariamente en las historias que se cuentan ni en la incitación a la acción ni en la postulación de una identidad nacional. A veces

---

4 Un caso curioso es el de Albertina Carri que, en *Los rubios*, hace de Albertina Carri pero que elige a una actriz, Analía Couceyro, para que la represente en la reconstrucción que hace el film de su pasado. La actuación, en este film, es, justamente, el rol social que a través de la mirada de los otros le proporciona una identidad a las personas. Carri pone esa carga intensiva de la demanda de identidad en la actriz y aparece como no actriz en el film, negándose a desempeñar ese rol (ese papel) que le asignaron.

recurrieron a la significación de los ruidos, otras veces a la expresividad de los encuadres. En este caso vimos cómo la elección de actores marcaba un camino posible para reflexionar sobre las relaciones entre cine y sociedad y con los que éstos hacen con los nombres, los rostros y los cuerpos.

3. Estrenos nacionales en el período 1997-2005[*]

Estrenos de 1997 (27 films)

*24 horas (Algo está por explotar) (1997) de Luis Barone

Bajo bandera (1997) de Juan José Jusid

Buenos Aires viceversa (1996) de Alejandro Agresti

Canción desesperada (1996) de Jorge Coscia

Cenizas del paraíso (1997) de Marcelo Piñeyro

*Comodines (1997) de Jorge Nisco

*Dibu, la película (1997) de Carlos Olivieri y Alejandro Stoessel

*Dile a Laura que la quiero (1995) de José Miguel Juárez

El Che (1997) de Aníbal Di Salvo

*El impostor (1997) de Alejandro Maci

*El sekuestro (1997) de Eduardo Montes Bradley

El sueño de los héroes (1997) de Sergio Renán

*Fantasmas en la Patagonia (1996) de Claudio Remedi

Graciadió (1997) de Raúl Perrone

Hasta la victoria siempre (1997) de Juan Carlos Desanzo

Historias clandestinas en La Habana (1996) de Diego Musiak

La furia (1997) de Juan Bautista Stagnaro

La lección de tango (1997) de Sally Potter

*La vida según Muriel (1997) de Eduardo Milewicz

Martín (Hache) (1997) de Adolfo Aristarain

*Noche de ronda (1997) de Marcos Carnevale

(*) Este anexo no hubiera podido ser realizado sin los aportes estadísticos valiosísimos que hicieron diversos estudiosos del cine. Raúl Manrupe y Alejandra Portela con su *Un diccionario del films argentinos (1996-2002)*, Diego Trerotola y su base personal de datos y la base de datos del sitio *cinenacional.com* dirigida y fundada por Diego Papic y Pablo Wittner (hay que señalar, de todos modos, que pese a la utilidad de este sitio, muchas veces, a diferencia de lo que se estila en la composición de fichas técnicas, los listados no se hacen en concordancia con lo que se lee en los títulos de los films sino a partir de sugerencias de los propios integrantes de los repartos). En el listado las operas prima llevan un asterisco. En el caso de obras realizadas en colaboración, se coloca al asterisco en la película si se trata de la primera película de todos los realizadores. De lo contrario, se coloca el asterisco en aquellos para los que es su primera obra.

Pequeños milagros (1997) de Eliseo Subiela

Prohibido (1996) de Andrés Di Tella

*Queréme así (Piantao) (1997) de Eliseo Alvarez

Sapucay, mi pueblo (1997) de Fernando Siro

*Territorio comanche (1997) de Gerardo Herrero

Un asunto privado (1995) de Imanol Arias

Estrenos de 1998 (37 films)

5 pal' peso (1998) de Raúl Perrone

Afrodita, el jardín de los perfumes (1998) de Pablo César

Aller simple (Tres historias del Río de la Plata) (1994) de Noël Burch, Nadine Fischer y Nelson Scartaccini.

Asesinato a distancia (1997) de Santiago Carlos Oves

Buenos Aires me mata (1998) de Beda Docampo Feijóo

Che... Ernesto (1997) de Miguel Pereira

*Cohen vs. Rosi (1998) de Daniel Barone

*Cómplices (1998) de Néstor Montalbano

Corazón iluminado (1998) de Héctor Babenco

Crónica de un extraño (1997) de Miguel Mirra

*Dársena Sur (1997) de Pablo Reyero

*Diario para un cuento (1997) de Jana Bokova

Dibu 2, la venganza de Nasty (1998) de Carlos Galettini

Doña Bárbara (1998) de Betty Kaplan

El desvío (1998) de Horacio Maldonado

El faro (1998) de Eduardo Mignogna

El juguete rabioso (1998) de Javier Torre

*Escrito en el agua (1997) de Marcos Loayza

*Fuga de cerebros (1997) de Fernando Musa

La cruz (1997) de Alejandro Agresti

La herencia del tío Pepe (1997) de Hugo Sofovich

La nube (1998) de Fernando Ezequiel Solanas

*La sonámbula, recuerdos del futuro (1998) de Fernando Spiner

*Los ratones (1965) de Francisco Vasallo

*Mala época (1998) de Nicolás Saad, Mariano De Rosa, Salvador Roselli y Rodrigo Moreno

Mar de amores (1998) de Víctor Dínenzon

Momentos robados (1997) de Oscar Barney Finn

226

Picado fino (1994) de Esteban Sapir
Pizza, birra, faso (1997) de Bruno Stagnaro e Israel Adrián Caetano
Plaza de almas (1997) de Fernando Díaz
Secretos compartidos (1998) de Alberto Lecchi
Sobre la tierra (1998) de Nicolás Sarquís
Sus ojos se cerraron (1998) de Jaime Chávarri
Tango (1998) de Carlos Saura
Tinta roja (1998) de Carmen Guarini y Marcelo Céspedes
Un argentino en Nueva York (1998) de Juan José Jusid
Un crisantemo estalla en cinco esquinas (1997) de Daniel Burman

Estrenos de 1999 (34 films)

Alma mía (1999) de Daniel Barone
América mía (1998) de Gerardo Herrero
Caminos del Chaco (1998) de Alejandro Fernández Mouján
Che, un hombre de este mundo (1998) de Marcelo Schapces
Comisario Ferro (1998) de Juan Rad
Diablo, familia y propiedad (1999) de Fernando Krichmar
El amateur (1998) de Juan Bautista Stagnaro
El evangelio de las maravillas (1998) de Arturo Ripstein
El mismo amor, la misma lluvia (1999) de Juan José Campanella
El secreto de los Andes (1998) de Alejandro Azzano
El siglo del viento (1999) de Fernando Birri
El viento se llevó lo que (1998) de Alejandro Agresti
El visitante (1999) de Javier Olivera
Esa maldita costilla (1999) de Juan José Jusid
Garage Olimpo (1999) de Marco Bechis
H. G. O. (1998) de Víctor Bailo y Daniel Stefanello
Héroes y demonios (1999) de Horacio Maldonado
Invierno, mala vida (1997) de Gregorio Cramer
La cara del ángel (1998) de Pablo Torre
La edad del sol (1999) de Ariel Piluso
La noche del coyote (1998) de Iván Entel
La venganza (1999) de Juan Carlos Desanzo
Lisboa (1999) de Antonio Hernández

Manuelita (1999) de Manuel García Ferré
Mundo grúa (1999) de Pablo Trapero
Música de Laura (1994de Juan Carlos Arch
Ni el tiro del final (1997) de Juan José Campanella
Padre Mugica (1999) de Gustavo E. Gordillo
Pozo de zorro (1998) de Miguel Mirra
Río escondido (1999) de Mercedes García Guevara
Silvia Prieto (1998) de Martín Rejtman
Soriano (1998) de Eduardo Montes Bradley
Tres veranos (1999) de Raúl Tosso
Yepeto (1999) de Eduardo Calcagno

Estrenos de 2000 (43 films)

76 89 03 (1999) de Cristian Bernard y Flavio Nardini
Acrobacias del corazón (1999) de Teresa Costantini
Almejas y mejillones (2000) de Marcos Carnevale
Ángel, la diva y yo (1999) de Pablo Nisenson
Apariencias (2000) de Alberto Lecchi
Botín de guerra (2000) de David Blaustein
Buenos Aires plateada (2000) de Luis Barone
Casanegra (2000) de Carlos Lozano Dana
*Cerca de la frontera (1999) de Rodolfo Durán
Chicos ricos (2000) de Mariano Galperín
*Cien años de perdón (1999) de José Glusman
*Cóndor Crux (1999) de Juan Pablo Buscarini, Swan Glecer y Pablo Holcer
Corazón, las alegrías de Pantriste (2000) de Manuel García Ferré
*El asadito (1999) de Gustavo Postiglione
El astillero (1999) de David Lipszyc
El camino (2000) de Javier Olivera
*El mar de Lucas (1999) de Víctor Laplace
*El nadador inmóvil (1998) de Fernán Rudnik
Esperando al Mesías (2000) de Daniel Burman
Felicidades (2000) de Lucho Bender
Fuckland (2000) de José Luis Marqués
Harto The Borges (2000) de Eduardo Montes Bradley
Invocación (2000) de Héctor Faver

*Las huellas borradas (1999) de Enrique Gabriel-Lipschutz
Los días de la vida (2000) de Francisco D'Intino
Los libros y la noche (1999) de Tristán Bauer
Los Pintín al rescate (2000) de Franco Bíttolo
Nueces para el amor (2000) de Alberto Lecchi
Nueve reinas (2000) de Fabián Bielinsky
Nunca asistas a este tipo de fiestas (2000) de Pablo Parés, Hernán Sáez y Paulo Soria
Ojos que no ven (1999) de Beda Docampo Feijóo
Operación Fangio (1999) de Alberto Lecchi
Operación Walsh (1999) de Gustavo E. Gordillo
Papá es un ídolo (2000) de Juan José Jusid
Plata quemada (2000) de Marcelo Piñeyro
Qué absurdo es haber crecido (2000) de Roly Santos
Sin querer (1996) de Ciro Cappellari
Sin reserva (1997) de Eduardo Spagnolo
Sólo gente (1999) de Roberto Maiocco
Solo y conmigo (2000) de Carlos Lozano Dana
Tesoro mío (1999) de Sergio Bellotti
Un amor de Borges (2000) de Javier Torre
Una noche con Sabrina Love (2000) de Alejandro Agresti

Estrenos de 2001 (47 films)

¿Quién está matando a los gorriones? (2000) de Patricia Martín García
* +bien (2001) de Eduardo Capilla
Agua de fuego (2001) de Candela Galantini, Sandra Godoy y Claudio Remedi
Animalada (2000) de Sergio Bizzio
Antigua vida mía (2001) de Héctor Olivera
Arregui, la noticia del día (2001) de María Victoria Menis
Cabecita rubia (2000) de Luis Sampieri
Cabeza de tigre (2001) de Claudio Etcheberry
Campo de sangre (1999) de Gabriel Arbós
Chiquititas, rincón de luz (2001) de José Luis Massa
Cicatrices (1999) de Patricio Coll
Ciudad sin luz (1999) de Juan Carlos Arch
Contraluz (2001) de Bebe Kamín

Dejala correr (2001) de Alberto Lecchi

El amor y el espanto (2000) de Juan Carlos Desanzo

*El armario (1999) de Gustavo Corrado

*El despertar de L (1999) de Poli Nardi

El hijo de la novia (2001) de Juan José Campanella

El lado oscuro del corazón II (2001) de Eliseo Subiela

Gallito ciego (2000) de Santiago Carlos Oves

*(h) Historias cotidianas (2000) de Andrés Habegger

Historias de Argentina en Vivo (2001) de Israel Adrián Caetano, Bruno Stagnaro, Marcelo Piñeyro, Andrés Di Tella, Cristian Bernard, Flavio Nardini, Miguel Pereira, Gustavo Postiglione, Albertina Carri, Fernando Spiner, Gregorio Cramer, Jorge Polaco, *Vicentico Fernández Capello y Eduardo Capilla

*La ciénaga (2000) de Lucrecia Martel

La fuga (2001) de Eduardo Mignogna

*La libertad (2001) de Lisandro Alonso

*La mujer que todo hombre quiere (2001) de Gabriela Tagliavini

Los cuentos del timonel (2001) de Eduardo Montes Bradley

*Los pasos perdidos (2001) de Manane Rodríguez

*Luna de octubre (1997) de Henrique De Freitas Lima

*Maldita cocaína (2000) de Pablo Rodríguez

Mil intentos y un invento (1972) de Manuel García Ferré

*Nada por perder (2001) de Enrique Aguilar

*No quiero volver a casa (2000) de Albertina Carri

*Rerum Novarum (2001) de Fernando Molnar, Nicolás Batlle y Sebastián Schindel

*Rodrigo, la película (2001) de Juan Pablo Laplace

*Rosarigasinos (2001) de Rodrigo Grande

*Saluzzi, ensayo para bandoneón y tres hermanos (2000) de Daniel Rosenfeld

*Sólo por hoy (2000) de Ariel Rotter

*Taxi, un encuentro (2000) de Gabriela David

Te besaré mañana (2001) de Diego Musiak

*Testigos ocultos (2001) de Néstor Sánchez Sotelo

Tobi y el libro mágico (2001) de Jorge Zuhair Jury

*Tocá para mí (2001) de Rodrigo Fürth

Un amor en Moisés Ville (2000) de Antonio Ottone

*Van Van, empezó la fiesta (2000) de Liliana Mazure y Aaron Vega

Viaje por el cuerpo (2000) de Jorge Polaco

*Yo, Sor Alice (1999) de Alberto Marquardt

Estrenos de 2002 (46 films)

¿Y dónde está el bebé? (2002) de Pedro Stocki

Apasionados (2002) de Juan José Jusid

*Bahía mágica (2002) de Marina Valentini

Bolivia (2001) de Israel Adrián Caetano

Cacería (2001) de Ezio Massa

*Caja negra (2001) de Luis Ortega

*Casi ángeles (2000) de Vanessa Erfurth, Carolina Suárez, Mario Borgna, Manuel Tello y Leonel Compagnet

Chúmbale (2001) de Aníbal Di Salvo

*Corazón de fuego (2002) de Diego Arsuaga

Cortázar: apuntes para un documental (2002) de Eduardo Montes Bradley

*Dibu 3 (2002) de Raúl Rodríguez Peila

El bonaerense (2002) de Pablo Trapero

El cumple (2002) de Gustavo Postiglione

El descanso (2001) de *Ulises Rosell, Rodrigo Moreno y *Andrés Tambornino

*Estrella del sur (2002) de Luis Nieto (II)

*Herencia (2001) de Paula Hernández

Historias mínimas (2002) de Carlos Sorín

I love you... Torito (2001) de Edmund Valladares

Kamchatka (2002) de Marcelo Piñeyro

*La entrega (2001) de Inés de Oliveira Cézar

La fe del volcán (2001) de Ana Poliak

Las aventuras de Dios (2000) de Eliseo Subiela

Las Palmas, Chaco (2002) de Alejandro Fernández Mouján

Los malditos caminos (2002) de Luis Barone

Luca Vive (2002) de Jorge Coscia

Lugares comunes (2002) de Adolfo Aristarain

*Marechal, o la batalla de los ángeles (2001) de Gustavo Fontán

Matanza (2001) de Nicolás Batlle, *Rubén Delgado, *Sebastián Menéndez y *Emiliano Penelas

*Mataperros (2001) de Gabriel Arregui

*Mercano, el marciano (2002) de Juan Antín

Micaela, una película mágica (2001) de Rosanna Manfredi
Ni vivo, ni muerto (2001) de Víctor Jorge Ruiz
No dejaré que no me quieras (2002) de José Luis Acosta
Noche en la terraza (2001) de Jorge Zima
NS/NC (2001) de Fernando Musa
Peluca y Marisita (2001) de Raúl Perrone
Sábado (2001) de Juan Villegas
¿Sabés nadar? (1997) de Diego Kaplan
Samy y yo (2001) de Eduardo Milewicz
Temporal (2001) de Carlos Orgambide
Todas las azafatas van al cielo (2001) de Daniel Burman
Tres pájaros (2001) de Carlos Jaureguialzo
Un día de suerte (2002) de Sandra Gugliotta
Un oso rojo (2002) de Israel Adrián Caetano
Vagón fumador (2000) de Verónica Chen
Vidas privadas (2001) de Fito Páez

Estrenos de 2003 (53 films)

Abrazos, tango en Buenos Aires (2003) de Daniel Rivas
Assassination Tango (2002) de Robert Duvall
Balnearios (2002) de Mariano Llinás
Bar "El Chino" (2003) de Daniel Burak
Bonanza (En vías de extinción) (2001) de Ulises Rosell
Bonifacio (2003) de Rodrigo Magallanes
Che vo cachai (2002) de Laura Bondarevsky
Ciudad de María (2003) de Enrique Bellande
Ciudad del sol (2001) de Carlos Galettini
Cleopatra (2003) de Eduardo Mignogna
Click! (2001) de Ricardo Berretta
Código postal (2001) de Roberto Echegoyenberri
Donde cae el sol (2002) de Gustavo Fontán
El agua en la boca (2003) de Federico Augusto Arzeno
El alquimista impaciente (2002) de Patricia Ferreira
El día que me amen (2003) de Daniel Barone
El fondo del mar (2003) de Damián Szifrón

El juego de Arcibel (2003) de Alberto Lecchi
*El juego de la silla (2002) de Ana Katz
El polaquito (2003) de Juan Carlos Desanzo
*El regreso (2001) de Hugo Lescano
El séptimo arcángel (2003) de Juan Bautista Stagnaro
En la ciudad sin límites (2001) de Antonio Hernández
*Gerente en dos ciudades (2001) de Diego Soffici
*Ilusión de movimiento (2001) de Héctor Molina
India Pravile (2003) de Mario Sabato
La mecha (2003) de Raúl Perrone
*La noche de las cámaras despiertas (2002) de Hernán Andrade y Víctor Cruz
La televisión y yo (notas en una libreta) (2002) de Andrés Di Tella
Los rubios (2003) de Albertina Carri
*Marc, la sucia rata (2003) de Leonardo Fabio Calderón
*Murgas y murgueros (2003) de Pedro Fernández Mouján
*Nadar solo (2003) de Ezequiel Acuña
*Nicotina (2003) de Hugo Rodríguez
*No debes estar aquí (2002) de Jacobo Rispa
*Nowhere (2002) de Luis Sepúlveda (II)
*Oscar Alemán, vida con swing (2001) de Hernán Gaffet
Por la vuelta (2002) de Cristian Pauls
Potestad (2001) de Luis César D'Angiolillo
*Raúl Barboza, el sentimiento de abrazar (2003) de Silvia Di Florio
Sangre (2003) de Pablo César
*Sé quien eres (2001) de Patricia Ferreira
Sol de noche (2002) de Pablo Milstein y *Norberto Ludin
Soy tu aventura (2003) de Néstor Montalbano
Sudeste (2002) de Sergio Bellotti
*Tan de repente (2002) de Diego Lerman
*Todo juntos (2002) de Federico León
Un día en el paraíso (2003) de Juan Bautista Stagnaro
Un hijo genial (2003) de José Luis Massa
Valentín (2002) de Alejandro Agresti
*Vivir intentando (2003) de Tomás Yankelevich
*Vladimir en Buenos Aires (2002) de Diego Gachassin
*Yo no sé qué me han hecho tus ojos (2003) de Sergio Wolf y Lorena Muñoz

233

Estrenos de 2004 (69 films)

18-J (2004) de Adrián Caetano, Carlos Sorín, Daniel Burman, Alberto Lecchi, Alejandro Doria, Lucía Cedrón, Juan Bautista Stagnaro, Mauricio Wainrot, Marcelo Schapces y Adrián Suar

*Atrapados en el fin del mundo (2003) de Eduardo L. Sánchez

Ay, Juancito (2004) de Héctor Olivera

*Buena Vida Delivery (2003) de Leonardo Di Cesare

*Cabeza de palo (2002) de Ernesto Baca

*Casafuerte (2004) de Tomás Gotlip y Nicolás Grandi

Chiche bombón (2004) de Fernando Musa

Contr@site (2003) de Daniele Incalcaterra y Fausta Quattrini

Conversaciones con mamá (2004) de Santiago Carlos Oves

*Cruz de sal (2003) de Jaime L. Lozano

*Deuda (2004) de Jorge Lanata y Andrés Schaer

Diarios de motocicleta (2004) de Walter Salles

*Dolores de casada (2004) de Juan Manuel Jiménez

*Dos ilusiones (2004) de Martín Lobo

*El 48 (2004) de Alejandra Marino

El abrazo partido (2003) de Daniel Burman

El cielito (2003) de María Victoria Menis

El delantal de Lili (2003) de Mariano Galperín

*El favor (2003) de Pablo Sofovich

El lugar donde estuvo el paraíso (2001) de Gerardo Herrero

*El Nüremberg argentino (2004) de Miguel Rodríguez Arias

El perro (2004) de Carlos Sorín

*El resquicio (2003) de Amin Alfredo Yoma

*El tren blanco (2003) de Nahuel García, Sheila Pérez Giménez y Ramiro García

*Erreway: 4 caminos (2004) de Ezequiel Crupnicoff

*Extraño (2003) de Santiago Loza

Familia rodante (2004) de Pablo Trapero

*Historias breves IV (2004) de Gabriel Dodero, Paula Venditti, Jonathan Hoffman, Daniel Bustamante, Lautaro Núñez de Arco, Martín Mujica, Pablo Pérez (II), Cecilia Ulrich, Pablo Pupato, Fernando Tranquillini y Camilo José Gómez

*Hotel, hotel (2002) de Ofelia Escasany

*Hoteles (2003) de Aldo Paparella

*Hoy y mañana (2003) de Alejandro Chomski

La cruz del sur (2002) de Pablo Reyero

La mayor estafa al pueblo argentino (2002) de Diego Musiak

La mina (2003) de Víctor Laplace

La niña santa (2004) de Lucrecia Martel

La puta y la ballena (2003) de Luis Puenzo

La quimera de los héroes (2003) de Daniel Rosenfeld

La soledad era esto (2001) de Sergio Renán

La vaca verde (2003) de Javier Díaz (II)

Legado (2001) de Vivian Imar y Marcelo Trotta

Lesbianas de Buenos Aires (2002) de Santiago García

Lisboa (2003) de Néstor Lescovich

Los esclavos felices (2003) de Gabriel Arbós

Los fusiladitos (2003) de Cecilia Miljiker

Los guantes mágicos (2003) de Martín Rejtman

Los muertos (2004) de Lisandro Alonso

Los perros (2004) de Adrián Jaime

Luna de Avellaneda (2004) de Juan José Campanella

Memoria del saqueo (2003) de Pino Solanas

Nietos (Identidad y memoria) (2004) de Benjamín Ávila

No sos vos, soy yo (2004) de Juan Taratuto

NOA, un viaje en subdesarrollo (2004) de Diego Olmos y Pablo Pintor

Operación Algeciras (2003) de Jesús Mora

Oscar (2004) de Sergio Morkin

Palermo Hollywood (2004) de Eduardo Pinto

Patoruzito (2004) de José Luis Massa

Peligrosa obsesión (2004) de Raúl Rodríguez Peila

Próxima salida (2004) de Nicolás Tuozzo

Que lo pague la noche (2003) de Néstor Mazzini

Raymundo (2002) de Ernesto Ardito y Virna Molina

Rebelión (2004) de Federico Urioste

Roma (2004) de Adolfo Aristarain

Siglo bohemio (2004) de Aníbal Garisto, Mónica Nizzardo y Javier Orradre

Tacholas, un actor galaico porteño (2003) de José Santiso

Teo, cazador intergaláctico (2004) de Sergio Bayo

Trelew (2003) de Mariana Arruti

Tus ojos brillaban (2003) de Silvio Fischbein

Un mundo menos peor (2004) de Alejandro Agresti

Una de dos (2004) de Alejo Taube

Estrenos hasta julio de 2005 (27 films)

1420, la aventura de educar (2004) de Raúl Tosso

*... al fin, el mar (2003), de Jorge Dyszel

Adiós querida Luna (2003) de Fernando Spiner

*Buenos Aires 100 kilómetros (2004), de Pablo José Meza

*Buscando a Reynols (2004) de Néstor Frenkel

*Cama adentro (2004) de Jorge Gaggero

*Cielo azul, cielo negro (2003) de Paula de Luque y Sabrina Farji

Cuando los santos vienen marchando (2004) de Andrés Habegger

*El jardín de las hespérides (2003) de Patricia Martín García

Géminis (2005) de Albertina Carri

*Hermanas (2004) de Julia Solomonoff

*Kasbah (2001), de Mariano Barroso

La esperanza (2003) de Francisco D'Intino

La vida por Perón (2004) de Sergio Bellotti

Manekenk (2003) de Juan Schröder

*Oro nazi en Argentina (2004) de Rolo Pereyra

*Otra vuelta (2004), de Santiago Palavecino

Papá se volvió loco (2005) de Rodolfo Ledo

PyME (Sitiados) (2003) de Alejandro Malowicki

Ronda nocturna (2004) de Edgardo Cozarinsky

*Seres queridos (2004) de Teresa de Pelegrí y Dominic Harari

Sólo un ángel (2001) de Horacio Maldonado

Vereda tropical (2004) de Javier Torre

*Un año sin amor (2004) de Anahí Berneri

*Un buda (2005) de Diego Rafecas

*Whisky (2003) de Juan Pablo Rebella y Pablo Stoll

*Whisky Romeo Zulu (2003) de Enrique Piñeyro

236

Epílogo para la edición 2010[1]

Terminé de escribir *Otros mundos* en mayo de 2005. Desde entonces, mucho se ha escrito sobre cine argentino contemporáneo: se publicaron tres libros (*La imagen justa. Cine argentino y política 1980-2007* de Ana Amado, *Nuevo cine argentino: de Rapado a Historias extraordinarias* de Agustín Campero y *Crisis and Capitalism in Contemporary Argentine Cinema* de Joanna Page);[2] la editorial Picnic inició su colección Nuevo Cine Argentino, dirigida por Daniela Fiorini, Aldo Paparella y Paula Socolovsky; se presentaron tesis de maestría y doctorado sobre nuevo cine argentino y actualmente hay varias investigaciones en curso.[3] En el campo académico, la multiplicación ha sido asombrosa, lo que hace muy difícil encarar una *actualización* o una *revisión* de todo lo que se ha escrito.[4] A esto hay que sumar los escritos periodísticos y las discusiones en

---

[1] Quiero agradecer muy especialmente a Agustín Campero quien me facilitó muchas de las películas que comento en este epílogo. A Patricio Fontana por la lectura del texto y también a Sergio Wolf quien me orientó en el panorama de los últimos años y me ofreció algunas claves de lectura como la del recambio de las productoras.

[2] Joanna Page: *Crisis and Capitalism in Contemporary Argentine Cinema* (Durham and London, Duke University Press, 2009), Ana Amado: *La imagen justa. Cine argentino y política 1980-2007* (Buenos Aires, Colihue, 2009) y Agustín Campero: *Nuevo cine argentino: de Rapado a Historias extraordinarias* (General Sarmiento, IDH - UNGS – Biblioteca Nacional, 2009). En la Feria del Libro de 2009, tuve la oportunidad de presentar el libro de Ana Amado, y escribí una reseña sobre el libro de Joanna Page que puede leerse en *A Contracorriente* (http://www.ncsu.edu/project/acontracorriente/).

[3] Las tesis terminadas son muchísimas si se piensa que la primera tesis específica sobre cine en la Universidad de Buenos Aires fue defendida en 2005. Menciono a continuación a aquellos investigadores con cuyos trabajos, de una manera u otra, estuve implicado: Hernán Sassi, Esteban Dipaola, Enrique Oyhandi, Malena Verardi.

[4] Trato de no repetir en este epílogo aquello que escribí en ensayos ya publicados de los que quiero mencionar los siguientes: *Estudio crítico sobre* El bonaerense (colección Nuevo Cine Argentino, Buenos Aires, Picnic, 2008); "Con el cuerpo en el laberinto: sobre *M* de Nicolás Prividera" en Josefina Sartora y Silvina Rival (eds.): *Imágenes de lo real (La representación de lo político en el documental argentino)*, Buenos Aires, Libraria, 2007; "Maravillosa melancolía. *Cazadores de utopías*: una lectura desde el presente" en María José Moore y Paula Wolkowicz (eds.): *Cines al margen (Nuevos modos de representación en el cine argentino contemporáneo)*, Buenos Aires, Libraria, 2007; *Oriente grau zero:* Happy together *de Wong Kar Wai* (Río de Janeiro, Fórum de Ciência e Cultura / UFRJ, 2009); el prólogo a *Una década de nuevo cine argentino (1995-2005). Industria, crítica, formación, estéticas* de Ignacio Amatriain (coordinador), *Buenos Aires, Ediciones Ciccus*, 2010; "Nuevos cines argentinos: el retorno de lo diferente" en el catálogo de la muestra *Do novo ao novo Cinema Argentino: birra, crise e poesia*, São Paulo – Rio de Janeiro – Brasil, Centro Cultural Banco do Brasil, agosto de 2009; "Monobloc de Luis Ortega" en Marcelo Panozzo (coord.): *Bafici 10 años – Cine Argentino 99-08*, Buenos Aires, Bafici – Gobierno de la Ciudad de Buenos Aires, 2008; "Testimonio de una disolución. Sobre *Un año sin amor* de Anahí Berneri" en Adrián Melo (comp.): *Otras historias de amor (Gays, lesbianas y travestis en el cine argentino)*, Buenos Aires, ediciones Lea, 2008 (incluido en la versión

los *blogs* que, más allá de los agravios propios del género, han sido escenario de muchísimos y apasionantes debates.

Si la dificultad es grande en términos de escritura crítica, no es menor respecto de la ampliación que hubo del corpus: la frustrante historia de la *generación del 60* no se repitió y muchos de los directores que emergieron a fines de la década pasada filman hoy con regularidad y ya cuentan con tres o más películas en su haber.[5] Además, se han sumado nuevos realizadores con por lo menos dos películas terminadas y a los cuales apenas mencioné en la primera edición de *Otros mundos* sencillamente porque habían estrenado sus *operas primas* muy poco tiempo antes de terminado el libro.[6] En la actualidad, son muchos los equipos de cine que encaran nuevos proyectos. Escribo *encaran*: es imposible no escribir esta historia sino en presente, un presente abierto, en plena ebullición, en *transe*.

Muchos de los principios por los que se regía el cine a principios del año 2000 se han modificado radicalmente, y lo que antes eran casos aislados hoy configuran una tendencia cuyos caminos son muy difíciles de predecir. Lo que más ha cambiado son los circuitos de exhibición, de ahí que las listas de estrenos oficiales sea engañosa: es una parte de lo que se produce y, más curioso todavía, una parte de lo que se ve.[7] También cambiaron las posibilidades de hacer una película y el digital ofrece cada vez más alternativas. En definitiva: la producción ha crecido, la calidad estética o la fuerza de las ideas se ha mantenido y la exhibición se ha diversificado. Por supuesto, continúan los problemas y las situaciones insólitas: por ejemplo, los diarios no están atentos, como hacen con el teatro, a reseñar los estrenos que se dan fuera de las salas reconocidas por el Instituto. Algunos emprendimientos notables –como la sala de cine que abrieron Burman, Rovito y Dubcovsky en Constitución– no funcionaron y fueron rescatados por el INCAA (Instituto Nacional de Cine y Artes Audiovisuales), lo que revela que el problema de la exhibición sigue siendo clave. Otro elemento negativo es que el clima auspicioso del nuevo cine argentino ha favorecido la recepción de ciertas obras que, en otro contexto, se tornarían menos interesantes –aunque eso en realidad, más que un fenómeno específicamente cinematográfico es algo propio del consumo del arte. Finalmente, los vaivenes de la política del INCAA atentan contra el fortalecimiento del campo del cine aunque la ley de 1994 sirva como resguardo. Un panorama entonces heteróclito y múltiple que es muy difícil de describir

---

en inglés del libro) y "New Argentine Cinema" en *ReVista (Harvard Review of Latin America)*, Volume VIII, number 3, fall 2009 / winter 2010 (traducción de June Erlick).

[5] Menciono a aquellos directores que ya llevan tres o más películas: Pablo Trapero, Martín Rejtman, Juan Villegas, Lisandro Alonso, Lucrecia Martel, Albertina Carri, Federico León, Adrián Caetano.

[6] Entre ellos se encuentran Santiago Loza, Alejo Moguillansky, Mariano Llinás, Matías Piñeiro, Gonzalo Castro y Celina Murga.

[7] Ver sobre este tema el ensayo "Buen cine en Buenos Aires. Exhibición alternativa de cine en la Capital Federal" de Atilio Roque González que puede consultarse on-line en *estadistica.buenosaires.gov.ar*.

238

y analizar en unas pocas páginas. Por eso, este epílogo es más una reflexión tentativa que un balance cerrado.

El recambio de las productoras y el *cine anómalo*

Los dos acontecimientos más significativos en el cine argentino de los últimos años fueron el recambio de las grandes productoras y la consolidación de un *cine anómalo*. Dejemos de lado, ya que escapa a los fines este ensayo, el éxito de *El secreto de sus ojos* de Juan José Campanella y la elevación del nivel del *mainstream* argentino con los aportes de Daniel Burman, Fabián Bielinsky, Juan Taratuto y Damián Szifrón, entre otros. La misma incorporación de directores provenientes del nuevo cine al sistema industrial (como Pablo Trapero, Adrián Caetano, Diego Lerman y algunos de los ya mencionados) hace que la división entre *mainstream* y "nuevo cine argentino" también se haya tornado lábil y difusa. Esto, obviamente, no constituye una claudicación sino el cambio de un estado de cosas, una institucionalización como momento necesario para que un movimiento vivo, heterogéneo y variable pueda consolidarse. Pero así como existe esta vía institucional también hay otra disponible, que es la que recorre el *cine anómalo*: una serie de películas marginales, bastardas y obstinadas que buscan instaurar otro circuito y una experiencia en los bordes de la industria. Esta tendencia comenzó, no por casualidad, en la sala de un museo de arte y puede ser entendida como la perseverancia de un cine que, en las salas convencionales y en el Instituto, no tiene o no quiere tener lugar.[8]

El *recambio de las grandes productoras* indica el surgimiento de un nuevo tipo de productor que se conduce con una percepción muy aguda del presente, un cierto eclecticismo y capacidad para sostener proyectos que responden a circuitos muy diferentes. Matanza (de Trapero), BD Cine (de Burman y Diego Dubcovsky) y Rizoma (de Hernán Musaluppi) son las productoras que, comenzando con una estructura pequeña, han aprendido a diversificar su producción, a trabajar en diferentes territorios y a insertarse en el entramado institucional. Ellas y algunas otras más han cambiado el escenario de producción de cine en la Argentina de los últimos años.

En este contexto, los mismos directores han aprendido a multiplicar las estrategias y hacen circular sus películas de una manera muy imaginativa, no con prejuicios o esquemas previos rígidos sino con tácticas que contemplan diversas posibilidades. La relación entre el monto de producción y la naturaleza más o menos alternativa de la película es menos mecánico y lo fundamental es la elasticidad de los diferentes tramos por los que transita el filme. Por un lado están los subsidios que no son un fenómeno particular del cine

---

[8] El término "bastardo" no debe ser entendido en términos peyorativos. Me inspiro en lo que dijo una vez Borges ("el cine es un arte bastardo") para referirse a la capacidad del cine de trabajar con diversos lenguajes en diferentes niveles y entablando una relación más fluida con el presente que con la tradición. Ver el libro que escribí con Emiliano Jelicié: *Borges va al cine*, Buenos Aires, Libraria, 2010.

sino que forman parte de un funcionamiento cultural generalizado.[9] En una economía globalizada, quienes hacen una película deben manejar diversas posibilidades además de la ley nacional que los protege, Por otro, está la necesidad de construir un mecanismo relativamente autónomo para asentar una industria que tiene un nivel de gasto mayor que el de otras áreas de la cultura. En esta encrucijada, las nuevas productoras ya son competitivas. En el caso de Matanza Cine, ya hay tres proyectos para 2011 entre los que se cuentan las segundas películas de Santiago Palavecino y Gabriel Medina. Además, tanto en Matanza Cine como en BD o Rizoma, quienes están a cargo de estas productoras no vienen del campo de la economía o de los negocios (ni siquiera del negocio del espectáculo) sino que es gente que comenzó en el cine independiente y que posee una densa cultura cinematográfica (Pablo Trapero, Daniel Burman o Hernán Musaluppi, egresado de la FUC) .

El otro acontecimiento es lo que propongo denominar *cine anómalo*. Si la parábola que describe el subtítulo del libro de Agustín Campero ("de *Rapado* a *Historias extraordinarias*") es verdadera, esa parábola que trazó el NCA fue, entonces, la que va de una película independiente a otra. O mejor, el pasaje de la película independiente en un contexto hostil a la película independiente como estrategia y fortalecimiento de un modo de pensar el cine. Ambas constituyeron gestos políticos pero los contextos obviamente son diversos: mientras *Rapado* fue descubrimiento y aprendizaje ante la escasez de opciones, *Historias extraordinarias* es una elección, una postura estética, política y vital. La aventura del cine, para Llinás, no es menor a la que imagina para sus personajes.

El *cine anómalo* no es un cine que necesariamente se enfrenta a un orden sino que, sencillamente, se hace al margen de él. Lo anómalo no es lo que se opone a la norma, como lo explicaron muy bien Deleuze y Guattari, sino lo que difiere, lo múltiple: "a-normal, adjetivo latino sin sustantivo, califica lo que no tiene regla o que contradice la regla, mientras que 'anomalía', sustantivo griego que ha perdido su adjetivo, designa lo desigual, lo rugoso, la asperidad, el máximo de desterritorialización".[10] Es lógico que en ese *cine anómalo* no encontremos obras similares o que apuestan por una misma estética sino películas de directores tan disímiles entre sí como Gustavo Fontán y Matías Piñeiro, Santiago Loza e Inés de Oliveira Cezar. ¿Qué es lo que los une? El principio de pensar un cine fuera de sí, un cine que crea nuevos circuitos a medida que se exhibe: en un museo, en un centro cultural, en una sala de cine, en un festival. Los lazos tentaculares del *cine anómalo* se expanden hacia 'afuera' del campo del cine, un afuera que es, en realidad, los alvéolos respiratorios de un organismo: terminaciones de los conductos y lugares de intercambio del aire y la sangre, internos y externos a un tiempo. Gonzalo

---

[9] La idea de la cultura como recurso está muy bien desarrollada y fundamentada por George Yúdice en su libro: *El recurso de la cultura: usos de la cultura en la era global*, Barcelona: Gedisa, 2002.

[10] Gilles Deleuze y Félix Guattari, *Mil mesetas. Capitalismo y esquizofrenia*, Valencia, Pretextos, 1980.

Castro es, además de cineasta, novelista y codirige la editorial Entropía. Alejo Moguillansky trabaja en el teatro y su película no puede entenderse sin la renovación que se produjo en el teatro y la danza de los últimos años (una doble pertenencia todavía más intensa es la de Federico León, quien se inició como director teatral). Gastón Solnicki, por su doble formación cinematográfica y musical, pudo hacer *süden (El breve regreso de Kagel a la Argentina)*, basado en la visita del músico a nuestro país en 2006. A diferencia también de los filmes de principios de la década, se entabló un diálogo con los escritores jóvenes como hicieron Juan Villegas y Alejandro Lingenti en *Ocio* (sobre la novela de Fabián Casas) y cinco directores (Marco Berger, Cecilia del Valle, Francisco Forbes, Andrew Sala y Cinthia Varela) que hicieron su primera experiencia en un largometraje con *Cinco*, basada en relatos eróticos de Marina Mariasch, Pedro Mairal, Natu Moret, Oliverio Coelho y Maximiliano Tomas. Este giro hacia la literatura, se observa también en las obras de Gonzalo Castro con Mario Bellatín y Santiago Loza con Néstor Perlongher. Finalmente, Mariano Llinás, en los comentarios que agregó a su edición en libro de *Historias extraordinarias*, exhibe el doble sistema narrativo (cinematográfico y literario) en el que deben leerse las aventuras de sus personajes.[11] Una visión distanciada e irónica de este fenómeno es la que ofrece *El artista* de Mariano Cohn y Gastón Duprat, un retrato ácido del mundo del arte con 'actores' que vienen de otros campos (Fogwill, León Ferrari, Horacio González y Alberto Laiseca). Lo cierto es que, a rasgos generales y teniendo en cuenta la simplificación que comporta la afirmación, mientras la primera horneada del nuevo cine argentino se preocupó por asentarse y fortalecer el campo específico de lo cinematográfico (como lenguaje y como institución), los novísimos se preocuparon más por reubicar al cine en el mundo del arte y en establecer conexiones y líneas de fuga.

Pablo Fendrik, el cineasta de la violencia y la entropía según Horacio Bernardes, hizo una película con el Instituto (*La sangre brota*) y otra de forma anómala (*El asaltante*) pero lo más importante es que una misma pulsión y una misma tendencia al efectismo atraviesan a ambas: mientras la primera conquista un territorio, la segunda traza una línea de fuga. Los dos modelos son diferentes pero pueden entreverarse, mantenerse activos al mismo tiempo, se los puede atravesar o sostenerlos temporariamente.

Un caso extremo de *cine anómalo* es el de *Iraqi Short Films* de Mauro Andrizzi, un filme hecho con fragmentos de la guerra de Irak subidos a YouTube que el director logró recopilar antes de que fueran sacados de la red por razones políticas. Suerte de cine anti-CNN hecho con *e-found footage*, Andrizzi derriba varios mitos actuales (como la idea de libertad en la relación del usuario con la internet) y hace una película de guerra sin dinero, un documental en el que los testigos y realizadores son los propios soldados en una obra coral organizada por el montaje de Andrizzi. *Iraqi Short Films* da una buena idea del *cine anómalo*: el acto de hacer, de poner algo en el mundo, antecede al de las posibilidades de su realización. La pregunta ¿cómo lo hago? que dejó tantos

---

[11] El guión después salió publicado en formato de libro con notas al pie del propio Llinás: *Historias extraordinarias*, Buenos Aires, Mondadori, 2009.

proyectos cinematográficos en el limbo, tiene un lugar más marginal o menos condicionante que el habitual. Un poco como decía la fórmula de Osvaldo Lamborghini –"primero publicar, después escribir"– pero llevada al cine: primero estrenar, despúes filmar.

La película que ejerció esta torsión, la estría que inauguró una nueva modulación de la imagen fuera del molde de la producción previsible y convencional, fue *Historias extraordinarias* de Mariano Llinás, estrenada en el BAFICI del 2008 y después en el MALBA, en los ciclos que programa Fernando Peña. Y lo hizo de una manera sorprendente porque no se recluyó en el lenguaje hermético del cine independiente aunque se valga de sus conquistas. Frente al cine supuestamente narrativo y entretenido de los filmes *mainstream*, Llinás hizo una película *hipernarrativa* y alucinatoria, mucho más entretenida que cualquiera de los productos que se hacen pensando en cómo impactar al espectador. Bajo el influjo de Stevenson, Jack London y Julio Verne en su imaginación desenfrenada, y de Jorge Luis Borges y Adolfo Bioy Casares en su escritura precisa y conjetural, tiene algo de una reunión de amigos que se cuentan historias interminables en la mesa del café en las que se entreveran recuerdos e invención.[12]

Sin duda, ya habían sido estrenadas otras películas en el MALBA como *Balnearios* del mismo Llinás, *El amor (primera parte)* de Alejandro Fadel, Martín Mauregui, Santiago Mitre y Juan Schnitman, *Oscar* de Sergio Morkin, *El paisaje invisible* de Gustavo Fontán, *Opus* de Mariano Donoso, *Río arriba* de Ulises de la Orden pero *Historias extraordinarias* es una película que se impone por sí misma y que sorprende por su rareza. Es monumental –como las obras del arquitecto Francisco Salamone, personaje histórico recreado en el film– y nos deja perplejos, también como la obra de Salamone. Fue en la sala del MALBA, pese a ser una sala alternativa que no goza de los beneficios de la ley, que se estrenó buena parte del *cine anómalo* para después seguir con sus imprevistos recorridos: Inés Oliveira Cézar, *Iraqi Short Films* de Mauro Andrizzi, *Todos mienten* de Matías Piñeiro, *Castro* de Alejo Moguillansky, *Rosa patria* de Santiago Loza, *Excursiones* de Ezequiel Acuña y tantos otros filmes.

La misma ley, que fue beneficiosa para estabilizar el fenómeno del nuevo cine, deberá ser repensada y plantear nuevas reglas para unas películas como las anómalas que, antes que financiación previa, necesitan de un reconocimiento institucional posterior ligado tanto a la exhibición como a la financiación de proyectos futuros. Aunque por sus principios, más allá de la ley, el *cine anómalo* no por eso dejará de hacerse.

Recambio de productoras y anomalía: dos caminos posibles entonces, los dos legítimos, los dos abiertos por la generación de nuevos cineastas, los dos conectados y a veces contiguos y alternándose. Dos modos de producir y de gastar el dinero, hechos que pesan y se perciben en las historias.

---

[12] Aunque la influencia de Borges es evidente, la presencia de Bioy Casares es mucho más fuerte en las derivas sentimentales y amorosas de los personajes, contadas en un tono que recuerda a algunas de sus novelas.

Más allá de la identidad

Son muchas las pulsiones narrativas que atraviesan la cultura argentina pero hay dos tendencias que me interesan particularmente porque han sido muy poderosas en el cine nacional y lo han recorrido en múltiples direcciones. Estas tendencias se articulan, de un modo diferente, alrededor de la cuestión de la identidad. Están las historias que reflexionan sobre las identidades como si ya fueran realidades formadas a las que hay que descubrir y reforzar. Frente a esta visión más esencialista, se opone otra que considera a las identidades como algo nunca fijo, en pleno proceso, sujeto a cambios bruscos y que no precede a la narración sino que se construye –siempre precariamente– en ella. La división no implica necesariamente posiciones positivas o negativas: la idea esencialista de la identidad está en los movimientos más reaccionarios pero también en sectores progresistas y lo mismo puede decirse de la perspectiva de las identidades fluidas. En lo que denominé "un mundo sin narración", la cuestión es fundamental porque la tendencia a la narración del arte actual se define de diferentes maneras en función del modo en que esas narraciones se anclan en las identidades. Ante un mundo sin narración, ¿se recurre a identidades que en su momento fueron efectivas y que están relativamente definidas o se insiste en el núcleo vacío, en la disponibilidad del relato para que lo ocupe cualquiera o en la apertura hacia lo imprevisto y el accidente?

Dos ejemplos del *cine anómalo* demuestran cómo la cuestión de la producción es clave pero no determinante a la hora de pensar las identidades: con todas sus inversiones y transgresiones, *Rosa Patria* de Santiago Loza, como su título lo indica, no deja de ubicar a Néstor Perlongher en una constelación nacional. Es sintomático que la película se detenga justo antes del viaje de Perlongher en Brasil en ómnibus, en un trayecto en el que escribirá *Cadáveres* y comenzará lo mejor de su obra (y, a juzgar por los testimonios, de su vida). Aunque la patria sea rosa, Loza se propone territorializar a Perlongher y devolverle una identidad en relación con su pertenencia nacional. Antes que el poeta neobarroco de la desterritorialización permanente, la película nos entrega un Perlongher rosa más cercano a codificaciones de lo gay que se fueron dando en los últimos años que a la propia obra del poeta.

También las referencias a la historia nacional están en *Todos mienten* de Matías Piñeiro pero no para codificar identidades (o corroborar identidades ya cristalizadas) sino para vincularlas con la mentira, el juego, el fingimiento, la riña y el ingenio. La pregunta de Sarmiento ("¿Hai realmente un tipo nacional arjentino?"[13]) es respondida con una risa, con un paso de comedia. Las

---

[13] La pregunta está en *Viajes por Europa, África y América 1845-1847 y diario de gastos*, Nanterre, FCE / Archivos, 1993, p.387. Mantuve en la cita la peculiar ortografía sarmientina. La película cuenta los juegos que ocho personajes (cuatro hombres y cuatro mujeres, algunos de ellos descendientes de Rosas y de Sarmiento) hacen con el libro de Sarmiento en una quinta llamada *El Chajá*. El nombre tiene que ver con la situación de encierro y escape que define el juego: "El nombre más usual de esta ave (*chajá*)

243

referencias son en apariencia más convencionales y monumentales que las de Loza, pero ya desde el principio queda claro que Sarmiento, Rosas y hasta los textos (los *Viajes* de Sarmiento) no son objeto de sacaralización sino profanados en un juego cuyas reglas nunca están del todo claras y cuyo sentido se nos escapa. Los linajes de los personajes no son nacionales sino internacionales y llegando a los límites mismos de la civilización y de las naciones: Helena (una fascinante Romina Paula) tiene antepasados argentinos, italianos, franceses, ingleses y un marinero alemán que terminó viviendo entre los indios. El parentesco de la película no es menos nómade que el de los personajes. La película es hermética sólo si la seguimos como una búsqueda de la verdad, pero las referencias a Jean Renoir (uno de los capítulos se llama "Helena y los hombres") y a Orson Welles (otro capítulo se titula "F de verdadero") nos dan una pista sobre cómo entender su carácter lúdico.[14] En *Las reglas de juego* de Renoir, comedia en la que la eficacia de la puesta en escena se basa en la entrada y salida del cuadro de los personajes, Jurieux (Roland Toutain) muere al respetar más las reglas que sus pasiones: su búsqueda denodada de la verdad lo lleva a la muerte. En Welles, el gesto es más decidido porque hay –como lo explica Gilles Deleuze– una crítica del hombre verídico. "El mundo verdadero no existe –se lee en *Estudios sobre cine*– y si existiera sería inaccesible, inevocable; y si fuera evocable sería inútil, superfluo".[15] Como los cuadros de JMR (uno de los personajes de *Todos mienten*), los falsos son también auténticos (hay más de un original), y las identificaciones, contingentes, frágiles y efímeras. Frente a la complicidad con el espectador y el sentido de la película de Loza, *Todos mienten* apuesta por la diferencia y el misterio.

En una línea estética muy diferente, con más exceso que contención, *Historias extraordinarias* de Mariano Llinás lleva muy lejos esta épica del nombrar, de una identidad que nunca está fija ni definida sino en permanente narración y proceso. No hay identidades previas al relato sino que éstas se hacen en un relato que se bifurca indefinidamente y que se encuentra lleno de huecos, no

---

proviene del guaraní y en tal idioma significa *¡vamos!* o *¡escapa!*, aunque procede de una deformación de la onomatopeya del grito de estas aves cuando se ven sorprendidas, de este modo avisan a las otras de su especie en la cercanía para que huyan del posible predador" (fuente Wikipedia).

[14] Hay otras referencias: "Un tiro en la tarde" remeda *Un tiro en la noche* (*The Man Who Shot Liberty Valance*) de John Ford, película con la que también guarda parentesco. El capítulo "La historia de los ocho" duplica *La bande des quatre* de Jacques Rivette, sin duda el director al que más se acerca Piñeiro. "Todo está bien si termina bien" puede ser tanto una traducción de Shakespeare *All's Well That Ends Well*, como un eco de Godard y su *Tout va bien*, aunque esto parece más improbable (de todos modos, hay una cita muy clara de *Pierrot le fou* cuando los personajes se pintan la cara de rojo arriba del árbol, escena que a su vez remite a *Castro* de Alejo Moguillansky). La frase final de Helena ("Ahora me toca a mí") remeda a la frase final de *Invasión* de Hugo Santiago: "Ahora nos toca a nosotros". Menciono estas referencias no para atribuirle a Piñeiro una identidad atrapada en la herencia de los mayores sino como parte del juego hermenéutico y burlesco que plantea el film.

[15] Se trata de una paráfrasis de Nietzsche que está en *La imagen-tiempo (Estudios sobre cine 2)* (Barcelona, Paidós, 1987, p.185) a propósito del film de Welles.

saberes e imprevistos. El carácter inestable de la identidad aparece no sólo en la proliferación de nombres sino en las imágenes de los *identikits*, rostros dibujados que pueden ser alguien en particular o cualquiera.

Historias extraordinarias cuenta la historia de tres personajes a los que un narrador omnipresente, una voz *over* que no flaquea a lo largo de sus cuatro horas de duración, llama X, Z y H. Las tres historias son independientes y no están contadas en orden sucesivo sino intercaladas sin nunca cruzarse. X (el mismo Mariano Llinás) es un hombre que, en la llanura de la provincia de Buenos Aires (donde transcurren todas las historias), es testigo de un crimen cuyo enigma lo perseguirá hasta el final. La segunda historia es la de Z, un hombre que llega a Federación a reemplazar a otro hombre en el puesto de una oficina; su predecesor se llama Cuevas y pronto se transforma en una obsesión para Z, quien sigue sus huellas hasta África. Por último, está H: un hombre al que, por una apuesta, le encargan el descubrimiento de los monolitos de agrimensura a lo largo del Río Salado colocados en su momento por la Compañía Fluvial del Plata para hacer un corredor alternativo.[16] H debe encontrarlos y fotografiarlos. En su camino, se encuentra con el estrafalario César, quien fue contratado para destruir los monolitos. Comienza entonces una bella amistad que termina con la historia de los Jolly Goodfellows, unos intrépidos soldados ingleses que se atreven a todo y derrotan a los alemanes. En el medio se suceden infinitas peripecias y el placer de la película no radica en saber cómo termina cada una, sino en seguir sus bifurcaciones, desvíos, sorpresas y suspensiones. Más que la psicología de los personajes, importan las funciones que cumplen, que no son otras cosas que modos de la imaginación: X, Z, H; observación, sustitución, desplazamiento; el Testigo, el Sustituto, el Viajero.

Pero ahora bien, en toda su proliferación, en todos sus desbordes, ¿qué es lo que cuenta la película de Llinás? *Historias extraordinarias* es una reflexión sobre los encantos del relato y sobre los placeres y aún el hastío de quien lo recibe. Cuando en una nota al pie de su libro, Llinás le advierte al lector-espectador que los artículos del periódico *El Telégrafo* que apenas pueden distinguirse en la película están redactados en su totalidad, explica esta obsesión: "el motivo de esta demasía responde [...] a una suerte de supersticiosa e infantil manía: la ficción debe exceder la escena, debía desbordarla".[17] Este carácter centrífugo de la ficción se complementa con otro, de carácter centrípeto, que es el de la aventura. Una escena lo muestra de un modo maravilloso: en su búsqueda de Cuevas, Z llega finalmente a África. La estadía consiste en un plano de Z caminando por una calle de Maputo, en Mozambique. El plano es un *fragmento* de una aventura que excede al filme (la del viaje del pequeño

---

[16] Como en *Ciudad de María* de Enrique Bellande y en *Rerum Novarum* de Schindel, Molnar y Battle, el uso del fílmico en el Institucional de Compañía Fluvial del Plata, remite al discurso de la modernidad y el progreso que se observa desde el carácter más fluido y multitemporal del video.

[17] Las citas del guión o de los comentarios de Llinás pertenecen al libro *Historias extraordinarias*, op.cit..

equipo de filmación a África) y de la que sólo queda un resto, la punta de un iceberg. Queda en el filme el desborde de la aventura que fue filmar la película (como se sabe, *Historias extraordinarias* fue hecha con un presupuesto muy reducido). En ese doble movimiento de desbordes (de la ficción hacia lo real, de la aventura hacia el relato), *Historias extraordinarias* avanza hacia ese mundo infantil en el que se borran las fronteras entre la ficción, la aventura y la vida. Es la traducción infantil de *Cinco semanas en globo* de Julio Verne, *Tintín* de Hergé, de los relatos de Stevenson.

Sin embargo, esto dice muy poco sobre aquello que mueve al relato: nada hay en la película que provoque, como lo hacen los dibujos animados, la infantilización del público. Más bien, el espectador también observa cómo se va construyendo la ficción y sus mecanismos. Las primeras frases con las que el narrador describe a X son fundamentales: "Es así: un hombre, llamésmole X, llega, en medio de la noche, a una ciudad *cualquiera* de la provincia. De X no sabemos nada... Sabemos que viaja por trabajo. Sabemos que ese trabajo es burocrático y gris; un trabajo *cualquiera*". X es un personaje *cualunque*. La épica de la historia es similar a como la entendían Borges y Bioy: no es la heroicidad de los pueblos o de los personajes elevados sino el coraje de los hombres comunes.[18] Personajes cualunques (X, Z o H) en un espacio sin cualidades (la llanura) a los que les suceden cosas extraordinarias inventadas por un narrador, una suerte de mago o prestidigitador. Desde este punto de vista, *Historias extraordinarias* es un relato sobre el vaciamiento de la identidad, sobre la capacidad de metamorfosis de la palabra y el hechizo de la imagen.

El espacio cualquiera aparece atravesado por el río Salado y es la llanura de la Provincia de Buenos Aires, un espacio al que el cine ha sido siempre ajeno salvo en la forma de un cine rural vinculado a los gauchos y a los caballos (en *Historias extraordinarias*, el león y no el caballo es el animal de la pampa). En su película, Llinás descubre la provincia de Buenos Aires como una cantera de relatos posibles, en los más diferentes registros (policial, fantástico, realista, de aventuras, etc.). El origen de la película, según lo cuenta en una nota al pie de su libro, está en una fantasía del director: "pasar un fin de semana fuera de Buenos Aires refugiado, como un personaje de John Le Carré, en un invisible hotel de provincia". Ese hotel es, finalmente, el Gran Hotel Azul, ciudad en la que Llinás descubre la obra del arquitecto Salamone. La ciudad, que en un principio le había resultado insípida, se transformó en "sobrenatural y siniestra" como ocurre en *La trama celeste* de Bioy Casares. "De allí, de ese súbito contraste entre la calma y la monotonía de la llanura, de los caminos laterales y de los hoteles como el Gran Hotel Azul, y la irrupción de la aventura y la maravilla [de la obra de Salomone], es que nació la idea de este filme".[19]

---

[18] Trato el tema con Emiliano Jelicié en *Borges va al cine* (Buenos Aires, Libraria, 2010).

[19] *Historias extraordinarias*, op.cit., p.48. Sobre los paralelos entre la película y la obra de Salomone, ver el ensayo de Patricio Fontana, "*Historias extraordinarias*: una extensión que no aqueja" en *Otra parte*, número 15, primavera de 2008.

246

El encuentro de lo ordinario (un personaje cualquiera en un espacio cualquiera) y lo extraordinario (un personaje maravilloso como Cuevas, César o Salomone que tornan el espacio también maravilloso) hacen al despliegue narrativo, al derroche, de la película, mientras la puesta en escena está marcada por otro derroche: el exceso de la voz *over*, su omnipresencia, su minuciosidad, su *plus* en relación con la imagen. Si el cine modernista –desde Bresson a Godard– lo que ha hecho es trabajar con la disociación entre la imagen sonora y la visual, y si, como todo parece indicarlo, no hay en Llinás un retorno ingenuo a una suerte de equivalencia ingenua; ¿por qué entonces ese uso extremado de una voz *over* que a menudo describe lo que sucede en la pantalla?[20]

Aunque la palabra sigue de cerca a la imagen, ésta por supuesto la excede. Y aunque la imagen ilustre la narración siempre hay algo más en las palabras que las imágenes no pueden expresar. Pero este mecanismo generalizado que sirve para muchísimas películas adquiere en *Historias extraordinarias* una inflexión particular: voz e imagen tratan de acercarse lo más posible, "lo que va a pasar ahora es lo siguiente" se escucha. La imagen concreta lo que la voz promete pero esto no la hace necesariamente verdadera. Las conjeturas de X sobre el caso de "Lola Gallo" y los hermanos Armas son mostradas con una serie de imágenes pese a que el narrador termina diciendo: "Sin embargo, la cosa no es así. X está equivocado en cada detalle, desde el principio. Él nunca lo sabrá, pero toda, absolutamente toda su teoría es falsa". El narrador desmiente al personaje aunque eso no le impide poner en imagen toda la "teoría". La imagen nos hace desconfiar de la palabra y ahora la palabra nos hace desconfiar de la imagen. Sin embargo, el efecto no es precisamente el de la desconfianza: más bien, después de colocar esa incredulidad como el núcleo del cine moderno, *Historias extraodinarias* apuesta, mediante su poder narrativo, por el encanto de las apariencias, de las conjeturas, de la imaginación. Después del nihilismo, después de la incredulidad, hay que reencantarse con la imagen, reencantarse con la palabra. Ambas están escindidas salvo en su poder configurador, en su potencia para crear la aventura, aunque más no sea la aventura de las apariencias. ¿Y podemos afirmar que en un mundo en que se ha perdido la creencia en la verdad no debamos aprender a leer y a mirar las apariencias?[21] La cuestión en definitiva no es la verdad sino, como en la historia que Cuevas le narra a Derek, en la apariencia que elegimos.

---

[20] Santiago Palavecino, en la crítica "Ficciones" que escribió para *El amante cine*, observa que el narrador hace un "sutilísimo juego dialógico, entablando con la imagen relaciones de énfasis, de anticipación, de síncopa, de suplemento. Y que es siempre extremadamente asertivo" (número 192, 2008, disponible en internet: http://www.elamante.com/).

[21] Sigo en este punto a Santiago Palavecino (op.cit.) quien observa que "*Apariencia* es la palabra clave: sustancia misma de la imagen cinematográfica, es la tierra que Llinás elige excavar para encontrar las riquezas que esconde".

Coreografías

Sería un error considerar el *cine anómalo* como una continuidad de un cine modernista que resiste, desde su reducto esteticista, al embate de los nuevos tiempos. Mucho menos exacto sería verlo en la perspectiva fúnebre de una muerte del cine, tópico que ya poco significa frente a la muerte de la televisión y en no muy poco tiempo la muerte de Internet (muertes que implican siempre, como bien lo sabemos, poderosos modos de supervivencia). Como escribió Rafael Spregelburd a propósito de *Historias extraordinarias*, "hay buenas noticias: ¡el futuro no es moderno!".

Me interesa entonces, antes que colocar a estos filmes en una tradición prestigiosa, pensar que son estos filmes los que trituran esa tradición desde el presente y lo releen bajo una nueva perspectiva. Me atrae particularmente esa torsión de cierto *cine anómalo* que sirve para pensar relatos conjeturales en un mundo sin narración. Por eso, más que una nostalgia modernista me centraré en la búsqueda que hacen estas obras de nuevas configuraciones que ya no responden a los conceptos que utilizamos: como si las imágenes o las expresiones audiovisuales nos estuvieran *diciendo* cosas que todavía no fuimos capaces de definir con categorías. Como si el desajuste entre las palabras y el fluir de la vida fuera cada vez mayor y entonces estas obras nos pidieran avanzar un poco más, llevándonos a repensar nuestro arsenal conceptual y a inventar nuevas herramientas.

Las nuevas narraciones nos impulsan a deshacernos de la tiranía de los relatos nacionales y de las identidades consolatorias y también a crear nuevos conceptos y, sobre todo, a hacer –mediante esos conceptos pero también con afectos, ideas y sensibilidades– la invención de comunidades posibles. La respuesta de muchas de las películas de los últimos años a la disgregación social y a la crisis de los relatos de comunidad son las *composiciones coreográficas*, imágenes en las que lo central son las relaciones entre los cuerpos, el espacio y los planos. ¿Cómo se puede, desde la comunidad del cine, crear otras comunidades? ¿O cómo el cine puede nutrirse de las comunidades a las que se acerca y retrata? ¿Cómo aparecen los cuerpos, cómo se relacionan, cómo se vinculan entre sí?

Las coreografías son una puesta en escena del cuerpo, una exhibición de la *teatralidad* de la vida y del poder del cine para entregar *performances* más poderosas. Estas coreografías no son utópicas o revolucionarias (su horizonte no es nunca el de las coreografías generalizadas que se podían ver en *Octubre* de Eisenstein o en las latinoamericanas *La hora de los hornos* de Solanas o *Memorias del subdesarrollo* de Gutiérrez Alea, que ponían en escena al pueblo), sino que buscan armonías contingentes, locales y que producen comunidad. Se trata de llegar, como se escucha en una canción de Caetano Veloso, a "diversas armonías posibles sin juicio final".[22]

---

[22] El verso pertenece a la canción "Fora da ordem" incluido en el disco *Circuladô de fulô*.

La teatralidad de la vida o la capacidad de *performance* es cada vez más central en nuestras vidas porque nuestro destino depende de esa capacidad. En los trabajos de la era posfordista, hay que saber comunicar porque en la sociedad del espectáculo la comunicación es una de las mercancías más preciadas.[23] Aprender a actuar es aprender a vivir y a sobrevivir, y los trabajos piden cada vez más que sepamos hablar, que sepamos movernos y que sepamos seducir. "Se requiere buena presentación", como dicen los avisos. Son saberes que van más allá de la habilidad técnica en una u otra actividad. La misma pregunta que nos hacemos en los ratos de diversión y ocio se repite en el mundo laboral: ¿soy interesante?[24] Este espacio de performance es retomado en varias de estas películas pero signadas por una idea de sustracción: no son coreografías de lo real sino configuraciones tentativas, movimientos orquestados, figuras en tensión con lo social (lo real no es coreográfico pero lo coreográfico del cine se extrae de lo real). Coreografías alternativas en las que se abandona la mirada etnográfica de *Mundo grúa* o de *La libertad* y se apuesta por órdenes conjeturales más cercanos a lo que, durante los noventa, hizo Martín Rejtman.

Copacabana (2006), de Rejtman, para comenzar con un ejemplo en el que se investigan las coreografías de lo popular, es un documental que retrata a la comunidad boliviana en Buenos Aires. Más que los vínculos con el documental contemporáneo (que los tiene pero que se mencionan en general como legitimación e innecesario signo de distinción), *Copacabana* se acerca a Bubsy Berkeley o a Jacques Demy para ir todavía más allá: las coreografías de la comunidad boliviana brillan por derecho propio y la virtud del director está, antes que en armarlas, en observar su funcionamiento. No hay, como se ha dicho, la mirada de un director modernista y una comunidad informe: los bolivianos de *Copacabana*, en las peores condiciones y viviendo en un país que les es hostil, discuten sus problemas en asamblea, enfrentan mancomunadamente el problema de la inmigración y la diáspora y preparan fiestas con bellísimos números coreográficos que son los que sostienen la narrativa del filme. No hay nada informe allí salvo para una mirada muy exterior o discriminatoria. Tampoco se trata de una celebración de su situación que es, en términos sociales, desdichada, sino de observar lo que está en construcción, la comunidad que se sostiene con sus códigos, sus memorias y también sus enemigos exteriores. Siempre hubo algo rítmico y bailable en las películas de Rejtman pero en *Copacabana* la coreografía la hacen los otros y el director sabe mantener esa distancia (no por modernista sino porque hay un interés en la vida de los inmigrantes bolivianos).[25]

---

[23] Ver sobre este tópico el libro de Paolo Virno, *Gramática de la multitud*, op.cit.

[24] Esa es la pregunta que repiten los personajes de *El pasado es un animal grotesco*, obra de teatro anómala de Mariano Pensotti que tiene innumerables nexos con el nuevo cine (de hecho, uno de los personajes quiere ser director de cine, otro estudia marketing: "A Mario siempre le gustaron las películas pero siente que su vida no es digna de ser proyectada en ningún lado", ver *El pasado es un animal grotesco*, Buenos Aires, Gayo, 2010, p. 14).

[25] Interés que contrasta, desde ya, con la falta de movilizaciones que hubo en el país cuando salió a la luz el trabajo semi-esclavo de muchos miembros de esa comu-

En otro plano, también *Estrellas* (2007) de Federico León y Marcos Martínez es un film coreográfico, y no es casual que Rejtman y León hayan hecho juntos *Entrenamiento elemental para actores* (2009) en el que investigan la teatralidad en la que nos movemos no sólo en el escenario sino en la vida misma. *Estrellas* es un documental sobre Julio Arrieta, un habitante de la villa 21 de la ciudad de Buenos Aires que se dedica a ofrecer actores para los *castings* de publicidad, televisión y cine. En una sociedad atravesada por la teatralidad, el protagonista de *Estrellas* se vale de la paradoja: los que mejor pueden actuar de marginales o chorros son quienes en "la vida real" son marginales o chorros. "El lugar que no tienen en la sociedad –escribió Alan Pauls– lo encuentran en el espectáculo".[26] El efecto de realidad que buscan los medios es aprovechado por estos actores que deben fingir que no fingen: todas los prejuicios y los miedos de las miradas de los otros son usadas por Arrieta, que se convierte en un gran manipulador. Estamos muy lejos de la ingenuidad de las personas del pueblo que se acercaban al cine: cuando hicieron *La guerra gaucha*, a principios de los años cuarenta, "uno de los *auténticos* gauchos, cuando se enteró de que estábamos por fotografiar sus movimientos, se afeitó su preciosa barba, se cambió de ropa, se perfumó, y... ¡no lo pudimos utilizar!".[27] Lo que no sabían esos gauchos 'auténticos' era cómo moverse en los medios masivos, algo que para los habitantes de la villa es su hábitat 'natural' (una segunda naturaleza). Como todos los otros sectores de la sociedad, están atravesados por el lenguaje de la sociedad del espectáculo y su supervivencia depende de su habilidad para aprovecharse de ese medio: Arrieta se dejaría la barba, no se cambiaría de ropa, no se perfumaría, porque ya sabe que los directores buscan algo 'auténtico'. No importa la clase social de la que se provenga, hay que saber moverse en la sociedad del espectáculo si se quiere sobrevivir.

¿Pero que es eso 'auténtico' que, a menudo, se ha asociado a la sinceridad, a lo nacional, a las tradiciones? Otra película coreográfica –el documental *süden* de Gastón Solnicki– se abre con una profesión de fe cosmopolita de su protagonista, el músico argentino radicado en Alemania, Mauricio Kagel: "Me siento bien allí donde puedo trabajar bien, esa es mi patria".[28] Se escuchan los ecos de la frase de las *Tusculanae disputationes* de Cicerón: "Patria est ubicumque bene est" ("La patria está allí donde se está bien", V, 37). Mientras el documental muestra a través de detalles las dificultades locales que hicieron

---

nidad (las únicas movilizaciones, de hecho, la hicieron los propios bolivianos como si fuera una cuestión que sólo les concerniera a las víctimas directas).

[26] "Los actores sociales" en "Radar" de *Página/12*, domingo, 9 de diciembre de 2007.

[27] La anécdota está citada en *Artistas Argentinos Asociados: La epopeya trunca* de César Maranghello, Buenos Aires, del Jilguero, 2002, p. 52.

[28] El título *süden* está tomado de la obra *Die Stücke der Winderose* (*La rosa de los vientos*) que está conformada por cinco puntos cardinales: *Osten, Süden, Nordosten, Nordwesten, Südosten* (hay una interpretación dirigida por Reinbert de Leeuw e interpretada por el Schönberg Ensemble que fue editada por el sello Naïve). El subtítulo lo tomo de la copia con la que trabajé (aunque no lo encontré consignado en ninguna ficha técnica), así como respeto el título con minúsculas tal como suele aparecer en diversos sitios.

que en su momento Kagel se exiliara, se va trazando el retrato de alguien cuya patria, en última instancia, es la música: si al inicio se declara, en alemán, esa extraterritorialidad, al final Kagel define al "intérprete ideal" como aquel que se apropia de la obra: "esta obra es mía". La afirmación vale tanto para los músicos argentinos que acompañan a Kagel y en los que éste deja su "huella" como para Solnicki, quien también ejecuta de diversos modos la obra del músico.

Como lo dice el subtítulo (*El breve regreso de Kagel a la Argentina*), la brevedad y la fugacidad son las claves del film: en uno de los momentos más intensos, Kagel conquista la ciudad con *Eine Brise. Acción fugitiva para 111 ciclistas*, que consistió en el pasaje de los ciclistas haciendo sonar los timbres de la bicicleta, cantando y utilizando otros instrumentos. Parece superfluo referirse al abolengo vanguardista de la bicicleta (protagonista del primer *readymade* de Marcel Duchamp); más decisivo es recordar las palabras del propio Kagel en la película cuando sostiene que, en Buenos Aires, "la música es esencial para la vida. De alguna manera, la música es un sustituto de lo que no funciona en la política, a nivel social, etc.". La brisa huidiza de los ciclistas, su enérgica coreografía, coloca al film de Solnicki en ese nexo entre la música y lo real, el viaje de Kagel y lo político.

Finalmente, la película más coreográfica de todas: *Castro*, de Alejo Moguillansky. En *Castro* no sólo los personajes se desplazan por la ciudad como en un gran baile (con los colectivos mismos haciendo de comparsa), sino que la medición de los planos está trabajada en una progresión geométrica y como una línea melódica con sus armónicos, contrapuntos y *ritornellos* (hay que recordar que el director fue montajista de más de una decena de films, entre los que se cuentan *Historias extraordinarias, La rabia* y *El hombre robado*).[29] En una puesta en escena en la que no puede evitarse la rememoración del film *Invasión*, de Hugo Santiago, la teatralidad, lo musical, lo coreográfico, lo pictórico y lo cinematográfico confluyen en un cine que, como aquel corto que Beckett hizo con Buster Keaton, el *slapstick* se combina con la búsqueda metafísica de un tal Castro que, al modo lacaniano, funciona como el *objet petit a*. El nombre del protagonista (Castro) admite otras interpretaciones psicoanalíticas, sin dudas, pero lo central es la falta de real en el medio de la cotidianeidad. Algo similar sucede con *Historias extraordinarias* con su proliferación de McGuffins que hacen mover la historia, que con su rareza la vuelven extraordinaria en los paisajes llanos y lisos de la pampa bonaerense. Pero más que a *Historias extraordinarias, Castro* se acerca a *Todos mienten* de Piñeiro, que también tiene una puesta en escena coreográfica sobre todo en la entrada y salida de los personajes del plano (un "sistema de relevos" como se dice en el film de Moguillansky). Seguidos con *travellings* que acompañan un recorrido planificado de antemano, el movimiento de los cuerpos se hace con una espontaneidad que hace que *Todos mienten* se exprese como una coreografía del encuentro: el de la planificación rigurosa y la composición actoral. A diferencia del des-

---

[29] De hecho la película, pese a no ser un musical, ostenta el rubro "dirección coreográfica" a cargo de Luciana Acuña, bailarina y miembro de la compañía Krapp.

borde de Llinás, *Castro* y *Todos mienten* remiten a lo que se dice de la obra de un personaje de esta última, JMR, cuyos cuadros tienen una "geometría de las formas que recupera un orden de las cosas" (la frase es deliberadamente irónica porque el 'orden' está puesto por el cine y no por las cosas). Pero a la vez que se unen en este aspecto central (de ahí que ambos directores hayan presentado las películas en el Bafici como "hermanas") se separan en los mundos que ponen en escena.[30]

La historia de *Castro* está estructurada alrededor de la falta de trabajo. Cuando su amante Celia (Julia Martínez Rubio) lo amenaza diciéndole "o encontrás trabajo o te dejo", el personaje de Castro (Edgardo Castro) se pregunta con qué cuenta para conseguir trabajo. A diferencia del Pierrot godardiano (aunque su final es semejante), carece de su audacia y de su locura de artista y bohemio y cuando se trata de ver con lo que cuenta, se dice: "Mi nombre es Castro, tengo 38 años, necesito ganar dinero", "te tengo a vos, a mi cuerpo, a mi cabeza" o, más sintéticamente, "Celia, mi cuerpo, mi cabeza". La constatación es dramática, además de que Castro olvida que tiene pies, en un film en el que, sobre todo, hay que saber correr, bailar, caminar, perseguir. Como en el hombre del cuarto de arriba de la pensión, de quien sólo se escuchan sus pasos. El día que no se escuchan más es porque murió. Caminar es vivir.

Amenazado por su mujer pero perseguido por su ex-esposa Rebeca Thompson (Carla Crespo), el celoso Samuel (Alberto Suárez) –anterior pareja de Celia–, el inútil Acuña (Esteban Lamothe) y el mercenario Willie / Mugica (Gerardo Naumann), Castro llega a la ciudad con el único fin de escapar a sus perseguidores, sobrevivir y conseguir trabajo. Pero ese panorama lo aterra: "ganarse la vida –se dice una y otra vez– es lo mismo que desperdiciarla". La coreografía de la película se juega toda en esa economía: la del trabajo y el ahorro frente al derroche y goce. El gasto no encuentra su justificación en la utilidad social sino el puro goce del juego geométrico que se da en la narración, en la puesta en escena, en la ciudad y, sobre todo, en los cuerpos con sus peripecias que se asemejan al *slapstick* de cine mudo. Y como en todo *slapstick*-intelectual (y en ese estilo entra el film de Moguillansky), se trata de medir en cada tropiezo la lucha entre el orden de la fantasía y el desarreglo de lo real, los empujes del deseo y la organización del trabajo. En ese vaivén, en ese enfrentamiento, se define el personaje quien oprimido por su falta de resolución (o por la falta de solución), decide quitarse la vida.

También repleta, como *Todos mienten*, de referencias cinéfilas (desde *Los paraguas de Cherburgo* de Jacques Demy a Jean-Pierre Melville y Hal Hartley), la película muestra cómo la persecución adquiere su sentido en sí misma y cómo nunca se produce el anclaje o el hallazgo del objeto que le otorgue un sentido fuera de ella.

Castro y *Todos mienten* vuelven a juntarse en relación con la finalidad: ¿cuál es el objetivo que ponen en movimiento esas coreografías? En realidad, no

---

[30] Las tres películas se asemejan de todos modos en su insistencia en la *escritura*, carteles, capítulos, etc

hay ningún objetivo exterior ni ninguna utilidad evidente: ni el trabajo ni la herencia histórica son lo suficientemente poderosos como para darles a los personajes una razón para vivir. Cada coreografía debe buscar su propia economía, su modo de ejercer el derroche y regularlo mediante los movimientos de los cuerpos, la progresión de la trama y el montaje de precisión. Su energía proviene, además, también del cine y de la literatura, que es evocada con citas, algunas crípticas, otras más evidentes. Ambas películas marcan la apertura del cine a otras artes (como lo hace también el cine de Gonzalo Castro) y, también paradójicamente, una concentración en el lenguaje del cine que aleja a estas películas de la apertura hacia lo real que tuvieron los cineastas de principios de la década. Parafraseando a Mauricio Kagel en *süden*, estas películas –como la música– funcionan como un sustituto que nos lleva a reflexionar sobre las conexiones entre la realidad y el deseo o, mejor, sobre la realidad del deseo.

La consolidación de los pioneros

Hacer una *opera prima* de buen nivel no es fácil y menos fácil aún hacer segundas o terceras películas que confirmen las expectativas que abrió la primera. Lisandro Alonso, Lucrecia Martel, Pablo Trapero, Albertina Carri, Martín Rejtman, Adrián Caetano superaron las expectativas que se habían puesto en ellos e hicieron nuevas películas que merecerían un estudio de una amplitud que excede al de este epílogo. Todos ellos, además, han tenido proyección internacional, han participado de los festivales más importantes y su trabajo ha sido reconocido por los mejores críticos (en algunos casos, como el de Pablo Trapero, logrando la confluencia de crítica y espectadores). Algunos de ellos, como Lucrecia Martel y Lisandro Alonso, fueron reconocidos por la crítica internacional en la monumental encuesta de *Film comment* realizada en febrero de 2010.[31]

Después del corte que significó *Los rubios* en todos los ámbitos de la vida cultural, parecía difícil que Carri pudiera volver hacer una obra de semejante densidad. Es que *Los rubios* fue lo más parecido que hubo en el cine a un acto de descarga, exorcismo y liberación y la pregunta que se impuso a los espectadores también parece haberse impuesto a la directora: ¿y ahora qué? Paradójicamente, Carri que hizo *Los rubios* para liberarse de algo que la oprimía, tiene que hacer ahora una película para liberarse de *Los rubios*. Después de la fallida *Geminis*, *La rabia* recolocó y resolvió artísticamente todas las tensiones de *Los rubios* en un plano ficcional. Varios motivos unen a ambos films: el paisaje como tinglado recuerda a El campito de *Los rubios* así como los dibujos animados a los *playmobils* y el grito de Nati (Nazarena Duarte) a las invectivas de Analía Couceyro (hasta en el título, "rabia" parece un borramiento y una

---

[31] *La mujer sin cabeza* fue votada como la segunda mejor película de 2009 y Lucrecia Martel y Lisandro Alonso aparecen en segundo y tercero lugar respectivamente como los mejores nuevos directores de la década.

reescritura de "rubios"). También se ha hablado de parricidio a propósito de *Los rubios*, y *La rabia* termina con un parricidio.[32] La intensidad del grito que desde lo no significante hace surgir lo significativo es el núcleo primario de la obra de Carri: esto es, el nudo inexpresable que hacen la violencia y la memoria.[33] Pero hay una diferencia fundamental y es el trabajo con un sustrato arcaico que evoca a Pier Paolo Pasolini y al Bruno Dumont de *Flandres*. Si *Los rubios* era su historia, su infancia, *La rabia* muestra que, en otro plano, esa fue también una infancia como cualquier otra: es decir, sujeta a una cultura humana basada en el miedo, en la matanza, en la fantasía masculina de poder, en las fantasías de fuga de los niños y las mujeres, en la mirada que es testigo de algo que la excede, aterroriza o no puede ver. Una verdadera guerra del cerdo.

Con *La rabia*, una vez más, Carri busca el nexo entre lo que se dice y lo que se omite: "Tenés que hacer cosas lindas: animalitos, flores" le dice la madre (Analía Couceyro) a Nati, pero la hija –aunque no pueda hablar– sabe captar todas las frecuencias y todas las modulaciones que hay a su alrededor y volcarlas en sus fantasías. Con sus dibujos, Nati logra parcialmente plasmar lo que la abruma y eso es algo que sus padres, que preferirían que hiciera "florcitas", no pueden entender. Esa falta de apertura al goce de los otros (y esa entrega arcaica al propio goce) es la que desencadena la tragedia. En todos los ámbitos de lo viviente (y los animales tienen un gran protagonismo en el film), el daño y la destrucción están generalizados pero no por eso indiscriminados: como señala Iván Pinto, el macho patriarcal lo ejerce sobre las mujeres y éstas sobre los niños. El último eslabón de esta cadena biológica está en Nati que, para defenderse, se recluye en su animalidad y trata de liberarse por la fantasía de los dibujos. Dolor y placer, en ella, se hacen indiscernibles y esto la vuelve indescifrable pero también fuera de control: los dibujos la protegen de la angustia y los gritos son su modo de estar en el mundo (de decir que está en el mundo).[34]

Después de la perturbadora *Fantasma*, en la que Lisandro Alonso experimentó con las relaciones entre la cinefilia (con la sala emblema de Buenos Aires: la Lugones, en el Teatro San Martín) y personajes ajenos al mundo del cine, *Liverpool* volvió a plantear la tensión entre la mirada del director y aquellos personajes inaccesibles, instalados en su silencio y vagabundeo sin

---

[32] Ver *Pasado argentino reciente* de Cecilia Flaschland con la colaboración de Pablo Luzuriaga, Violeta Rosemberg, Julia Rosemberg y Javier Trímboli, texto multimedia usado para la formación docente y editado por el Ministerio de Educación.

[33] La memoria, en Carri, no es algo ligado solamente al pasado sino las marcas que el paso de la vida deja en el cuerpo, en los afectos, en la mirada, en el lenguaje... De ahí que la memoria, en sus películas esté más asociada con el lapsus que con el discurso conciente o ya formateado. Ver sobre Albertina Carri la excelente entrevista que le hizo Iván Pinto en el sitio *La fuga* de internet (http://lafuga.cl/entevista-a-albertina-carri/5).

[34] Me baso libremente en lo dicho por Georges Didi-Huberman en su libro *La invención de la histeria (Charcot y la iconografía de la Salpêtriere)*, Madrid, Cátedra, 2007, pp.343 y ss.

254

que nosotros sepamos muy bien qué es lo que buscan o qué es lo que sienten o piensan en su búsqueda. La poética de Alonso, en *Liverpool*, sigue fiel a sus anteriores películas. La exterioridad del protagonista, como en *La libertad* o en *Los muertos*, se manifiesta aquí en los *containers* que son el mundo cuantitativo de la mercancía que inevitablemente deben atravesar los personajes de Alonso. Como las maderas que debe vender Misael en *La libertad* o la camisa que debe comprar Vargas, el protagonista de *Los muertos*, o mucho más aún, el encuentro con la prostituta, "la apoteosis de la empatía con la mercancía", según las palabras de Benjamin. Pero esa exterioridad, ese mundo de las cantidades, del "tres y dos: cinco" como dice el vendedor de *Los muertos*, es algo que los personajes de Alonso atraviesan o abandonan para internarse en otro tipo de relaciones inconmensurables, un campo de fuerzas no cuantitativas que no se pueden medir ni controlar.

A la vez que retoma los hilos de sus anteriores films, *Liverpool* abre nuevos caminos. Una vez que Farrell (Juan Fernández) abandona el barco, la poética de Alonso produce un giro que anuncia futuras mutaciones en su obra. Una vez que llegan a Usuhaia, Farrell se dirige a ver a su madre y a Analía (Giselle Irrazabal), una hija con deficiencias mentales a la que supuestamente abandonó. Farrell vuelve a su pueblo (en realidad un caserío) para saber si su madre "está viva" pero cuando la encuentra no puede establecer con ella ningún contacto. Ante lo que parece una situación sin salida y llena de remordimientos o recriminaciones (eso nunca llega a quedar claro), Farrell decide irse pero la cámara prefiere quedarse: en un acto que oscila entre lo ficcional y lo real (no se sabe si se va el personaje, el actor o la persona), el protagonista abandona la historia después de dejarle a Analía un llavero con la palabra Liverpool –el nombre de la ciudad portuaria que marca la errancia del personaje– que ella después apretará entre sus manos. Ambas mujeres, postradas en su enfermedad motora o mental, son casi-personas, pura vida que no puede decir "yo". Una "pesada herencia", como dice uno de los personajes. Al quedarse en el pueblo (mientras el protagonista se ausenta), la historia opta por Analía. Como si hubiera algo en esa vida biológica reducida que el protagonista se negó a entender. Una vida puramente táctil, maternal y femenina, que surge con toda su intensidad en uno de los pasajes más emotivos del film cuando la hija idiota apoya la cabeza en un árbol, como si buscara un reposo que los hombres no le dan. Entre el estado vegetativo y el estado mercancía, Analía toca lo más vivo: el corazón que dibuja en una hoja (y que Farrell no sabe apreciar), el árbol sobre el que se recuesta, el llavero que aprieta entre las manos. Un mundo puro de afectos idiotas que anteriormente se habían manifestado en la obra de Alonso pero que en *Liverpool* asumen toda su carga emotiva, fílmica y revulsiva en la piel de esas mujeres en las que, por primera vez, el cine de Alonso se ancla en un territorio fijo.

Lucrecia Martel con *La mujer sin cabeza* se ha reafirmado como la maestra de las zonas ciegas y de las zonas audibles. Pablo Trapero, con *Leonera* y *Carancho*, además de consolidar sus dotes de narrador, profundizó la combinación de investigación y realismo, de película de acción y reflexión trágica. En *Crónica de una fuga*, Adrián Caetano siguió reescribiendo los géneros a partir

255

de situaciones extremas y realistas, en este caso nada menos que haciendo el retrato de la vida en un campo de concentración durante la última dictadura militar.[35] Fueron los pioneros y hoy ya tienen una obra.

Un cine de lo político

La dificultad de acceso a la esfera de la política –cuando no la clausura de esa posibilidad– ha llevado al cine a una reflexión sobre lo político. Antes que ligarse a la acción o a la imaginería del pueblo (algo que siguen haciendo a su modo los documentales de Solanas), las películas del nuevo cine han reflexionado sobre las condiciones de posibilidad de la política y, para eso, han rehuido de los lugares comunes y han desplazado el foco de atención a modalidades emergentes de lo político, muchas veces silenciadas o consideradas menores. Cuando ha encarado temas centrales de la agenda pública –como el tema de los desaparecidos–, el cine ha renovado el punto de vista como en su momento lo hizo *Los rubios* de Carri y después *M* de Nicolás Prividera. El principio general es salir de la política tal como se la entiende tradicionalmente para pensar lo político y plantear, contra el sentido común, *qué es lo importante*. Rafael Sepregelburd, en su polémica con Griselda Gambaro, planteó su postura en relación con el teatro, aunque lo que sostiene es válido también para el cine: "cuando nos referimos a *lo importante*, la pregunta básica es quién es el que determina qué es lo importante, y por lo tanto, cuál es el deber de los artistas dentro de un panorama dominado políticamente por lo importante como acuerdo comunitario, cuando esto es definido por el sentido común, un sentido que, creo yo, anula precisamente los sentidos".[36] En el caso del cine, la pesada herencia del cine político –con todas las decisiones estéticas que implicaba– ha sido puesta a un lado para mirar más libremente por dónde pasan efectivamente las líneas de dominación y sujeción.

Así, las películas argentinas actuales desplazaron la cuestión política y pusieron el ojo en la inmigración, los mecanismos de la memoria, los modos de vida, la cuestión gay y las redefiniciones de género, los funcionamientos de las sociedades cerradas y hasta los accidentes automovilísticos –es el caso de *Carancho*, de Pablo Trapero– como el síntoma de un funcionamiento perverso y deficiente de lo social.

Los afectos y el género sexual estuvieron, como nunca antes en el cine argentino, en diversos filmes: *Un año sin amor* de Anahí Berneri, *XXY* de Lucía Puenzo, *La león* de Santiago Otheguy, *Lo que más quiero* de Delfina Castagnino. Lejos de los papeles estereotipados y represivos de *El hijo de la novia* de Campanella, pero diferentes también a las reivindicaciones antinormativas de las primeras películas exclusivamente sobre gays que se hicieron en la Argentina

---

[35] Ver sobre esta película el libro de Silvia Schwrazböck: *Estudio crítico sobre Crónica de una fuga*, Buenos Aires, Picnic Editorial, 2007.

[36] Rafael Spregelburd en su respuesta a Griselda Gambaro, en *Ñ*, 12 de mayo de 2007.

(pienso en *Otra historia de amor* de Ortiz de Zarate), estas historias también han transitado por una idea *anómala* de las relaciones de género. Si en *Otra historia de amor* la relación entre Raúl y Jorge es escandalosa, en *Tan de repente* la opción de Mao y Lenin es una entre tantas: "no somos lesbianas", dicen. Y algo similar se aplica a las demás películas mencionadas.

XXY, de Lucía Puenzo, si bien se acerca más a una fábula que a un estudio de caso, ha llevado a los espectadores –como muy bien lo señaló Mauro Cabral en unos *posts* de internet– a preguntarse sobre sus ideas acerca del cuerpo, del sexo y del género. Al plantear la ruptura de la supuesta binariedad sexual, los espectadores se quedan sin lenguaje y hasta sin imagen –son curiosas, en este sentido, las opiniones divergentes sobre si se ven o no los genitales de Alex (Inés Efrón). En el blog "La lectora provisoria" (de Flavia y Quintín), donde se dio buena parte de este debate, era interesante ver el choque entre quienes pedían una consideración específicamente cinematográfica de *XXY* y quienes planteaban la cuestión política de género (sobre todo Mauro Cabral, activista trans intersex, primero con el seudónimo de Burdégano y después con su nombre). Los defensores del lenguaje del cine se mantuvieron en una posición que consistió en subordinar todas las cuestiones a una lectura del plano fílmico. Esta posición se alimenta del *dictum* godardiano de que "un travelling es una cuestión moral". Y si bien concuerdo con esto creo también que no todas las cuestiones morales se resuelven con un travelling. Lo que quería plantear Cabral, y era clara la resistencia que eso generaba, era la discusión sobre cómo funciona nuestra imaginación en relación con el cuerpo y el sexo y cómo estamos atrapados en versiones convencionales y, a menudo, ignorantes.[37] No creo que el cine deba o pueda dar respuestas a estas cuestiones sólo con procedimientos.

La experiencia migratoria fue menos frecuentada pero el crecimiento no es menor si se piensa en la escasa cantidad de obras artísticas que hay sobre la inmigración de los últimos años. Pese a ser un país conformado en buena medida por movimientos migratorios, los inmigrantes han sido invisibilizados cuando no vilipendiados. En *Habitación disponible*, Diego Gachassin trabajó la relación entre inmigración, pueblo y exclusión sobre todo en una intensa escena en la que una de las familias protagonistas, que vino de Ucrania, llega a la Plaza de Mayo en pleno cacerolazo. En vez de unirse a los grupos que están en la plaza, la madre y sus hijos perciben que ellos no forman parte del 'pueblo' y abandonan la plaza (hacen, literalmente, un mutis por el foro). También *Copacabana* de Martín Rejtman focalizó en los inmigrantes bolivianos con una mirada muy diferente a la que años atrás había tenido Caetano en su filme *Bolivia*. Una vez más, la categoría de pueblo resulta insuficiente o excluyente.

Sobre las sociedades cerradas, en particular sobre el universo concentracionario de los barrios cerrados y *countries*, se han hecho varias películas (*Cara de queso* de Ariel Winograd, *Las viudas de los jueves* de Marcelo Piñeyro) con

---

[37] Una visión más crítica de la película de Puenzo se encuentra en Diego Trerotola: "La diferencia entre el cine y la literatura" en Adrián Melo (comp.): *Otras historias de amor (Gays, lesbianas y travestis en el cine argentino)*, Buenos Aires, ediciones Lea, 2008.

la idea de denunciar la degradación de las relaciones sociales en esos ámbitos. Celina Murga, en cambio, con *Una semana solos*, no pretende hacer una denuncia sino ver cómo funciona un modo de vida y un sistema de poder –en esto se encuentra cerca de *El bonaerense*, también una historia sobre una sociedad cerrada, que de las otras películas sobre *countries*–. Es más: si en las otras películas hay una mirada despiadada pero no carente de afectividad (es el caso de *Cara de queso*), Celina Murga impone una mirada etnográfica, distanciada y con una reflexión radical sobre la puesta en escena, sobre cómo poner en escena ese modo de vida.

Una semana solos está llena de detalles: el country con su paisaje domesticado y su belleza imperturbable, los chicos que no necesitan de los padres porque todo un sistema de vigilancia los cuida, la necesidad de matar el tiempo porque el aburrimiento es el corolario de la tranquilidad que reina por las tardes, la chica que los cuida, Esther (Natalia Gómez Alarcón), que no la pasa mal aunque extraña a su hija (quien no vive en un barrio cerrado) y un vacío que abruma. Hasta que un día llega el chico con el corte de pelo taza, Juan (Ignacio Giménez), el hermano de Esther. La presencia de Juan activa en los niños del country todo un sistema de diferencias y resistencias que queda en evidencia cuando visitan la pileta. Juan no tiene el lugar de servidumbre de la mucama ni pertenece al grupo de los dueños y por eso su posición extraterritorial y errática devela la posición y la idiosincrasia de los demás personajes (ya desde su entrada al lugar su estatuto es tan problemático que exige una excepción al reglamento).

Una semana solos es una película sobre la propiedad y las leyes; o, mejor, sobre cómo la relación entre la propiedad y la ley es inseparable. La ley aparece en la película bajo la forma inmediata del *reglamento*, esto es, las normas que la propia comunidad del country se ha dado para la convivencia y la seguridad de los vecinos. El hecho de que sea una regla sujeta a modificaciones permanentes (y sin necesidad de mucho trámite) y no una ley que exige un cumplimiento marca cómo la transgresión en la película tiene siempre un carácter menor que admite modificaciones e indulgencias. Si se hubiese tratado de la ley, *Una semana solos* hubiese desembocado en la tragedia: el chico del pelo corte taza hubiese sido una víctima límite y dramática del cordón opresivo que separa al country del exterior. La regla impone, en cambio, su banalidad: la gravedad ofensiva de las acciones, y su densidad oscura y siniestra, no sale nunca a la superficie, no es nunca motivo de reconocimiento y, consecuentemente, de catarsis. Las modalidades de dominación y reproducción son suaves y sutiles y eso las hace más efectivas: no hay, para el espectador, el consuelo que ofrece *Las viudas de los jueves* que demostraría que esa vida feliz es una máscara que esconde un mundillo de corrupción y violencia desgraciada. Murga elige otro camino: el de mostrar una 'travesura' que no deviene en tragedia para exhibir una ciudadanía deficiente y perversa. Todo esto la película lo logra mediante los huecos y los vacíos del relato y de la puesta en escena: Murga prefiere, antes que denunciar, hacernos ver mediante elisiones visuales y silencios.

Una semana solos no desprecia a sus personajes ni los condena (como hace *Las viudas de los jueves*) sino que hasta muestra la belleza de la que son capaces

258

y que tal vez nunca florezca del todo por el medio en el que están empantanados: en una de sus incursiones por la casas ajenas, Sofía (Eleonora Capobianco), la hermana menor de María (Magdalena Capobianco), pone la canción carnavalesca bahiana "Nossa gente" de Caetano Veloso y Gilberto Gil (incluida en *Tropicália 2*) y baila con una gracia que recuerda a la Ana Torrent de *Cría cuervos* de Saura. En ese plano sobre el que la película apenas se detiene –como si mostrara su fugacidad– radica el verdadero drama de *Una semana solos*, el del empobrecimiento de unas vidas que todavía son promesa.

Algo que se observa en el filme de Murga admite una generalización: nuestros lazos con la tradición y el pasado se encuentran tan en crisis que antes que juzgarlos, es preferible observar sus funcionamientos. En esta relación, la imagen indicial del cine nos trae un fragmento de pasado-presente y un documento que nos exige repensar –siempre un poco melancólicamente por la pérdida– sobre esos lazos. Eso es lo que han hecho muchos de los documentales de los últimos años, sea en una inflexión personal (como en Andrés di Tella), sea sobre la memoria colectiva (en Carri y Prividera) o sobre el pasado histórico como han hecho en sus documentales de investigación *Los próximos pasados* de Lorena Muñoz o *Un pogrom en Buenos Aires* de Herman Szwarcbart. En los dos últimos ejemplos, el ejercicio de la memoria cinematográfica muestra las fallas de la preservación del patrimonio histórico y lo hace con una investigación con un rigor propio de los historiadores de la cultura.

En el caso de los documentales sobre la memoria, algunos realizadores comprendieron que si recurrían al lenguaje convencional del género desembocaban en una noción estática y anquilosada de la memoria. El uso del testimonio de los protagonistas como fuente inapelable, la recurrencia a las cabezas parlantes y al *videograph* y las inserciones de *found footage* constituían un camino para la memoria autocomplaciente y con una noción muy plana del tiempo (los restos de estos procedimientos se exhiben como tales tanto en *Los rubios* como en *Papá Iván* de María Inés Roqué). Fue Andrés di Tella, con *Montoneros, una historia*, el primero que advirtió acerca de la necesidad de articular una reflexión sobre la memoria que sea al mismo tiempo una reflexión sobre el género. *Los rubios* constituyó un corte –sobre el que me explayé en el capítulo "*Los rubios*: duelo, frivolidad y melancolía"– y después vino *M* de Nicolás Prividera que no sólo puso en evidencia que ya existía un *corpus* (que habría comenzado con *Juan como si nada hubiera sucedido* de Carlos Echeverría de 1987) y nuevos lugares desde los cuales poder hablar y mostrar. Obviamente no se trata de un corpus monolítico u homogéneo, pero lo que se superó fue la falsa dicotomía (que todavía existe en algunos documentales y en cierto pensamiento político) entre un pasado glorioso y un presente paupérrimo que inútilmente quiere emularlo.

En el prólogo a *Otros mundos* señalé la importancia que estaba adquiriendo el documental y la dificultad que tuvo en ese momento para incluirlo en un libro que no pretendía ser exhaustivo ni que tampoco quería constituirse en una historia del cine argentino de los últimos años. De todos modos, todavía prefiero hablar antes que del género documental, hablar de *lo documental* en todas sus formas, que atraviesa, de diferente modo pero con igual intensidad, tanto las ficciones como el género documental. Mientras el género se define por el uso testimonial que se hace de las imágenes indiciales, lo documental aparece con el indicio mismo o sea que es connatural a la imagen cinematográfica. La preeminencia en el cine contemporáneo de las huellas visuales viene acompañada del privilegio dado también al indicio lingüístico que se observa tanto en el uso de los pronombres deícticos y demostrativos por parte del narrador ("aquí", "este") y, sobre todo, por el uso del pronombre personal en primera persona. Esto provoca una escisión porque la imagen es la no persona (a lo sumo se puede equiparar con la tercera persona) mientras que la lengua trae la primera como si estuviera inscripta en la imagen. En los llamados documentales en primera persona lo que se produce, entonces, es más bien una disputa entre la primera y la tercera persona. Y en algunos casos, sobre todo en los documentales sobre desaparecidos, más que de un documental en primera persona, habría que hablar de documentales sobre las dificultades de llegar a la enunciación personal (la primera, la segunda, la tercera). Por propia experiencia, los realizadores de estos filmes (muchos de ellos hijos de desaparecidos) saben las dificultades que existen antes de poder decir *yo* porque desde niños su identidad y la de quienes los rodeaban estaba en suspenso o en cuestión.

Pero esta tensión también se observa en documentales que apuestan por una poética en primera persona en las que el "yo" se exhibe con tanta fuerza que el espectador no puede dejar de preguntarse sobre sus límites, sus huecos y sus manipulaciones. Andrés di Tella, con *La televisión y yo* y *Fotografías* recorre, respectivamente, la línea paterna del industrialismo pionero y la línea materna con su paradójico exotismo (¿qué es más exótico, los argentinos en India, los hindúes que llegan a la Argentina o el Londres en el que están varados unos argentinos?). En esos recorridos, los materiales no dejan de desviarlo una y otra vez hacia lugares en que la historia se cuenta más allá de lo personal. El documental y lo documental en la ficción no es nunca la primera persona, sino una lucha entre la primera y la tercera persona, entre lo animado y lo inanimado, entre la construcción y el registro, entre la vida que crece y la imagen que retiene. Tal vez el poder de la imagen indicial a la que el cine pertenece radique en eso: la lucha de lo real para dejar su huella, la fuerza de la vida.

Hablar de lo documental, así como hablar de lo narrativo, significa señalar los dos fenómenos más fuertes de los últimos años en el campo de los artefactos culturales que de alguna manera se sintetizan en el retorno de lo real. *Otros mundos* en su acercamiento al nuevo cine argentino participó de esa idea: en un mundo cada vez más atrapado en el espectáculo y la administración, el cine trae sus indicios y sus narraciones para indagar cómo pueden construirse comunidades en un mundo que si a veces resulta inhóspito, también puede ser gozoso.

Buenos Aires, septiembre de 2010.

260

Bibliografía

1. Siglas utilizadas

INCAA: Instituto Nacional de Cine y Artes Audiovisuales
MALBA: Museo de Arte Latinoamericano de Buenos Aires
BAFICI: Buenos Aires Festival Internacional de Cine Independiente
CONACULTA: Consejo Nacional para la Cultura y las Artes (México)

2. Bibliografía y filmografía

2.a. Materiales de consulta, guiones, catálogos y diccionarios

AIRA, César (1992): *La prueba*, Buenos Aires, Grupo Editor Latinoamericano.

ALTAMIRANO, Carlos (comp.) (2002): *Términos críticos. Diccionario de sociología de la cultura*, Buenos Aires, Paidós.

CAETANO, Israel Adrián (1995): "Agustín Tosco Propaganda (manifiesto)", en *El amante*, número 41.

CEDEM: "Informes Cuatrimestrales Coyuntura Económica de la Ciudad de Buenos Aires: IX. Industrias culturales" en www.cedem.gov.ar.

El cine argentino (1997), CD-Rom de la Fundación Cinemateca Argentina.

EDGARD, Andrew y Peter SEDGWICK (editores) (1999): *Key concepts in Cultural Theory*, Londres/New York, Routledge.

LEÓN, Federico (2005): "Todo juntos" en *Registros (Teatro reunido y otros textos)*, Buenos Aires, Adriana Hidalgo.

MANRUPE, Raúl y Alejandra PORTELA (2004): *Un diccionario de films argentinos II (1996-2002)*, Buenos Aires, Corregidor.

OROZCO, Olga (1998): *Relámpagos de lo invisible (Antología)*, selección y prólogo de Horacio Zabaljáuregui, Buenos Aires, Fondo de Cultura Económica.

RAFFO, Julio (2003): *Ley de Fomento y Regulación de la Actividad Cinematográfica, comentada*, prólogo de Agustín Gordillo, Buenos Aires, Lumiere.

REJTMAN, Martín (1992): *Rapado*, Buenos Aires, Planeta.

REJTMAN, Martín (1996): *Velcro y yo*, Buenos Aires, Planeta.

REJTMAN, Martín (1999): *Silvia Prieto*, Buenos Aires, Norma.

REST, Jaime (1979): *Conceptos de literatura moderna*, Buenos Aires, Centro Editor de América Latina.

RUSSO, Eduardo (1998): *Diccionario del cine*, Buenos Aires, Paidós.

SEIVACH, Paulina y PERELMAN, Pablo (2004): *La industria cinematográfica en la Argentina: entre los límites del mercado y el fomento estatal*, Observatorio de Industrias Culturales, mimeo.

WILLIAMS, Raymond (1983): *Keywords, a vocabulary of culture and society*, Oxford, Oxford University Press, edición revisada.

2.b. Bibliografía general

AGAMBEN, Giorgio (2003): *Infancia e historia (Destrucción de la experiencia y origen de la historia)*, traducción de Silvio Mattoni, Buenos Aires, Adriana Hidalgo.

ALABARCES, Pablo (2004): "Cultura(s) [de las clases] popular(es), una vez más: la leyenda continúa. Nueve proposiciones en torno a lo popular" en *Potlatch (Cuaderno de antropología y semiótica)*, UN editora, número 1, primavera.

ANTELO, Raúl (2004): *Potências da imagem*, Argos, Chapecô.

ARENDT, Hannah (1993): *La condición humana*, Barcelona, Paidós.

AUGÉ, Marc (1997): *Los no lugares (Una antropología de la sobremodernidad)*, Barcelona, Gedisa.

AUMONT, Jacques (1997): *El ojo interminable*, Buenos Aires, Paidós.

BALLENT, Anahí y Adrián GORELIK (2001): "País urbano o país rural: la modernización territorial y su crisis" en Alejandro Cattaruzza (dir.): *Nueva Historia Argentina (Crisis económica, avance del Estado e incertidumbre política, 1930-1943)*, Sudamericana, Buenos Aires.

BARTHES, Roland (1997): *Sade, Fourier, Loyola*, Madrid, Ediciones Cátedra.

BARTHES, Roland (1987): *El susurro del lenguaje (Más allá de la palabra y la escritura)*, Barcelona, Paidós.

BARTHES, Roland (2004): *Lo neutro*, Buenos Aires, Siglo XXI.

BAUMAN, Zygmunt (2001): *En busca de la política*, México, FCE.

BAUMAN, Zygmunt (2003): *Modernidad líquida*, México, FCE.

BAZIN, André (2000): *Qu'est-ce que le cinéma?* Paris, Du Cerf.

BECEYRO, Raúl (1998): «Adiós al cine 2» en *Punto de Vista*, número 60.

BENJAMIN, Walter (1986): *Sobre el programa de la filosofía futura y otros ensayos*, Barcelona, Planeta-Agostini.

BENJAMIN, Walter (1989): *Discursos interrumpidos I*, Buenos Aires, Aguilar.

BENJAMIN, Walter (1999): *The Arcades Project*, Cambridge, Belknap Press.

BERGSON, Henri (2002): *La risa (Ensayo sobre el significado de lo cómico)*, Buenos Aires, Losada.

BOBBIO, Norberto (1993): *Igualdad y libertad*, Barcelona, Paidós.

BORDWELL, David (1996): *La narración en cine de ficción*, Barcelona, Paidós.

BORDWELL, David and Noël CARROLL (1996): *Post-theory: reconstructing film studies*, Madison, University of Wisconsin Press.

BOURDIEU, Pierre (1998): *La dominación masculina*, Barcelona, Anagrama.

BOURDIEU, Pierre (1999): *Meditaciones pascalianas*, Barcelona, Anagrama.

BUTLER, Judith (1997): *Excitable speech (A Politics of the Performative)*, New York, Routledge.

CAVARERO, Adriana (1998): "La pasión de la diferencia" en Silvia Vegetti Finzi (comp.): *Historia de las pasiones*, Buenos Aires, Losada.

COMA, Javier y LATORRE, José Maria (1981): *Luces y sombras del cine negro*, Barcelona, Dirigido por.

CULLER, Jonathan (1978): *La poética estructuralista (El estructuralismo, la lingüística y el estudio de la literatura)*, Barcelona, Anagrama.

CHION, Michel (1999): *El sonido (Música, cine, literatura...)*, Barcelona, Paidós.

DANEY, Serge (1998): *Perseverancia*, Buenos Aires, El Amante / Tatanka.

DANEY, Serge (2004): *Cine, arte del presente*, Buenos Aires, Santiago Arcos.

DE LAURETIS, Teresa (1996): "La tecnología del género" en *Mora*, 2, noviembre, Facultad de Filosofía y Letras, UBA.

DELEUZE, Gilles (1984): *La imagen-movimiento (Estudios sobre cine 1)*, Barcelona, Paidós.

DELEUZE, Gilles (1987): *La imagen-tiempo (Estudios sobre cine 2)*, Barcelona, Paidós.

DELEUZE, Gilles (1995): "Optimismo, pesimismo y viaje (Carta a Serge Daney)" en *Conversaciones*, Valencia, Pretextos.

ECO, Umberto (1990): "TV: la transparencia perdida" en *La estrategia de la ilusión*, Barcelona, Lumen-De la Flor.

ECO, Umberto (1995): *Tratado de Semiótica*, Barcelona, Lumen.

FEMENÍAS, María Luisa (2003): *Judith Butler: introducción a su lectura*, Buenos Aires, Catálogos.

FILIPPELLI, Rafael (1996): "Adiós (al cine) a la voluntad de forma" en *Punto de Vista*, número 56, diciembre.

FILIPPELLI, Rafael (1998): "Adiós al cine 1" en *Punto de Vista*, número 60.

FILIPPELLI, Rafael (2004): "*Goodbye Dragon Inn*: el espacio y sus fantasmas" en *Punto de Vista*, número 79, agosto.

FLORES D'ARCAIS, Paolo (1996): *Hannah Arendt: existencia y libertad*, Madrid, Tecnos.

FRISBY, David (1992): *Fragmentos de la modernidad (Teorías de la modernidad en la obra de Simmel, Kracauer y Benjamin)*, Madrid, Visor.

GARCÍA CANCLINI, Néstor (1999): *La globalización imaginada*, Buenos Aires, Paidós.

GARCÍA CANCLINI, Néstor (2002): *Latinoamericanos buscando lugar en este siglo*, Buenos Aires, Paidós.

GILMAN, Sander (1985): *Diference and Pathology: Stereotypes of Sexuality, Race and Madness*, Ithaca, Cornell University Press.

GODARD, Jean-Luc (1989): *Godard par Godard: Les annèes Cahiers*, París, Flammarion.

GRIGNON, Claude y Jean-Claude Passeron (1992): *Lo culto y lo popular. Miserabilismo y populismo en sociología y literatura*. Madrid, Ediciones La Piqueta.

GRIMSON, Alejandro (2000): *Interculturalidad y comunicación*, Buenos Aires, Norma.

JAMESON, Fredric (1986): "Thirld World Literature in the Era of Multinational Capitalism", *Social Text*, nº 15, otoño.

263

JAMESON, Fredric (1995): *Marcas do visível*, Rio de Janeiro, Graal.

JAMESON, Fredric (2003): "The End of Temporality" en *Critical Inquiry*, summer, volume 29, number 4.

JAY, Martin (1988): *Adorno*, México, Siglo XXI.

JAY, Martin (1993): *Downcast Eyes (The denigration of vision in Twentieth-century French Thought)*, University of California Press, London.

JAY, Martin (2003): *Campos de fuerza (Entre la historia intelectual y la crítica cultural)*, Buenos Aires, Paidós.

JULIEN, Isaac y Kobena MERCER (1996): "De Margin and De Centre" en David Morley y Kuan-Hsing Chen (editores): *Stuart Hall (Critical Dialogues in Cultural Studies)*, Londres, Routledge.

KATZENSTEIN, Inés (2003): "Acá lejos" en *Ramona (revista de artes visuales)*, número 37, diciembre.

KRACAUER, Siegfrid (1989): *Teoría del Cine*, Paidós, Barcelona.

KRACAUER, Sigfried (1938): *Orpheus in Paris (Offenbach and the Paris of his time)*, New York, Alfred Knopf.

LANDI, Oscar (1992): *Devórame otra vez (Qué hizo la televisión con la gente, qué hace la gente con la televisión)*, Buenos Aires, Planeta.

LANT, Antonia (1995): "Haptical cinema" en *October*, número74.

MAN, Paul de (1990): *La resistencia a la teoría*, Madrid, Visor.

MARRATI, Paola (2003): *Gilles Deleuze: cine y filosofía*, Buenos Aires, Nueva Visión.

MARTÍN-BARBERO, Jesús (1993): *De los medios a las mediaciones (Comunicación, cultura y hegemonía)*, México, Gustavo Gili.

MARX, Carlos (1964): *El capital (Crítica de la economía política)*, tomo I, México - Buenos Aires, Fondo de Cultura Económica.

MONGIN, Olivier (1997): *Violencia y cine contemporáneo*, Buenos Aires, Paidós.

NUN, José (1995): "Populismo, representación y menemismo" en AA. VV.: *Peronismo y menemismo (Avatares del populismo en la Argentina)*, Buenos Aires, El cielo por asalto.

ORTIZ, Renato (1994): *Mundialização e cultura*, São Paulo, Brasiliense.

PEIRCE, Charles (1987): *Obra lógico semiótica*, Madrid, Taurus.

RANCIÈRE, Jacques (1991): *Breves viajes al país del pueblo*, Buenos Aires, Nueva Visión.

RANCIÈRE, Jacques (1996): *El desacuerdo (Política y filosofía)*, Buenos Aires, Nueva Visión.

RANCIÈRE, Jacques (2001): «D'une image à l'autre? Deleuze et les âges du cinéma» en *Le Fable cinématographique*, Paris, du Seuil.

RANCIÈRE, Jacques (2002): *La división de lo sensible (Estética y política)*, Salamanca, Consorcio Salamanca.

RANCIÈRE, Jacques (2004): «Les écarts du cinéma» en *Trafic*, número 50, verano.

ROHMER, Eric (2000): *El gusto por la belleza*, Barcelona, Paidós.

SAID, Edward (1983): *The Word, the Text and the Critic*, Massachusetts, Harvard University Press.

SANTIAGO, Silviano (2004): *O cosmopolitismo do pobre: crítica literária e crítica cultural*, Belo Horizonte, UFMG.

SARLO, Beatriz (1990): "Menem" en *Punto de Vista*, diciembre, número 39.

SARLO, Beatriz (1992): "La teoría como chatarra (Tesis de Oscar Landi sobre la televisión)" en *Punto de Vista*, noviembre, número 44.

SENNETT, Richard (2003): *El respeto (Sobre la dignidad del hombre en un mundo de desigualdad)*, Barcelona, Anagrama.

SHOHAT, Ella y Robert STAM (2002): *Multiculturalismo, cine y medios de comunicación (Crítica del pensamiento eurocéntrico)*, Barcelona, Paidós.

SLOTERDIJK, Peter (2002): *El desprecio de las masas (Ensayo sobre las luchas culturales de la sociedad moderna)*, Valencia, Pre-textos.

STAM, Robert (2001): *Teorías del cine. Una introducción*, Buenos Aires, Paidós.

STAM, Robert y Toby MILLER (2000): *Film Theory (An Anthology)*, Oxford, Blackwell.

STAM, Robert, Robert BURGOYNE y Sandy FLITTERMAN-LEWIS (1999): *Nuevos conceptos de la teoría del cine*, Buenos Aires, Paidós.

STENDHAL (1966): *Del amor*, Madrid, Ferma.

STEWART, Susan (2001): *On longing (Narratives of the Miniature, the Gigantic, the Souvenir, the Collection)*, Durham y Londres, Duke University Press.

STRINGER, Julian (2002): "Global Cities and the International Film Festival Economy" en Mark Shiel y Tony Fitzmaurice (comp.): *Cinema and the City (Film and Urban Societies in a Global Context)*, Oxford, Blackwell.

SVAMPA, Maristella (2000): "Identidades astilladas. De la patria metalúrgica al heavy metal" en AA.VV. *Desde abajo. La transformación de las identidades sociales*, Buenos Aires, Biblos.

VEZZETTI, Hugo (2003): *Pasado y Presente. Guerra, dictadura y sociedad en la Argentina*, Buenos Aires, Siglo XXI.

VIRNO, Paolo (2003): *Gramática de la multitud (Para un análisis de las formas de vidas contemporáneas)*, Buenos Aires, Colihue.

2.c. Bibliografía específica

ACUÑA, Claudia (1999): "El neorrealista bonaerense (Entrevista a Pablo Trapero)" en *El amante cine*, número 88, julio.

ACUÑA, Ezequiel, Diego LERMAN y Juan VILLEGAS (2004): "Los no realistas (conversación)" en *Kilómetro 111 (Ensayos sobre cine)*, número 5, noviembre.

AGUILAR, Gonzalo (2001): "Los precarios órdenes del azar", en *Milpalabras (letras y artes en revista)*, número1, primavera.

AGUILAR, Gonzalo (2001): "Renuncia y libertad (sobre una película de Lisandro Alonso)", en *Milpalabras (letras y artes en revista)*, número2, verano.

ALONSO, Mauricio (2004): "Distancias (*Yo no sé qué me han hecho tus ojos* de S. Wolf y L. Muñoz)" en *Kilómetro 111 (Ensayos sobre cine)*, número 5, noviembre.

ALTAMIRANO, Carlos (1996): "Montoneros" en *Punto de Vista*, número 55, agosto.

AMADO, Ana (2002): "Cine argentino. Cuando todo es margen" en *Pensamiento de los Confines*, número 11, septiembre.

AMADO, Ana (2003a): "Herencias, generaciones y duelo en las políticas de la memoria", *Revista Iberoamericana*, número202, enero-marzo.

AMADO, Ana (2003b): "Imágenes del país del pueblo" en *Pensamiento de los Confines*, número 12, junio.

AMADO, Ana (2004): "Ordenes de la memoria y desórdenes de la ficcion", en Ana Amado y Nora Dominguez (comp.): *Lazos de Familia. Herencias, cuerpos, ficciones*, Buenos Aires, Paidós.

BECEYRO, Raúl (1997): "Fantasmas del pasado" en *Cine y política*, Santa Fe, UNL.

BECEYRO, Raúl, Rafael FILIPPELLI, David OUBIÑA y Alan PAULS (2000): "Estética del cine, nuevos realismos, representación (Debate sobre el nuevo cine argentino)" en *Punto de Vista*, número 67, agosto.

BENTIVEGNA, Diego: "Realismo, naturalismo, verdad (sobre *El bonaerense* de Pablo Trapero)" en www.otrocampo.com.

BERNADES, Horacio; Diego LERER y Sergio WOLF (editores) (2002): *New Argentine cinema: themes, auteurs and trends of innovations / Nuevo cine argentino: temas, autores y estilos de una renovación*, Buenos Aires, Ediciones Tatanka.

BERNINI, Emilio (2003): "Un proyecto inconcluso (Aspectos del cine argentino contemporáneo)" en *Kilómetro 111 (Ensayos sobre cine)*, número 4, octubre.

BERNINI, Emilio (2004): "Un estado (contemporáneo) del documental. Sobre algunos films argentinos recientes" en *Kilómetro 111 (Ensayos sobre cine)*, número 5, noviembre.

BIRGIN, Alejandra y Javier TRÍMBOLI (comps.) (2003): *Imágenes de los noventa*, Buenos Aires, Libros del Zorzal.

CORREAS, Carlos (1998): "Tres filmes argentinos" en *El ojo mocho*, número 12/13, primavera.

COZARINSKY, Edgardo (2003): "Notas sobre un filme argentino (*Tan de repente* de Diego Lerman)" en *Kilómetro 111*, número 4, octubre.

CHÁNETON, July (2004): "Los padres según los hijos, en *(h) historias cotidianas* de Andrés Habegger", mimeo.

CHOI, Domin: "La ciudad de la melancolía" en www.otrocampo.com.

D'ESPÓSITO, Leonardo (2005): "El perro" en "El año de transición", *El amante cine*, número 153, enero/febrero.

DI TELLA, Andrés (2002): "El documental y yo" en *Milpalabras (letras y artes en revista)*, número 4, primavera.

DODARO, Christian y SALERNO, D. (2003): "Cine militante: repolitización, nuevas condiciones de visibilidad y marcos de lo decible", *Segundas jornadas de jóvenes investigadores*, Instituto de Investigación Gino Germani, UBA.

DUPONT, Mariano (2003): "*El bonaerense* (Pablo Trapero)" en *Kilómetro 111 (Ensayos sobre cine)*, número 4, octubre.

España, Claudio (director) (1994): *Cine argentino en democracia, 1983-1993*, Buenos Aires, Fondo Nacional de las Artes.

España, Claudio (director) (2000): *Cine argentino 1933-1956: Industria y clasicismo*, Buenos Aires, Fondo Nacional de las Artes.

España, Claudio (director) (2005a): *Cine argentino 1957-1983: Modernidad y vanguardias I*, Buenos Aires, Fondo Nacional de las Artes.

España, Claudio (director) (2005b): *Cine argentino 1957-1983: Modernidad y vanguardias II*, Buenos Aires, Fondo Nacional de las Artes.

Filippelli, Rafael (1999): "Ellos miran: la perspectiva de *Mala época*" en *Punto de vista*, número 64, agosto.

Filippelli, Rafael (2001): "El último representante de la Nouvelle Vague", *El amante cine*, número 115, octubre.

Filippelli, Rafael (2002): "Una cierta mirada radical" en *Punto de vista*, número 73, agosto.

Fontana, Patricio (2002): "Martín Rejtman. Una mirada sin nostalgias (entrevista)" en *Milpalabras (letras y artes en revista)*, número 4, primavera.

Getino, Octavio y Susana Vellegia (2002): *El cine de las historias de la revolución (Aproximaciones a las teorías y prácticas del cine político en América Latina, 1967-1977)*, Buenos Aires, Altamira.

González, Horacio (2003): "Sobre *El bonaerense* y el nuevo cine argentino" en *El ojo mocho*, número 17, verano.

González, Horacio y Eduardo Rinesi (1993): *Decorados*, Buenos Aires, Manuel Suárez editor.

Gorelik, Adrián (1999): "*Mala época* y la representación de Buenos Aires" en *Punto de vista*, número 64, agosto.

Gundermann, Christian (2005): "La obturación de los flujos. Deseo y objetividad en el Nuevo cine argentino", mimeo.

King, John, Ana López y Manuel Alvarado (editores) (1993): *Mediating Two Worlds*, London, BFI.

Kohan, Martín (2004a): "La apariencia celebrada" en *Punto de Vista*, número 78, abril.

Kohan, Martín (2004b): "Una crítica en general y una película en particular" en *Punto de Vista*, número 80, diciembre.

Lerer, Diego (2003): "Lobo suelto, cordero atado" en *Clarín*, 17 de julio.

Llinás, Mariano (2004): "El Imperio contraataca" en *El amante cine*, número 153, enero-febrero.

M.B. (2003): "Vidas privadas en espacios públicos (El cineasta y director de teatro Federico León define a su película "Todo juntos" como "la mirada subjetiva de una relación")" en *Página/12*, 10 de agosto.

Macón, Cecilia (2004): "*Los rubios* o del trauma como presencia" en *Punto de Vista*, número 80, diciembre.

Mestman, Mariano (2001): "Postales del cine militante argentino en el mundo" en *Kilómetro 111*, número 2, Buenos Aires, septiembre.

Noriega, Gustavo (2000): "El rey de la chatarra (Ulises Rosell y *Bonanza*)" en *El amante*, número 104, noviembre.

NORIEGA, Gustavo (2001): "Historia de una búsqueda (Los 10 años de *El amante* y el cine argentino)" en *El amante*, número 117, diciembre.

NORIEGA, Gustavo (2002): "Freddy toma soda (sobre *Bolivia* de Adrián Caetano)" en *El amante*, número 120, abril.

NORIEGA, Gustavo (2005): "Un fantasma recorre Perú (sobre *Camisea* de Enrique Bellande)" en *El amante*, número 156, mayo.

OUBIÑA, David (2003): "El espectáculo y sus márgenes. Sobre Adrián Caetano y el nuevo cine argentino" en *Punto de Vista*, número 76, agosto.

PAULS, Alan (2004): "Vamos de paseo (entrevista a Martín Rejtman)" en *Radar*, suplemento de *Página/12*, 30 de mayo.

PÉREZ, Martín (2004): "Para saber cómo es la libertad (Entrevista a Lisandro Alonso)", *Radar*, suplemento de *Página/12*, 26 de septiembre.

QUINTÍN (2000): "Lucrecia Martel antes de la largada. Es de Salta y hace falta", *El amante cine*, número 100, julio.

QUINTÍN (2001): "El misterio del leñador solitario (Entrevista a Lisandro Alonso)" en *El amante*, número 111, junio.

RIVAL, Silvina y Domin CHOI (2001): "Última tendencia del cine argentino (sobre *La libertad* de Lisandro Alonso)" en *Kilómetro 111 (Ensayos sobre cine)*, número 2.

ROHTER, Larry (2005): "Floating Below Politics" en *New York Times*, 1º de mayo.

SALAS, Hugo (2004): "Duro ese cuerpo (reseña de *Todo juntos* de Federico León)" en *Kilómetro 111 (Ensayos sobre cine)*, número 5.

SARLO, Beatriz (1998): "La noche de las cámaras despiertas" en *La máquina cultural*, Buenos Aires, Ariel.

SARTORA, Josefina y Silvina RIVAL (editoras) (en prensa): *Documental político argentino*.

SCHWARZBÖCK, Silvia (1999): "El enigma de Silvia Prieto" en *El amante*, número 87, junio.

SCHWARZBÖCK, Silvia (2000): "Último tren a Constitución", en *El amante*, número 104.

SCHWARZBÖCK, Silvia (2001): "Los no realistas" en *El amante*, número 115, octubre.

SOLANAS, Fernando y Octavio GETINO (1973): *Cine, cultura y descolonización*, Buenos Aires, Siglo XXI.

SOTO, Moira (2004): "Sobre *Lesbianas de Buenos Aires* de Santiago García" en www.malba.org, Ciclo películas del mes.

SPERANZA, Graciela (2002): "Nuevo cine, ¿nueva narrativa?" en *Milpalabras*, número 4, primavera-verano.

TORRE, Claudia y Álvaro FERNÁNDEZ BRAVO (2003): "Los marginados modernos" en *Introducción a la escritura universitaria (Ciudades alteradas. Nación e inmigración en la cultura moderna)*, Buenos Aires, Granica.

TREROTOLA, Diego (2003): "Polvos de una relación (sobre *Todo juntos* de Federico León)" en *El Amante* Nº 138, octubre.

UDENIO, Pablo y Hernán GUERSCHUNY (1996): "Cinéfilo es una palabra rara (Entrevista a Martín Retjman)" en *Haciendo cine*, número 5, octubre.

3. Sitios de Internet
Instituto Nacional de Cine y Artes Audiovisuales:

http://www.incaa.gov.ar/

Base de Datos de películas:

http://www.cinenacional.com
http://www.imdb.com

Crítica de cine e información general:

http://www.otrocampo.com
http://www.leedor.com
http://www.cineismo.com.ar
http://citynema.com
http://www.haciendocine.com.ar/
http://elamante.com.ar/
http://www.cineindependiente.com.ar/
http://www.tercer-ojo.com/

Escuelas de cine:

http://www.ort.edu.ar
http://www.enerc.gov.ar
http://www.fadu.uba.ar/carreras
http://www.escueladecinesubiela.com
http://www.ucine.edu.ar
http://elamante.com.ar/escuela/
http://www.cinecievyc.com.ar/
http://www.cinecontemporaneo.com.ar/
http://www.cinecic.com.ar/

Estadísticas sobre cine en la ciudad de Buenos Aires:

http://www.cedem.gov.ar

Festivales:

http://www.mdpfilmfestival.com.ar (Internacional de Mar de Plata)
http://www.bafici.gov.ar (de cine independiente de Buenos Aires)
http://www.derhumalc.org.ar (de derechos humanos)
http://rojosangre.quintadimension.com (de terror y cine bizarro)
http://www.diversafilms.com.ar (gay y lésbico)
http://www.ucine.edu.ar/festival (escuelas de cine)
http://www.documentalistas.org.ar (documentalistas)

http://www.felco.ojoobrero.org (cine obrero)
http://www.bafreeci.tk/ (de cine y cultura independiente)
http://www.ficja.com.ar/ (de cine judío en la Argentina)

Fundaciones:

http://festival.sundance.org/
http://www.emb-fr.int.ar/doc_audio/fondssud.htm
http://www.filmfestivalrotterdam.com/nl/index.html
http://www.programaibermedia.com/
Center for Alternative Media and Culture (tvnatfans@aol.com)
http://www.goteborg.filmfestival.org/filmfestival/
http://www.macfdn.org

Productoras:

http://www.farsaproducciones.com.ar/
http://www.fatam.com.ar (productora de cine de vecinos)
http://litastantic.com.ar
http://www.magoyafilms.com.ar
http://www.tresplanos.com
http://www.corpax.com/zarlek/

Sitios visitados y citados en este libro:

http://loskjarkas.com (música)
http://www.revolutionvideo.org/alavio/
http://www.sicacine.com.ar/ (sindicato)
http://www.memoriaabierta.org.ar
http://www.renault12club.com.ar
http://www.bazaramericano.com
http://www.campus-oei.org/pensariberoamerica/

Agradecimientos

En 1999, formé un grupo de estudios sobre cine, literatura y teoría en el que participaron Jimena Rodríguez, Pablo Garavaglia, Lucía Tennina, Julieta Lerman, Joana D'Alessio, Bárbara Rivkin, Julieta Bliffeld y Germán Conde. Con ellos discutimos varias ideas que, finalmente, desembocaron en este libro. Jimena Rodríguez, además de aportar materiales e ideas, hizo un trabajo sobre el cine de Martel que me sirvió para repensar mis hipótesis. Pablo Garavaglia pasó varias tardes en el Museo del Cine consultando materiales y revistas.

En el 2004, Nicolás Casullo me invitó generosamente a dar un seminario en la Maestría en Comunicación y Cultura de la Facultad de Ciencias Sociales de la Universidad de Buenos Aires. Este curso fue fundamental para que ordenara muchas de las hipótesis y propuestas de este libro. También quiero agradecerles a los estudiantes que compartieron conmigo ese seminario.

A comienzos de 2005, Elvira Arnoux tuvo la amabilidad de invitarme a volcar las conclusiones de mi investigación en la Maestría de Análisis del Discurso que dirige en la Universidad de Buenos Aires. Los estudiantes discutieron mis puntos de vista y aportaron nuevas perspectivas.

Me han acercado materiales, indicaciones bibliográficas o consejos Denise Estremero, Lucas Margarit, Ana Amado, Juan Balerdi, Alejo Moguillansky, Gabriel Lichtmann, Gregorio Goyo Anchou, Diego Lerman, Juan Villegas, Rodrigo Laera, Santiago García, Martín Kohan, Yaki Setton, Jens Andermann, Cachi del videoclub *La fábrica de los sueños*, Mariano de *Estilo*, Mariano de *Black 2*, los muchachos de *La Mirage*, Andrés Insaurralde de la biblioteca del Museo del Cine y Emilio Bernini. Mariano Siskind me ha traducido textos y enviado materiales desde tierras lejanas. Paulina Seivach, de quien utilicé sus estudios y estadísticas, respondió con cortesía a mis mails.

Varias lecturas de partes de este libro han sido fundamentales para que corrigiera y volviera a redactar las primeras versiones. Agradezco a Diego Trerotola, Patricio Fontana, Claudia Torre, Santiago Giralt, Diana Sorensen, Domin Choi, Gustavo Castagna y Hernán Musalupi, quien además me consiguió material inhallable y me orientó en la compleja industria del cine.

Es difícil dar una idea exacta del papel que desempeñó Domin Choi en la redacción de este libro. Él me impulsó a darle forma y colaboró activamente en todo el proceso de la edición final.

También quiero agradecer a Claudio España por haber pensado en mí en varios de sus proyectos, y a Moira Soto, Gustavo Castagna y Ana Amado, con quienes, hace algunos años, compartimos la experiencia de seleccionar films para el Festival de Mar del Plata, en las ediciones de 2001 y 2002.

En la Universidad del Cine (FUC) que dirige Manuel Antín di clases durante siete años. Ahí tuve la suerte de conocer a unos estudiantes maravillosos, muchos de los cuales fueron protagonistas del fenómeno que aquí estudio. En esa institución, no sólo aprendí muchísimo sino que también hice amigos: algunos de ellos, temerariamente, me invitaron a participar de sus películas. Espero, con este libro, no decepcionarlos como docente.

Ana Spisso ha prestado una ayuda invalorable sin la cual este libro nunca se hubiera terminado.

Vera Waksman supo recordar los nombres de algunos cines en los que, de adolescentes, vimos algunas películas.

Finalmente, Alejandra Laera fue más que una lectora: aportó ideas, discutió hipótesis y me acompañó en todos los tramos de la realización del libro. Ella, además, junto a Goyo y Chano, supieron entregarme un mundo en el que la vida es más feliz y más intensa.

Índice

Introducción 7

I. Sobre la existencia del nuevo cine argentino 11
   Las mil y una maneras de hacer una película 15
   Cambios en la producción artística 21
   Los caminos de la estética 23

II. Cine, la narración de un mundo 39
    Nomadismo y sedentarismo... 41
       La dispersión y la fijeza (entre *La ciénaga* y *Pizza, birra, faso*) 43
       Intensidades de los rostros y los cuerpos
       (*Rapado* y *Todo juntos*) 55

    El retorno de lo documental 64
       La poética de lo indeterminado: renuncia y libertad en una
       película de Lisandro Alonso... 67

    Mercancía y experiencia... 73
       Un cine de las sobras: *Los muertos* de Lisandro Alonso 75
       Silvia Prieto o el amor a los treinta años 83

    El sonido, banda aparte 94
       La niña santa y el cierre de la representación 97
       Los guantes mágicos: ruidos en la superficie 106

    Uso de los géneros: rodeos y visitas 114
       Comedia: velocidad y azar (*Tan de repente* y *Sábado*) 116
    El bonaerense: el género de la corporación 124

III. Un mundo sin narración (la indagación política)................... 133
     Política más allá de la política 135
     Adiós al pueblo... 143
     La nostalgia del trabajo... 155
     Palabras hirientes: la discriminación en Bolivia................... 166
     Los rubios: duelo, frivolidad y melancolía........................... 175

Anexos... 193
     1. El mundo del cine en Argentina..................................... 195
     2. La política de los actores 220
     3. Estrenos nacionales en el período 1997-2005 225

273

Epílogo para la edición 2010.. 237
   El recambio de las productoras y el cine anómalo.......... 239
   Más allá de la identidad.. 243
   Coreografías.. 248
   La consolidación de los pioneros................................. 253
   Un cine de lo político.. 256

Bibliografía... 261

Agradecimientos.. 271